#53 PACOL
Pacoima Branch
13605 Van Nuys Blvd.
Pacoima, CA 91331

W9-BPL-118

RUSSIA

Prague

AUSTRIA-
HUNGARY

Vienna

BLACK
SEA

SERBIA

Constantinople

OTTOMAN
EMPIRE

MAY 0 6 2014

Escrito por
SCOTT WESTERFELD
Ilustrado por Keith Thompson

Traducción: Raquel Solà

S

215482424

edebé

Título original: *LEVIATHAN*

© 2009, 2010, 2011 by Scott Westerfeld
First Published by Simon Pulse, an imprint of Simon & Schuster's
Children's Publishing Division.
Translation rights arranged by Jill Grinberg Literary Management LLC
and Sandra Bruna Agencia Literaria, SL.

All rights reserved.

© Edición en español: Edebé, 2012
Paseo de San Juan Bosco, 62 (08017 Barcelona)
www.edebe.com
Dirección de la edición: Reina Duarte
Editora: Elena Valencia
© Traducción al español: Raquel Solà

ISBN 978-84-683-0699-5
Depósito Legal: B. 22897-2012
Impreso en España
Printed in Spain

Cualquier forma de reproducción, distribución, comunicación pública o transformación de esta
obra sólo puede ser llevada a cabo con la autorización de sus titulares, sacado de las excepciones
previstas en la Ley. Dirigíos a CEDRO (Centro Español de Derechos Reprográficos – www.cedro.
org) si necesitáis fotocopiar o escanear ningún fragmento de esta obra (www.conlicencia.com;
91 702 19 70 / 93 272 04 45).

A mi equipo de escritura de Nueva York,
por saber la importancia del oficio.

• UNO •

La caballería austriaca brillaba bajo la luz de la luna con sus jinetes erguidos orgullosamente en la silla de montar, sobre sus caballos y con las espadas en alto. Tras ellos, dos hileras de máquinas andantes, caminantes impulsados con motores diésel, listas para disparar, con los cañones apuntando por encima de las cabezas de la caballería. Un dirigible reconocía el terreno en tierra de nadie, en el centro del campo de batalla, dejando ver los destellos de su piel de metal.

Las infanterías francesa y británica estaban agazapadas, protegidas tras sus fortificaciones, consistentes en un abridor de cartas, un tintero y una hilera de plumas estilográficas, sabiendo que no tenían ninguna oportunidad ante el poder del Imperio austrohúngaro. Sin embargo, una hilera de monstruos darwinistas surgía amenazadora tras ellos, lista para devorar a cualquiera que se atreviese a retirarse.

Cuando estaba a punto de empezar el ataque, al príncipe Aleksandar le pareció que había escuchado a alguien al otro lado de la puerta de sus aposentos

Hizo el gesto de irse a la cama con un sentimiento de culpabilidad, luego se quedó inmóvil, escuchando atentamente. En el exterior, los árboles se movían agitados por una suave brisa, pero, por lo demás, la noche estaba en completo silencio. Al fin y al cabo, Madre y Padre estaban en Sarajevo y los sirvientes no se atreverían a perturbar su sueño.

Alek regresó a su escritorio y empezó a desplazar a la caballería hacia delante, sonriendo abiertamente cuando la batalla se acercó a su punto culminante. La infantería austriaca había terminado su bombardeo y era el momento adecuado para que los caballos de plomo rematasen a los franceses, desgraciadamente superados en número. Había tardado toda la noche en preparar el ataque, usando tácticas imperiales del manual que había tomado prestado del estudio de su padre.

A Alek le parecía bastante justo divertirse un poco mientras sus padres estaban de viaje supervisando maniobras militares. Había suplicado que lo llevaran con ellos para ver a todas las formaciones de soldados congregadas, desfilando ante él, marcando el paso en directo, para sentir el retumbar de las máquinas de guerra concentrado a través de las suelas de sus botas.

Por supuesto, había sido Madre quien se lo había prohibido, puesto que sus estudios eran más importantes que los «desfiles», como ella los llamaba. Ella no comprendía que las maniobras militares podían enseñarle más que cualquier viejo y casposo tutor y sus libros. Un día, su hijo Alek tal vez pilotaría una de aquellas máquinas. Al fin y al cabo, la guerra era inminente. Estaba en boca de todos.

Cuando la última unidad de caballería de plomo chocó contra las líneas francesas volvió a escuchar aquel sonido apagado que provenía del corredor: un tintineo, como un manojo de llaves.

Alek se dio la vuelta para mirar a través de la rendija que quedaba por debajo de las puertas dobles de su dormitorio. Unas sombras se movían entre los retazos de luz de luna y escuchó el siseo de unos susurros.

Alguien estaba justo al otro lado de la puerta, en el exterior.

Guardó silencio y, rápidamente, cruzó con los pies descalzos el frío suelo de mármol. En el preciso instante en que la puerta se abría con un chirrido, Alek se deslizaba dentro de la cama. El muchacho entornó los ojos sin acabar de cerrarlos del todo para ver cuál de sus sirvientes estaba vigilándole.

La luz de la luna penetró en la estancia, haciendo brillar los soldados de plomo que había en su escritorio. Alguien entró en la habitación, ágilmente y sin hacer el menor ruido. La silueta se detuvo, miró a Alek un instante y luego avanzó lentamente hacia la cómoda del príncipe. Alek escuchó el roce de la madera de un cajón abriéndose con cuidado. Su corazón se aceleró. ¡Ningún sirviente se atrevería a robarle! Pero ¿y si el intruso era algo peor que un ladrón? Las advertencias de su padre resonaron en sus oídos: «Tienes enemigos desde el día en que naciste».

La cuerda de una campanilla colgaba junto a su cama, pero la habitación de sus padres estaba vacía. Con Padre y su guardia personal en Sarajevo, los centinelas que se encontraban más cerca estaban acuartelados en el otro extremo del salón de trofeos, a cincuenta metros de distancia.

Alek deslizó una mano por debajo de su almohada hasta que sus dedos tocaron el frío acero de su cuchillo de caza. Permanecía acostado conteniendo el aliento, sujetando el mango del cuchillo con fuerza, repitiéndose a sí mismo otra de las consignas de su padre: «El factor sorpresa es más valioso que la fuerza».

Otra silueta atravesó la puerta. Sus botas resonaron al entrar y también unas hebillas de metal en una cazadora de piloto que tintineaban como llaves en una anilla. La silueta avanzó con paso firme directamente hacia su cama.

—¡Joven señor! ¡Despertad!

Alek soltó el cuchillo, dejando escapar un suspiro de alivio. Tan solo era el viejo Otto Klopp, su instructor de *mekánica*.

La primera silueta empezó a rebuscar en la cómoda, sacando ropa.

—El joven príncipe ha estado despierto todo el tiempo —dijo la nerviosa voz del conde Volger—. ¿Me permite un pequeño consejo, Su Alteza? Cuando desee fingir que está dormido, es aconsejable no contener el aliento.

Alek se sentó en la cama con el semblante ceñudo. Su maestro de esgrima tenía la molesta habilidad de saber ver a través de los engaños.

—¿Qué significa todo esto?

—Tenéis que venir con nosotros, joven señor —murmuró Otto, mirando fijamente el suelo de mármol—. Son órdenes del archiduque.

—¿Mi padre? ¿Ya ha regresado?

—Vuestro padre dejó instrucciones —dijo el conde Volger con el mismo tono de voz exasperante que usaba durante las lecciones de esgrima.

Lanzó un par de pantalones de Alek y una cazadora de piloto sobre la cama.

Alek se los quedó mirando, sintiéndose medio ultrajado, medio confundido.

—Como el joven Mozart —dijo Otto en voz baja—, de los relatos que os explica el archiduque.

Alek frunció el ceño al recordar las historias preferidas de Padre sobre la educación que recibió el gran compositor. Al parecer, los tutores de Mozart lo despertaban en mitad de la noche, cuando su mente estaba en blanco e indefensa, y le obligaban a recibir lecciones. No obstante, todo aquello le parecía bastante irrespetuoso a Alek.

Alargó la mano para alcanzar los pantalones.

—¿Vais a obligarme a componer una *fuga*?

—Una divertida ocurrencia —dijo el conde Volger—. Pero, por favor, apresuraos.

—Tenemos un caminante esperando tras los establos, joven señor —el preocupado rostro de Otto intentó esbozar una sonrisa—. Tendréis que coger el casco.

—¿Un caminante? —Alek abrió mucho los ojos.

Pilotar formaba parte de su formación y era una disciplina para la que no le costaba saltar de la cama, de modo que se vistió rápidamente.

—¡Sí, efectivamente, esta va a ser vuestra primera lección nocturna! —dijo Otto, entregándole a Alek sus botas.

Alek se calzó y se puso de pie, a continuación se dirigió hacia la cómoda a buscar sus guantes de piloto favoritos. Sus pasos resonaron sobre el suelo de mármol.

—Ahora guardad silencio.

El conde Volger permaneció inmóvil junto a las puertas de los aposentos del príncipe. Las abrió un poco y se asomó para mirar por el corredor.

—Tenemos que salir sin hacer ruido, Su Alteza —susurró Otto—. ¡Ya veréis qué divertida va a ser esta lección! ¡Igual que las del joven Mozart!

Los tres avanzaron lentamente por el salón de trofeos, aunque el profesor Klopp seguía haciendo ruido al andar y Volger se deslizaba junto a él en silencio. Los retratos de los antepasados de Alek, la familia que había gobernado Austria durante seiscientos años, colgaban de las paredes del pasadizo. Sus rostros los miraban fijamente con unas expresiones indescifrables. Las cornamentas de los trofeos de caza de su padre proyectaban unas enmarañadas sombras, como un bosque bajo la luz de la luna. Cada paso que daban quedaba magnificado por la quietud que reinaba en el castillo. A su vez, también resonaban un montón de preguntas en la cabeza de Alek.

¿Acaso no era peligroso pilotar un caminante de noche? ¿Y por qué su profesor de esgrima iba con ellos? El conde Volger prefería las espadas y los caballos a los *mekánicos* sin alma y, además, su tolerancia respecto a los plebeyos como el viejo Otto era más bien escasa. El profesor Klopp había sido contratado por su habilidad como piloto y no por su apellido.

—Volger... —empezó Alek.

—¡Silencio, muchacho! —espetó el conde.

Alek sintió cómo estallaba un destello de cólera en su interior y casi dejó escapar una maldición, aunque tuviese que arruinar su estúpido juego de escabullirse sin ser vistos.

Siempre sucedía lo mismo. Para los criados él podía ser «el joven archiduque», pero los nobles como Volger nunca dejaban que Alek olvidase su posición. A causa de la sangre plebeya de su madre, no era digno de heredar las tierras y los títulos reales. Aunque su padre fuese el heredero de un Imperio de un millón de almas, Alek no era heredero de nada.

El propio Volger era solamente conde, no tenía tierras de labranza a su nombre, tan solo unas pocas hectáreas de bosque, pero aun así se sentía superior al hijo de una dama de compañía.

No obstante, Alek consiguió contenerse y permanecer en silencio, dejando que su cólera se calmase mientras se movían furtivamente a través de las grandes cocinas, ahora en sombras, destinadas a servir grandes banquetes. Años de insultos le habían enseñado a morderse la lengua y era más fácil tragarse la falta de respeto ante la perspectiva inminente de pilotar.

Llegaría el día en que tendría la ocasión de vengarse. Padre se lo había prometido. Cambiarían el contrato matrimonial de alguna forma y la sangre de Alek entonces sería plenamente real.

Aunque aquello significase desafiar al mismísimo emperador.

• DOS •

Cuando llegaron a los establos, la única preocupación
de Alek era procurar no tropezar en la oscuridad. Apenas había media luna y los bosques de caza de la propiedad se extendían como un mar negro por el valle. A aquella hora, incluso las luces de Praga se habían apagado, quedando en una simple insinuación.

Al ver al caminante, a Alek se le escapó un grito sofocado de emoción.

Allí estaba el robot, más alto que el techo del establo, con sus dos pies de metal hundidos profundamente en el suelo del *paddock* de equitación. Parecía uno de los monstruos darwinistas merodeando en la oscuridad. Aquello no era una máquina de entrenamiento cualquiera, sino una máquina de guerra real: un Caminante de Asalto *Cíklope*. En su abdomen tenía un cañón montado y las gordas narices de dos metralletas *Spandau* sobresalían de su enorme cabeza, grande como un ahumadero.

Hasta entonces, antes de aquella noche, Alek solo había pilo-

«LA HUIDA».

tado pequeñas naves y corbetas de entrenamiento de cuatro patas.

Aunque estuviese a punto de cumplir dieciséis años, Madre siempre insistía en que era demasiado joven para las máquinas de guerra.

—¿Voy a tener que pilotar *esto*? —a su pesar, Alek escuchó que se le quebraba la voz—. ¡Mi vieja nave no le llega ni a la rodilla!

La mano enguantada de Otto Klopp dio unas fuertes palmadas en su hombro.

—No os preocupéis, joven Mozart. Yo estaré a vuestro lado.

El conde Volger llamó a la máquina. Sus motores se pusieron en marcha y el suelo empezó a temblar bajo los pies de Alek. La luz de la luna parecía temblar también a través de las hojas húmedas de las redes de camuflaje que cubrían al Caminante de Asalto y se escuchó el relinchar nervioso de los caballos en el establo.

A la altura del vientre, se abrió de pronto una escotilla, de la que cayó una escalera metálica que se desenrolló hasta el suelo. El conde Volger la sujetó para que no se balancease y luego plantó una bota en el peldaño inferior de metal para mantenerla fija.

—Joven señor, si hacéis el favor.

Alek se quedó mirando fijamente la máquina. Intentó imaginarse guiando aquel monstruo a través de la oscuridad, aplastando árboles, edificios y cualquier cosa lo suficientemente desafortunada para interponerse en su camino. Otto Klopp se inclinó acercándose a él.

—Vuestro padre, el archiduque, nos ha lanzado un desafío, a vos y a mí. Quiere que estéis preparado para pilotar cualquier máquina de la Casa de Guardia, incluso en plena noche.

Alek tragó saliva. Padre siempre decía que, con la guerra en el horizonte, todos en la casa tenían que estar preparados. Y tenía sentido empezar el entrenamiento mientras Madre no estaba. Si Alek estrellaba el caminante, las peores magulladuras habrían desaparecido antes de que la princesa Sofía regresase.

Aun así, Alek dudó. La trampilla del abdomen de la retumbante máquina parecía las mandíbulas de algún depredador gigante inclinándose hacia él para asestar un mordisco.

—Por supuesto, no podemos obligaros, Su Alteza Real —dijo el conde Volger con un tono divertido en la voz—. Siempre podemos explicar a vuestro padre que estabais demasiado asustado.

—*No* estoy asustado —Alek agarró la escalera y se encaramó.

La superficie rugosa de los escalones se aferraba a sus guantes a medida que subía y pasaba entre las púas dispuestas a lo largo del abdomen del caminante para impedir el abordaje de enemigos. Gateó para entrar en las oscuras fauces de la máquina. El hedor del queroseno y el sudor impregnaron su nariz y el ruido de los motores retumbó en sus huesos.

—Bienvenido a bordo, Su Alteza —dijo una voz.

Dos hombres tocados con relucientes cascos de acero esperaban en la cabina de los artilleros. Alek recordó que un Caminante de Asalto transportaba cinco tripulantes. Aquello no se parecía en nada a una pequeña nave de tres tripulantes. Casi olvidó devolverles el saludo.

El conde Volger estaba detrás de él, cerca, en la escalera, de modo que Alek siguió subiendo hasta llegar a la cabina de mando. El príncipe se sentó en el asiento del piloto, se abrochó el cinturón de seguridad y Klopp y Volger le siguieron.

Puso las manos en los mandos de los andadores, sintiendo el increíble poder de la máquina que hacía temblar sus dedos. Era extraño pensar que aquellas dos pequeñas palancas podían controlar las gigantescas patas de metal del caminante.

—Visión completa —dijo Klopp, maniobrando para abrir el visor totalmente.

El frío aire nocturno entró en la cabina del Caminante de Asalto y la luz de la luna iluminó docenas de interruptores y palancas.

La corbeta de cuatro patas que había pilotado hacía un mes solo necesitaba mandos de control, un indicador de combustible y una brújula. Sin embargo, ahora tenía dispuesta ante él una hilera de incontables agujas e indicadores, temblando como bigotes nerviosos. *¿Para qué* debían de servir?

Apartó la mirada de los controles y miró a través del visor. La distancia a la que se encontraba del suelo le produjo una sensación de desasosiego, igual que estar mirando desde lo alto de un pajar con la intención de saltar.

Los límites del bosque se alzaban amenazadoramente tan solo a unos veinte metros de distancia. ¿De veras esperaban que pilotase aquella máquina y atravesase los densos árboles de raíces enmarañadas *de noche*?

—Cuando gustéis, joven señor —dijo el conde Volger, con un matiz de aburrimiento ya en su voz.

Alek apretó con fuerza la mandíbula, resuelto a no darle a

aquel hombre ningún otro motivo de burla. Empujó suavemente las palancas hacia delante y los enormes motores *Daimler* cambiaron de tono cuando los engranajes de acero empezaron a actuar y a ponerse en marcha rechinando.

El Caminante de Asalto cambió de posición lentamente y pasó de estar agachado a erguirse. El suelo quedó a mucha más distancia de la que ya estaba. Ahora Alek podía ver por encima y a través de las copas de los árboles hasta las tenues luces de Praga.

Tiró de la palanca izquierda hacia atrás y empujó la palanca derecha hacia delante. La máquina se puso en marcha pesadamente con una zancada inhumanamente larga, presionándole con el impulso contra el asiento del piloto.

El pedal derecho se alzó un poco cuando el pie del caminante tocó el suelo blando, empujando suavemente la bota de Alek. El joven manipuló las palancas, transfiriendo el peso de un pie al otro. La cabina se meció como la casa de un árbol empujada por un fuerte viento, moviéndose pesadamente hacia delante y hacia atrás con cada gigantesco paso que daban. De los motores situados en la parte inferior provenía un coro de siseos, los indicadores bailaban cada vez que las juntas neumáticas del Caminante de Asalto se tensaban con el peso de la máquina.

—Bien, excelente —mascullaba Otto desde su asiento de comandante—. Pero atención con la presión de la rodilla.

Alek se atrevió a bajar un momento la vista a los controles, aunque no tenía ni idea de lo que le estaba diciendo el profesor Klopp. «¿Presión de la rodilla?». ¿Cómo era posible que alguien pudiera controlar todas aquellas agujas y flechas sin hacer que todo aquel artefacto chocase contra un árbol?

—Eso está mejor —dijo el profesor al cabo de unos pocos pasos.

Alek asintió sin mediar palabra, lleno de júbilo porque aún no había tropezado con ningún árbol.

El bosque ya se alzaba ante él, llenando el visor, totalmente abierto, con una oscura maraña de sombras. Barrió las primeras ramas al pasar y estas golpearon el visor salpicando a Alek con frías gotas de rocío.

—¿No deberíamos encender las luces de posición? —preguntó el príncipe.

Klopp negó con la cabeza.

—Recordad, joven señor, que estamos intentando no ser detectados.

—Qué forma tan repugnante de viajar —murmuró Volger y Alek se preguntó de nuevo por qué aquel hombre estaba allí.

«¿Sería que después de aquello habría una lección de *esgrima*? ¿En qué clase de guerrero-Mozart estaba intentando convertirle su padre?».

El agudo chirrido de los engranajes llenaba la cabina. El pedal de la izquierda quedó pegado al pie de Alek y toda la máquina se volcó inquietantemente hacia delante.

—¡Estáis atrapado, joven señor! —dijo Otto, con las manos prestas a quitarle los mandos.

—¡Lo *sé!* —exclamó Alek, maniobrando los controles.

Bajó con fuerza el pie derecho de la máquina hasta dar medio paso, y las juntas de la rodilla escupieron aire como el silbido de un tren. Durante unos instantes el Caminante de Asalto se balanceó como un beodo a punto de caer. Pero, tras unos largos segundos, Alek sintió que el peso de la máquina se estabilizaba sobre el musgo y la tierra. Mantenía el equilibrio con un pie extendido hacia atrás, igual que un espadachín posando después de una estocada.

Empujó las dos palancas para que la pierna izquierda se desatrancase del lugar donde se había enredado y la derecha para que tirase hacia delante. Los motores *Daimler* rugían y las juntas de metal silbaban. Finalmente, un escalofrío recorrió la cabina cuando el Caminante de Asalto se irguió junto con el satisfactorio sonido de raíces arrancándose del suelo. El caminante se mantuvo erguido durante unos instantes, como una gallina sobre un huevo, y a continuación empezó a avanzar de nuevo. Las temblorosas manos de Alek guiaron al caminante en sus siguientes zancadas.

—¡Bien hecho, joven señor! —exclamó Otto, dando una palmada.

—Gracias, Klopp —dijo Alek secamente, notando que el sudor resbalaba por su rostro.

Sus manos sujetaron con fuerza las palancas, pero la máquina ya había recuperado su marcha ligera. Gradualmente se olvidó de que estaba a los controles, sintiendo los pasos como si fueran los suyos. Su cuerpo se acompasó a las oscilaciones de la cabina, los ritmos de los engranajes y los neumáticos no eran tan distintos a los de su corbeta, solo que más ruidosos. Alek había empezado a ver algunas pautas en las agujas y flechas oscilantes del panel de control: algunas cambiaban al rojo con cada pisada, retrocediendo suavemente cuando el caminante se enderezaba. La presión de la rodilla incluida, por supuesto. Pero la capacidad que tenía la máquina de desviarse del rumbo seguía preocupándole. El calor de los motores impregnaba la cabina y el aire de la noche entraba con fuerza, como unos dedos helados. Alek intentó imaginarse cómo sería pilotar en una batalla, con el visor medio cerrado, con las balas y la metralla volando y estrellándose contra él. Finalmente, las ramas de pino se despejaron ante ellos y Klopp dijo:

—Dad la vuelta aquí y encontraremos un suelo más firme, joven señor.

—¿No es este uno de los senderos de equitación de Madre? —preguntó Alek—. ¡Me arrancará la piel a tiras si pasamos por aquí!

Si se daba el caso de que alguno de los caballos de la princesa Sofía tropezaba en alguna pisada de un caminante, tanto el profesor Klopp, Alek e incluso Padre, sufrían su ira durante días. Por eso aflojó suavemente la presión que ejercía sobre el acelerador, agradecido por poder gozar de un momento de descanso, y detuvo al Caminante de Asalto en el sendero. Bajo su cazadora de piloto, Alek estaba empapado de sudor.

—Es desagradable en todos los sentidos, Su Alteza —dijo Volger—. Pero necesario si queremos ganar tiempo esta noche.

Alek se volvió a Otto Klopp y puso mala cara.

—¿Ganar tiempo? Pero si solo son ejercicios de práctica. No vamos a ir a ninguna parte, ¿verdad?

Klopp no respondió y miró de reojo al conde. Alek apartó las manos de las palancas e hizo girar en redondo la silla del piloto.

—Volger, ¿qué está pasando?

El conde se lo quedó mirando en silencio y, de repente, Alek se sintió tremendamente solo allí fuera, en la oscuridad.

Su mente empezó a repasar las advertencias de su padre: como que algunos nobles creían que el turbio linaje de Alek amenazaba al Imperio. Que un día los insultos podrían convertirse en algo peor...

Pero aquellos hombres no podían ser traidores. Volger había sostenido su espada en alto apuntando a su cuello mil veces en las prácticas de esgrima, ¿y su profesor de *mekánica*? Inconcebible.

—¿Adónde vamos, Otto? Quiero una explicación ahora.

—Debéis venir con nosotros, Su Alteza —dijo Otto Klopp con tacto.

—Tenemos que alejarnos todo lo posible de Praga —dijo Volger—. Órdenes de vuestro padre.

—Pero mi padre ni siquiera... —Alek apretó los dientes y lanzó un juramento.

Qué *tonto* había sido, tentado y atraído hacia el bosque con cuentos de pilotar a media noche, igual que tentar a un niño con un caramelo. Todo el servicio estaba dormido y sus padres estaban lejos, en Sarajevo.

Los brazos de Alek aún estaban cansados de forcejear para mantener al Caminante de Asalto en pie y además estaba atado a la silla del piloto, de modo que apenas podía sacar su cuchillo. Cerró los ojos apesadumbrado: se había dejado el arma olvidada en su habitación, debajo de la almohada.

—El archiduque ha dejado instrucciones —dijo el conde Volger.

—Estáis *mintiendo* —gritó Alek.

—Ojalá fuese así, joven señor —Volger alargó la mano hacia su cazadora de montar.

Una oleada de pánico sacudió a Alek, desgarrando su desesperación. Puso las manos rápidamente sobre los controles, buscando la cuerda del silbato para dar la señal de alarma. Aún no se habían alejado demasiado de casa. Seguramente alguien oiría el grito de alarma del Caminante de Asalto.

Otto se movió deprisa y sujetó los brazos de Alek. Volger sacó un frasco de su cazadora y acercó la boca abierta de la botella al rostro de Alek. Un olor dulzón llenó la cabina y la cabeza le empezó a dar vueltas. Intentó no respirar, luchando contra aquellos dos hombres mucho más corpulentos que él.

Entonces sus dedos encontraron la cuerda de socorro y tiró de ella. Pero las manos del profesor Klopp ya estaban en los controles, liberando la presión neumática del Caminante de Asalto. El silbato solamente soltó un miserable lamento descendente como una tetera al ser apartada del fuego.

Alek aún luchó, conteniendo la respiración durante lo que le parecieron minutos, pero, finalmente, sus pulmones se rebelaron. Inspiró entrecortadamente el intenso olor de productos químicos que llenaron su cabeza...

Una cascada de puntos brillantes cayó por todos los instrumentos y pareció que todo el peso desaparecía de los hombros de Alek. Sintió como si estuviese flotando, libre de la sujeción de aquellos dos hombres, libre de los cinturones del asiento, libre incluso de la gravedad.

—Mi padre pondrá precio a vuestras cabezas —consiguió graznar.

—Me temo mucho que no, Su Alteza —dijo el conde Volger—. Vuestros padres han muerto, los dos, asesinados esta noche en Sarajevo.

Alek intentó echarse a reír ante tan absurda afirmación, pero el mundo daba vueltas a su alrededor y la oscuridad y el silencio reinantes eran aplastantes.

· TRES ·

—¡Eh, tú, atontada, despierta!

Deryn Sharp abrió un ojo y se sorprendió mirando las líneas grabadas que fluían por el cuerpo de una aerobestia, como el curso de un río alrededor de una isla: el diagrama de flujo de aire. Al alzar la cabeza del manual de Aeronáutica, se dio cuenta de que la página abierta estaba pegada a su rostro.

—¡Has estado despierta toda la noche! —la voz de su hermano, Jaspert, martilleó en sus oídos otra vez—. ¡Te dije que durmieras un poco!

Deryn se quitó con cuidado la página de su mejilla y frunció el ceño: una mancha de baba había desfigurado el diagrama. Se preguntó si dormir con la cabeza sobre el manual le habría metido más conceptos de Aeronáutica en su cerebro.

—Obviamente, he dormido algo, Jaspert, puesto que ya has visto que me has encontrado roncando.

—Sí, vale, pero no adecuadamente en la cama —se movía entre la oscuridad por la pequeña habitación alquilada, mientras se vestía con todos los complementos de un uniforme limpio de aviador.

—¡Dijiste solo una hora más de estudio y has quemado nuestra última vela y, además, la has dejado hecha un asco!

Deryn se frotó los ojos, mirando la pequeña y deprimente habitación. Siempre había humedad y olía a estiércol de caballo de los establos que había debajo de esta. Afortunadamente, aquella noche había sido la última que dormía en aquel lugar, en la cama o no.

—No importa. Las Fuerzas Armadas tienen sus propias velas.

—Sí, eso si pasas la prueba.

Deryn dejó escapar un bufido. En realidad, se había quedado

estudiando solamente porque no podía conciliar el sueño, en parte nerviosa porque finalmente iba a presentarse a la prueba de cadete, y en parte aterrada por si alguien se daba cuenta de su disfraz.

—No tienes que preocuparte por eso, Jaspert. Aprobaré.

Su hermano asintió lentamente, con una expresión traviesa en su rostro.

—Sí, tal vez seas un hacha con los sextantes y la Aerología, y tal vez seas capaz de esbozar cualquier aerobestia de la flota. Pero hay una prueba que no te he mencionado. Y no tiene nada que ver con estudiar en los libros, se trata más de lo que ellos denominan «sensibilidad aérea».

—¿«Sensibilidad aérea»? —dijo Deryn—. ¿Me estás tomando el pelo?

—Es un oscuro secreto del Ejército —Jaspert se inclinó hacia delante y bajó la voz hasta convertirla en un susurro—. Me arriesgo a que me expulsen por atreverme a mencionar esto a un civil.

—¡Estás lleno de *estiércol*, Jaspert Sharp!

—No puedo decirte nada más.

Se pasó por la cabeza el jersey aún abotonado y, cuando su rostro emergió por fin, este lucía una sonrisa.

Deryn lo miró enfurruñada, aún no muy segura del todo de si su hermano estaba bromeando. Como si no estuviese lo suficiente nerviosa.

Jaspert se ató el pañuelo de cuello de aviador.

—Tú ponte el uniforme y el equipo y ya veremos lo que pareces. Todo lo que has estudiado no va a servir de nada si tu aspecto no les convence. Deryn se quedó mirando con aire taciturno el montón de ropa que le habían prestado. Con todo lo que había estudiado y todo lo que había aprendido cuando su padre estaba vivo, pasar la prueba de cadete iba a ser fácil. No obstante, todo lo que tenía en la cabeza no importaría a menos que pudiese engañar a los oficiales científicos, los oficiales navales veteranos, y hacerles creer que su nombre era Dylan y no Deryn.

Había descosido ropas viejas de Jaspert y las había vuelto a coser para modificarlas y, además, era lo suficientemente alta, más alta que la mayoría de los chicos de la edad de un cadete. Pero la altura y la forma no lo eran todo. Un mes practicando en las calles de Londres y delante del espejo la había convencido de ello.

Los chicos tenían algo más, en ellos había una especie de *fanfarronería*.

Cuando estuvo vestida, Deryn miró el reflejo que le devolvía una ventana oscurecida. Su imagen usual la estaba mirando: chica y de quince años. Aquella ropa hecha cuidadosamente a medida solamente hacía que pareciese extrañamente delgada, no muy distinta a un muchacho parecido a un harapiento espantapájaros vestido con ropas viejas para asustar a los pájaros.

—¿Y bien? —dijo ella—. ¿Crees que puedo pasar como un Dylan?

Jaspert la miró de arriba abajo, pero no dijo nada.

—¿Soy lo bastante alta para tener dieciséis años, verdad? —suplicó.

Su hermano finalmente asintió.

—Bueno, supongo que darás el pego. Es una suerte que no tengas tetas que te delaten.

Deryn se quedó con la boca abierta y los brazos cruzados sobre el pecho.

—¡Y tú eres un majadero de mierda!

Jaspert se echó a reír, y le dio una fuerte palmada en la espalda.

—Esa es la idea. Ya te estoy haciendo maldecir como un soldado del Ejército.

Los omnibuses de Londres eran mucho más lujosos y nuevos que los que había en Escocia, y también más rápidos. El que les llevó al campo de aeronaves en Wormwood Scrubs iba tirado por un *hipopotámico,* ancho como un par de bueyes de espalda a espalda. La inmensa y poderosa bestia les condujo cerca de la Scrubs antes de que empezase a amanecer.

Deryn se quedó mirando por la ventana, observando los movimientos de las copas de los árboles y la basura que el viento hacía revolotear de un lado a otro, intentando averiguar qué tiempo haría aquel día. El horizonte estaba teñido de rojo, y el *Manual de Aerología* apuntaba: «Cielo rojo al amanecer, el mar se ha de mover». Pero Pa siempre decía que tan solo eran cuentos de viejas. Él en cambio decía que: «Cuando veas a un perro comiendo hierba, entonces es que los cielos están a punto de abrirse». No es que una gota de lluvia le importase, puesto que las pruebas que debería superar aquel día se realizarían en el interior. La Fuerza Aérea pedía a sus jóvenes cadetes que estudiasen los manuales de Navegación y de Aerodinámica. Pero mirar al cielo era más seguro que fijarse en las miradas de los demás pasajeros.

Desde que había subido al bus con Jaspert, a Deryn se le había erizado la piel intrigada por saber qué opinaban de ella los desconocidos. ¿Acaso veían a través de sus calzones de chico y su pelo trasquilado? ¿De veras creían que era un joven recluta de camino al campo de pruebas aéreas? ¿O en realidad parecía una chavalilla con algún tornillo suelto, jugando a disfrazarse con las ropas viejas de su hermano?

La siguiente y última parada del ómnibus era en la famosa prisión de Scrubs. La mayoría de los pasajeros desembarcaban allí: mujeres que llevaban tarteras con comida y obsequios para los hombres que estaban allí dentro. Al ver las ventanas con barrotes a Deryn se le revolvió el estómago. No sabía hasta qué punto Jaspert se metería en problemas si su estratagema salía mal. ¿Lo suficiente para perder su posición en el Ejército? ¿Hasta el punto de enviarle a la cárcel?

¡Es que sencillamente no era justo haber nacido chica! Ella sabía más sobre Aeronáutica de lo que Pa había conseguido embutir en la azotea de Jaspert.

Además de sus conocimientos, ella siempre había tenido mejor resistencia a las alturas que su hermano.

Lo peor de todo era que, si los científicos no le permitían entrar en las Fuerzas Armadas, tendría que volver a pasar la noche en aquella horrible habitación alquilada y sería enviada de vuelta a Escocia a la mañana siguiente.

Su madre y sus tías la estaban esperando allí, seguras de que su loca idea no funcionaría y listas para vestir a Deryn de nuevo con faldas y corsés. Ya no más sueños de volar, no más estudios, ¡no más *palabrotas*! Y lo último que le quedaba de su herencia lo había gastado en su viaje a Londres.

Echó un vistazo a los tres chicos que estaban montados en la parte delantera del autobús, empujándose y soltando risitas nerviosas a medida que el campo de pruebas se acercaba, alegres como unas castañuelas. El más alto de los muchachos apenas llegaba al hombro de Deryn. No daban la impresión de ser mucho más fuertes, y tampoco los consideraba tan listos o tan valientes. Entonces, ¿por qué a *ellos* sí les permitían entrar al servicio del rey y a ella no?

Deryn Sharp apretó los dientes, convencida de que nadie vería a través de su disfraz.

No podía ser tan difícil hacerse pasar por un estúpido chico.

❧ ❧ ❧

La hilera de reclutas en el campo de vuelo no era lo que se puede decir impresionante. La mayoría de ellos apenas debían de tener los dieciséis años recién cumplidos, y seguramente habían sido enviados por sus familias para hacer fortuna y obtener prosperidad. Algunos chicos mayores que estaban entre los demás, probablemente, eran cadetes que provenían de la Armada.

Al observar sus preocupados rostros, Deryn se alegró de haber tenido un padre que la había llevado en globos de aire caliente.

Había visto el suelo desde las alturas un montón de veces. Pero no por ello dejaba de sentirse nerviosa. Estuvo casi a punto de coger la mano de Jasper, pero se dio cuenta a tiempo de lo que *aquello* podría parecer.

—Está bien, *Dylan* —le dijo en voz baja mientras se acercaban al escritorio—. Solo recuerda lo que te dije.

Deryn soltó un bufido. La noche antes Jaspert le había enseñado cómo un chico de verdad se mira las uñas: contemplando la palma de la mano con los dedos doblados hacia dentro, mientras que las chicas se miran el reverso con los dedos extendidos.

—Vale, Jaspert —dijo ella—. Pero si me proponen hacerme la manicura, ¿no crees que ya me habrán pillado?

Él no se echó a reír.

—Solo intenta no llamar la atención, ¿vale?

Deryn ya no dijo nada más y lo siguió hacia la larga mesa que estaba dispuesta delante de una tienda de hangar blanca. Detrás de la mesa estaban sentados tres oficiales, aceptando las cartas de presentación de los reclutas.

—¡Ah, timonel Sharp! —dijo uno.

Vestía el uniforme de teniente de vuelo, pero también lucía el casco con el ala curva de un oficial científico.

Jaspert le saludó enérgicamente.

—Teniente Cook, permítame que le presente a mi primo Dylan.

Cuando Cook extendió su mano hacia Deryn, a la muchacha le inundó el sentimiento de orgullo británico que siempre le producían los científicos. Tenía ante ella a un hombre que había llegado hasta las mismísimas cadenas de la vida y las había manipulado para conseguir sus propósitos.

Procuró estrechar su mano con la mayor firmeza que pudo.

—Encantado de conocerle, señor.

—Siempre es un placer conocer a un Sharp —dijo el científico y luego se echó a reír de su propia broma, puesto que *sharp* en inglés significa, entre otras cosas, 'agudo', 'inteligente'—. Tu primo nos ha hablado muy bien de tu comprensión de la Aeronáutica y la Aerología.

Deryn se aclaró la garganta y usó la voz baja y grave que había estado practicando durante semanas.

—Mi pa..., es decir, mi tío nos enseñó a todos a montar en globo.

—Ah, sí, un hombre muy valiente —hizo un gesto con la cabeza—. Es una tragedia que no esté aquí para ver los triunfos del vuelo viviente.

—Desde luego, le habría encantado, señor.

Pa solo había subido en globos de aire caliente y no en respiradores de hidrógeno como los que usaba el Ejército.

Jaspert le dio un codazo a la muchacha y Deryn recordó la carta de recomendación. La sacó de la chaqueta y se la ofreció al teniente de vuelo Cook. Hizo ver que la estudiaba, una tontería, puesto que la había escrito él mismo para hacerle un favor a Jaspert, pero incluso los oficiales científicos tenían que mantener las formas de la Marina Real.

—Parece que todo está en orden. Sus ojos se desviaron de la

carta hasta repasar con la mirada el atuendo prestado de Deryn, y pareció desconcertado por un momento por lo que vio.

Ella se mantuvo firme aguantando su mirada, preguntándose qué era lo que había hecho mal. ¿Era su pelo? ¿Era su voz? ¿Le habría estrechado mal la mano?

—Estás un poco flacucho, ¿no? —dijo finalmente el científico.

—Sí, señor. Eso creo.

El hombre dibujó una sonrisa en su cara.

—Bien, pues entonces también tendremos que engordar a su primo. Señor Sharp, ¡por favor, incorpórese a la fila!

· CUATRO ·

El sol estaba empezando a subir arrastrándose por el grupo de árboles cuando llegaron los militares propiamente dichos. Entraron por el campo rodando en un carruaje todoterreno, arrastrado por dos tigrescos lupinos, tirando de él con fuerza ante la fila de reclutas. Los músculos de las bestias sobresalían bajo las correas de piel de los aparejos del carruaje y, cuando uno de ellos se sacudió igual que un felino monstruoso como una casa, su sudor salió despedido en todas las direcciones.

Por el rabillo del ojo, Deryn vio cómo los chicos que tenía a su alrededor se envaraban. A continuación el conductor del carruaje hizo gruñir a los tigres con un latigazo y un murmullo nervioso recorrió toda la fila.

Un hombre vestido con un uniforme de capitán de vuelo estaba de pie en el carruaje abierto con una fusta de montar bajo un brazo.

—Caballeros, bienvenidos a Wormwood Scrubs. Confío en que ninguno de ustedes se asusta con los productos fabricados por la Filosofía Natural...

«DISCURSO A LOS ASPIRANTES».

Nadie respondió. En Londres había bestias fabricadas por todas partes, por supuesto, pero no habían visto nada tan impresionante como aquellos tigres medio lobos, todo nervios y garras, con
una astuta inteligencia acechando en su mirada.

Deryn mantuvo la vista al frente, aunque se moría de ganas de
mirar con más atención y más de cerca a los tigrescos. Hasta aquel
instante solo había visto *fabs* militares en el zoo.

—¡Arañas chaladas! —susurró el jovencito que estaba junto
a ella. Casi era tan alto como ella y su pelo rubio y corto estaba
peinado de punta hacia arriba—. Odiaría ver a estos dos sueltos.

Deryn contuvo las irresistibles ganas que tenía de explicarle
que los lupinos eran los *fabs* más mansos. En realidad los lobos no
eran más que un tipo de perro y se podían entrenar con facilidad.
Las aerobestias, por el contrario, eran unos animales con los que
se debía ir con más cuidado, por descontado.

Cuando vio que nadie daba un paso adelante para admitir su
miedo, el capitán de vuelo dijo:

—Excelente. Entonces no os importará acercaros para echarles
un vistazo.

El conductor hizo restallar el látigo otra vez y el carruaje retro-
nó por aquel campo de suelo desigual. El tigre más cercano pasó
tan cerca como para ser alcanzado por la mano de los voluntarios.
Aquellas bestias gruñendo fueron demasiado para los tres chicos
que estaban en el otro extremo de la hilera, por lo que rompieron
filas y retrocedieron gritando y corriendo hacia las puertas abiertas
de la prisión.

Deryn mantuvo la vista centrada directamente al frente cuando los tigres pasaron por su lado, pero una de sus vaharadas, una mezcla de olor a perro mojado y carne cruda, hizo que un estremecimiento recorriese su espalda.

—No está mal, no está mal —dijo el capitán de vuelo—. Estoy contento de ver que muy pocos de nuestros jóvenes sucumben a la común superstición.

Deryn soltó un bufido. Algunos, los Monos Ludistas les llamaban, al principio tenían miedo de las bestias darwinistas. Pensaban que cruzar criaturas de la naturaleza era más parecido a una blasfemia que a la ciencia, aunque los *fabs* habían sido la espina dorsal del Imperio británico durante los últimos cincuenta años.

Por un momento se preguntó si aquellos tigres eran la prueba secreta que Jaspert le había advertido y sonrió despectivamente. Si era aquello, había sido una pérdida de tiempo.

—Aunque sus nervios de acero no durarán todo el día, caballeros —dijo el capitán de vuelo—. Antes de que se trasladen nos gustaría averiguar si están preparados para las alturas. ¿Timonel?

—¡Media vuelta! —gritó un aviador.

Con un poco de desorden y confusión, la hilera de muchachos dio media vuelta para situarse frente a la tienda del hangar.

Deryn vio que Jaspert aún estaba allí, esperando tranquilamente a un lado con los científicos. Todos mostraban en su rostro una amplia sonrisa reprimida.

Entonces, las puertas de la tienda se abrieron y Deryn se quedó boquiabierta...

Dentro había una aerobestia: era un elevador, con sus tentáculos sujetos por una docena de hombres de infantería. La bestia latía y temblaba mientras la arrastraban con suavidad hacia el exterior, con su bolsa de gas traslúcida brillando trémulamente bajo la luz roja del sol del amanecer.

—¡Una medusa! —exclamó con un grito ahogado el chico que estaba junto a ella.

Deryn asintió. Aquel era el primer respirador de hidrógeno que se había fabricado, y que no tenía nada que ver con las gigantescas naves aéreas vivientes de hoy en día, con sus barquillas, motores y cabinas de observación.

Los Huxley estaban hechos de cadenas vivientes de medusas, aguamares y otras criaturas marinas venenosas y, prácticamente, eran igual de peligrosos. Una fuerte ráfaga de viento podía asustar a un Huxley y enviarlo a una caída en picado hacia el suelo como un pájaro en busca de gusanos. Las entrañas de pescado de las criaturas podían sobrevivir a casi cualquier caída, pero sus pasajeros humanos raramente eran tan afortunados.

Entonces Deryn vio un equipo de piloto colgando de la aerobestia y sus ojos se abrieron aún más que su boca.

¿Aquello era la prueba de sensibilidad aérea que Jaspert le había estado insinuando? ¡Y su hermano le había estado haciendo creer que solo estaba bromeando! «¡Será caraculo!».

—Jóvenes caballeros, esta mañana ustedes van a emprender el vuelo —dijo el capitán de vuelo que estaba detrás de ellos—. No va a ser un viaje largo: solo se elevarán unos mil pies y luego descenderán de nuevo después de permanecer diez minutos en el aire. ¡Créanme, verán Londres como nunca lo han visto!

Deryn notó que se le escapaba una sonrisilla dibujándose en sus labios. Finalmente se le presentaba una oportunidad de ver el mundo desde las alturas de nuevo, igual que desde uno de los globos de Pa.

—A aquellos de ustedes que prefieran no hacerlo, estaremos encantados de despedirlos —terminó el capitán de vuelo.

—¿Alguno de ustedes, pequeños sinvergüenzas, quiere irse? —gritó el timonel desde el extremo de la fila—. ¡Si es así, entonces, debe irse ahora! ¡De otro modo, irá cielo arriba!

Después de una breve pausa, marchó otra docena de chicos. Esta vez no salieron corriendo y gritando, solamente se escabulleron con el rabo entre las piernas formando piña entre ellos, algunos con el rostro pálido y asustado mirando subrepticiamente hacia atrás, hacia donde estaba el monstruo vibrante e inmóvil en el aire cerniéndose sobre ellos. Deryn se dio cuenta con orgullo de que casi la mitad de los voluntarios se había retirado.

—De acuerdo entonces —el capitán de vuelo se paseó por delante de la fila—. Ahora que los Monos Ludistas han despejado el camino, ¿quién quiere subir primero?

Sin dudarlo ni un instante y sin pensar ni un momento en lo que Jaspert le había dicho sobre no atraer la atención, ya sin la última sensación desagradable que le habían provocado los nervios, Deryn Sharp dio un paso al frente.

—Por favor, señor. Me gustaría volar.

El equipo del piloto bien ajustado la sostenía, el artilugio se balanceaba con suavidad por debajo del cuerpo de la medusa. Las tiras de cuero pasaban bajo sus brazos y alrededor de su cintura y, después, estaban sujetas al asiento curvo del que estaba colgada como un jinete montando en una silla de montar. Deryn estaba preocupada por si el timonel descubría su secreto al sujetarla allí, pero Jaspert tenía razón en una cosa: tampoco tenía mucho que revelar.

—Solo tienes que subir, muchacho —dijo el hombre en voz baja—. Disfruta de las vistas y espera a que nosotros tiremos de ti para hacerte bajar. Y lo más importante de todo, no hagas *nada* que pueda alterar a la bestia.

—Sí, señor —tragó saliva.

—Si te empieza a entrar pánico o crees que algo va mal, solo tienes que lanzar esto —presionó un grueso rollo de tela amarilla contra su mano y luego ató uno de los extremos alrededor de su muñeca—. Y te bajaremos rápidamente y con firmeza.

Deryn lo sujetó con fuerza.

—No se preocupe. No tendré miedo.

—Eso es lo que dicen todos —sonrió y presionó en su otra mano una cuerda que iba a parar a un par de bolsas de agua atadas como un arnés a los tentáculos de la criatura—. Pero si por casualidad hicieses algo *muy* estúpido, es posible que el Huxley caiga en picado. Si ves que el suelo se acerca demasiado rápido, solo tienes que tirar de aquí.

—Esto derrama agua y hace que la bestia sea más ligera —dijo Deryn, asintiendo con la cabeza.

Era igual que las bolsas de arena de los globos de Pa.

—Muy listo, muchacho —dijo el timonel—. Pero la inteligencia no sustituye a la sensibilidad aérea, eso es lo que trata de decirte el Ejército para que no pierdas tu cabeza de chorlito. ¿Lo entiendes?

—Sí, señor —dijo Deryn.

No podía esperar a despegar del suelo, los años que había estado sin volar desde el accidente de Pa, de pronto, pesaron en su pecho.

El timonel retrocedió y sopló brevemente su silbato. Cuando pitó la nota final, los hombres de infantería soltaron los tentáculos del Huxley a la vez.

Cuando la aerobestia se alzó, las correas que la sujetaban tiraron de ella con fuerza, como si una red gigante la empujase hacia arriba. Un instante después, la sensación de ascensión desapareció, como si fuese la tierra la que se alejase al caer...

Abajo, en la tierra, la fila de chicos alzó la vista mirándola con un indisimulado asombro.

Jaspert sonreía como un bobo e incluso las caras de los científicos mostraban incomodidad provocada por la fascinación. Deryn se sentía genial, alzándose por el aire siendo el centro de la atención de todo el mundo, como un acróbata elevándose tras un balanceo. Tenía ganas de decirles a todos:

«¡Eh, vosotros, imbéciles, yo puedo volar y vosotros no! Yo soy un aviador natural, por si no os habéis dado cuenta. Y, para terminar, quisiera añadir que soy una chica y ¡que os pueden dar morcilla a todos!».

«ASCENSIÓN».

Los cuatro aviadores que sujetaban el cabrestante soltaron el cable rápidamente y pronto las caras vueltas hacia arriba se hicieron borrosas en la distancia. Empezó a ver geometrías más amplias: las curvas sinuosas de un viejo oval de críquet en el campo de ascensión, la red de carreteras y ferrocarril de los alrededores de la Scrubs, las alas de la prisión apuntando en dirección sur como un enorme diapasón.

Deryn alzó la vista y vio el cuerpo de la medusa brillando a la luz del sol naciente, con sus venas latiendo y sus arterias recorriendo su carne traslúcida como una hiedra iridiscente. Los tentáculos se balanceaban mecidos por la suave brisa que soplaba a su alrededor, capturando polen e insectos y succionándolos en la bolsa de su estómago que había sobre ellos.

Por supuesto, los respiradores de hidrógeno en realidad no respiraban hidrógeno, sino que lo *exhalaban:* lo eructaban en sus propias bolsas de gas. Las bacterias de sus estómagos descomponían la comida en elementos puros: oxígeno, carbono y, lo que era más importante, en elementos más ligeros que el hidrógeno del aire.

Debería de resultar nauseabundo, suponía Deryn, colgar suspendido de todos aquellos insectos muertos gaseosos. O aterrador, sin estar sujeto más que por unas pocas correas de cuero y a un cuarto de milla de caída del suelo, que significaba la despedida hacia una muerte segura. Pero ella se sentía tan imponente como un águila en pleno vuelo.

La humeante silueta del centro de Londres se alzaba hacia el este, dividida por la sinuosa y ligeramente brillante serpiente del río Támesis. Pronto podría distinguir la verde extensión de Hyde Park y de Kensington Gardens. Era como estar mirando un mapa viviente: los omnibuses se arrastraban por el suelo como gusanos, los veleros se agitaban mientras daban bordadas contra la brisa.

Entonces, justo cuando la aguja de la catedral de St. Paul quedaba ante su vista, un estremecimiento recorrió el arnés.

Deryn puso mala cara. ¿*Ya* habían terminado sus diez minutos?

Miró hacia abajo, pero la cuerda que caía hacia el suelo colgaba floja. Aún no estaban arriando de ella.

De nuevo sintió el tirón y Deryn vio cómo algunos de los tentáculos que había a su alrededor se apretaban con fuerza, enroscándose como lazos cuando los rascas con unas tijeras. Lentamente se estaban juntando otra vez en una única tira.

El Huxley estaba nervioso.

Deryn intentó balancearse a un lado y a otro, haciendo caso omiso a la majestuosidad de Londres para buscar en el horizonte lo que fuese que estaba asustando a la aerobestia.

Entonces lo vio: era una masa informe en el norte, una oleada de nubes que se extendía rodando por el cielo. Su línea frontal avanzaba arrastrándose de forma constante, oscureciendo los suburbios del norte con lluvia.

Deryn notó que se le erizaba el vello de los brazos.

Bajó la vista enseguida hacia la prisión, preguntándose si los minúsculos aviadores que estaban allí abajo también habrían visto el frente tormentoso y empezarían a recoger cuerda. Pero el campo de pruebas aún brillaba iluminado por la luz del sol del amanecer.

Desde allí abajo seguramente solo veían el cielo despejado sobre ellos, tan alegres como en un día de *picnic*.

Deryn agitó una mano. No sabía si la veían lo suficientemente bien. Aunque, quizás, ellos solo pensarían que estaba haciendo el tonto.

—¡Oh, mierda! —maldijo ella y miró el rollo de tela amarilla atado a su muñeca.

Un verdadero vehículo elevador de reconocimiento debería contar con banderas de señalización o por lo menos con un lagarto mensajero que pudiese correr a toda prisa cuerda abajo. Pero lo único que le habían dado era una señal de pánico.

¡Y Deryn Sharp no tenía miedo!

Por lo menos, no creía tenerlo.

La muchacha miró hacia la oscuridad que se cernía en el cielo, ponderando si aquello era solamente el último retazo de la noche que la luz del sol aún no había alejado. ¿Y si resultaba que no tenía sensibilidad aérea y se le había subido la altura a la cabeza?

Deryn cerró los ojos, respiró profundamente y contó hasta diez.

Cuando abrió de nuevo los ojos, las nubes aún seguían allí, más cerca.

El Huxley volvió a temblar y Deryn notó el olor de un relámpago en el aire. La borrasca que se acercaba era definitivamente real. El *Manual de Aerología,* después de todo, tenía razón: «Cielo rojo al amanecer, el mar se ha de mover».

Miró otra vez el trapo amarillo. Si los oficiales que estaban en tierra veían que lo desenrollaba, pensarían que estaba aterrada.

Entonces tendría que explicarles que no había sido por temor, sino solamente una observación serena de que se aproximaba mal tiempo. Tal vez la elogiarían por haber tomado la decisión correcta.

Pero ¿qué pasaría si la borrasca cambiaba de rumbo o se desvanecía y se convertía en llovizna antes de llegar a la Scrubs?

Deryn apretó los dientes, pensando en cuánto tiempo habría estado allí. ¿Aún no se habían terminado los diez minutos? ¿O es que su sentido del tiempo se había distorsionado en el vasto y frío cielo?

Sus ojos miraron rápidamente a un lado y a otro pasando de la tira de tela enrollada en su mano a la tormenta que se acercaba, pensando qué es lo que haría un chico.

• CINCO •

Cuando el príncipe Aleksandar se despertó, tenía la lengua empapada de un sabor dulzón empalagoso. Aquel sabor asqueroso abrumaba todos sus demás sentidos. No podía ver o escuchar, ni siquiera pensar, era como si su cerebro estuviese impregnado de una salmuera azucarada.

Gradualmente, su cabeza se despejó. Olía a queroseno y escuchó el ruido de ramas de árboles rozándoles en el exterior a su paso. El mundo se balanceaba vertiginosamente a su alrededor, entre unos límites duros y metálicos.

Entonces Alek empezó a recordar: la lección de pilotaje a media noche, sus profesores volviéndose en su contra y, finalmente, aquel olor químico dulzón que le había hecho perder el sentido. Todavía estaba en el caminante, alejándose de casa. Todo aquello había pasado de verdad... Había sido secuestrado.

Por lo menos aún estaba vivo. Quizás planeaban pedir un rescate por él. Suponía que aquello era humillante, pero era mejor que morir.

Era evidente que sus secuestradores no creían que Alek fuese una amenaza grave puesto que no se habían molestado en atarle. Incluso alguien había pensado en poner una manta entre él y el suelo oscilante de metal.

Abrió los ojos y vio retazos cambiantes de luz, una red de sombras que se balanceaban proyectadas por la rejilla de ventilación. Las paredes estaban forradas de estanterías ordenadas repletas de explosivos. El siseo de las juntas neumáticas era más fuerte que nunca. Estaba en el abdomen del Caminante de Asalto, el puesto de tiro.

—¿Alteza? —dijo una voz nerviosa.

Alek se levantó de la manta e intentó ver algo en la oscuridad. Uno de los tripulantes se sentó muy recto apoyado en los estantes, con los ojos muy abiertos y muy alerta. Traidor o no, aquel hombre probablemente nunca había estado antes a solas con un príncipe. No parecía tener mucho más de veinte años.

—¿Dónde estamos? —preguntó Alek, intentando usar el tono autoritario inflexible que su padre le había enseñado.

—Pues creo que no lo sé exactamente, Su Alteza.

Alek frunció el ceño, pero aquel hombre tenía razón. No había demasiado que ver allí abajo excepto a través de la mirilla del cañón de 57 milímetros.

—Entonces, ¿adónde nos dirigimos?

El tripulante tragó saliva, luego extendió una mano hacia la escotilla de comunicación.

—Voy a buscar al conde Volger.

—No —le detuvo Alek y el hombre no se movió.

Aleksandar sonrió forzadamente. Por lo menos alguien en aquella máquina recordaba su posición.

—¿Cómo te llamas?

El hombre saludó:

—Cabo Bauer, señor.

—Está bien, Bauer —dijo con voz calmada y sin alterarse—. Te ordeno que me dejes marchar. No puedo saltar por la escotilla del vientre mientras nos movemos. Puedes seguirme y ayudarme a regresar a casa. Me aseguraré de que mi padre te recompense. Serás un héroe en lugar de un traidor.

—Vuestro padre... —el hombre bajó el rostro—. Lo siento mucho.

Igual que un prolongado eco proveniente de una gran distancia, la mente de Alek volvió a revivir lo que el conde Volger había dicho cuando le habían aplicado el producto químico, algo acerca de que sus padres habían muerto.

—No —dijo él de nuevo, pero el tono de mando había desaparecido. De pronto pareció que los límites de metal de la barriga del caminante eran aplastantemente pequeños. En sus propios oídos, la voz de Alek ahora sonó quebrada, como la de un niño—. Por favor, déjame marchar.

Sin embargo, el hombre apartó la mirada, avergonzado, y alargó la mano para dar unos golpecitos en la escotilla.

—Vuestro padre dispuso algunos preparativos antes de partir hacia Sarajevo —dijo el conde Volger—. En caso de que sucediese lo peor.

Alek no respondió. Estaba mirando por el visor del Caminante de Asalto desde la silla del comandante, observando cómo las copas de los jóvenes carpes pasaban por su lado. Junto a él, Otto Klopp guiaba la máquina con los movimientos perfectos y seguros de quien está dando un paseo.

Estaba amaneciendo y el horizonte se estaba tiñendo de rojo sangre. Todavía se encontraban en lo más profundo del bosque, dirigiéndose hacia el oeste por un estrecho sendero de carruajes.

—Era un hombre inteligente —dijo Klopp—. Sabía que acercarse tanto a Serbia podía ser peligroso.

—Pero las amenazas no podían evitar que el archiduque cumpliese con su deber —dijo el conde Volger.

—¿Deber? —Alek se sujetó la cabeza, que aún le dolía; todavía podía sentir el sabor de los productos químicos en su boca—. Pero, mi madre... Él nunca la habría llevado donde hubiese peligro.

El conde Volger suspiró.

—Vuestro padre se sentía feliz siempre que la princesa Sofía podía participar en los asuntos de Estado.

Alek cerró los ojos. A su padre siempre le dolía cuando no se le permitía a Sofía estar junto a él en las recepciones oficiales. Más castigo por amar a una mujer que no tenía sangre real.

La idea de que sus padres hubiesen muerto era absurda.

—Esto es un truco para mantenerme quieto. ¡Todos estáis *mintiendo!*

Nadie respondió. En la cabina resonaban los rugidos de los motores *Daimler* y el roce de las ramas contra la malla de camuflaje. Volger permaneció en silencio con el rostro pensativo. Las correas de mano que colgaban del techo para sujetarse se balanceaban a la vez, al ritmo de los pasos del caminante. Por raro que pareciese, una parte de la mente de Alek podía concentrarse solamente en las manos de Klopp sobre los controles, maravillado ante su maestría con la máquina.

—Los serbios no se atreverían a matar a mis padres —dijo Alek en voz baja.

—Yo tengo otros sospechosos en mente —dijo Volger fríamente—. Los que quieren que estalle la guerra entre las grandes potencias. Pero ahora no tenemos tiempo de teorizar, Aleksandar. Nuestra tarea principal es ponerte a salvo.

Alek volvió a mirar por el visor al exterior. Volger se había dirigido a él simplemente con el Aleksandar, sin anteponer ningún título, como si fuese un plebeyo. Aunque, de algún modo, el insulto había perdido su poder.

—Los asesinos atacaron dos veces por la mañana —dijo Volger—. Estudiantes serbios, apenas mayores que tú, primero con bombas y después con pistolas. Las dos veces fallaron. A continuación, ayer noche, se celebró un festejo en honor de tu padre y brindaron por su valentía. Sin embargo el veneno hizo efecto en tus padres por la noche.

Alek los imaginó echados en la cama el uno junto al otro, y el gran vacío que sentía en su interior creció. Pero aquella historia no tenía ningún sentido. Los asesinos debían ir a por Alek, el hijo con sangre mitad real, el hijo de una dama de compañía. No a por su padre, cuya sangre era pura.

—Si ellos están realmente muertos, entonces ¿cómo es que alguien se preocupa por mí? ¡Ahora yo no soy *nadie*!

—Puede que algunos piensen de forma distinta —el conde Volger se agachó junto a la silla de mando. Miró por la ventanilla, junto con Alek, y dijo con voz casi como un susurro—: El emperador Francisco José tiene ochenta y tres años. Si muere pronto, alguien podría fijarse en vos en estos tiempos tan convulsos.

—Él odiaba a mi madre más que ninguno de ellos —Alek cerró los ojos de nuevo. El bosque teñido de rojo en el exterior era demasiado lóbrego para seguir mirándolo. Un trozo de suelo desnivelado hizo temblar la cabina, como si el mundo en aquel espacio alrededor del sol fuese inestable—. Solo quiero ir a casa.

—No hasta que estemos convencidos del todo de que sea seguro, joven señor —dijo Otto Klopp—. Se lo prometimos a vuestro padre.

—Y qué importan las promesas si está...

—¡Silencio! —exclamó Volger.

Aleksandar lo miró sorprendido. Abrió la boca para protestar, pero la mano del conde sujetaba su hombro.

—¡Paren los motores!

El profesor Klopp detuvo de golpe el Caminante de Asalto, dejando a los *Daimlers* en reposo con un sonido sordo apagado. El siseo de los neumáticos se escuchó alrededor de ellos.

Aquel repentino silencio resonó en los oídos de Alek. Su cuerpo aún temblaba por el eco del movimiento del caminante. A través del visor, las hojas de los árboles no se movían y tampoco soplaba ni una brizna de aire. Tampoco los pájaros cantaban, como si todo el bosque se hubiese sorprendido y quedado en silencio por el alto abrupto del caminante.

Volger cerró los ojos.

Entonces Alek lo sintió. El más ligero de los temblores traspasó el marco de metal del Caminante de Asalto. Era la amenaza de algo más grande, más pesado. Algo que hizo temblar la tierra.

El conde Volger se puso de pie y abrió la escotilla superior. La luz del amanecer entró en el aparato cuando el hombre sacó medio cuerpo al exterior.

De nuevo se produjo un temblor. A través del visor, Alek vio que el temblor recorría el bosque y las hojas se movían en su despertar. Aquello le cerró la boca del estómago, como una mirada furiosa de su padre.

—Su Alteza —le llamó Volger—, si deseáis, uníos a mí.

Alek se puso de pie y se balanceó sobre la silla del comandante, impulsándose por la escotilla.

Afuera, entornó los ojos ante la luz del sol aún del amanecer; el alba había teñido el cielo de un color naranja oscuro a su alrededor. El Caminante de Asalto era un poco más alto que los jóvenes carpes y el horizonte parecía enorme tras horas de otear únicamente por el visor.

Volger señaló hacia atrás, por el camino que habían venido.

—Allí están vuestros enemigos, príncipe Aleksandar.

Alek entornó los ojos mirando hacia el sol naciente. La otra máquina estaba a kilómetros de distancia, alzándose inmensa, el doble de alta que los árboles. Sus seis patas enormes se movían sin prisa, pero había hombres corriendo apresuradamente como hormigas por la cubierta principal alzando banderas de señales y tripulando las torretas. Por su flanco se extendían las letras de su nombre: «*S.M.S. Beowulf*».

Alek observó cómo una inmensa planta de pie se alzaba por el suelo del bosque. Unos prolongados segundos después llegó otro temblor, ondulándose por los árboles que había a su alrededor y alzándose por la carcasa de metal del Caminante de Asalto. Cuando cayó el segundo paso, una distante copa de árbol se agitó y a continuación se desvaneció, aplastada por la zancada gigante del caminante.

Las rayas rojas y negras del ejército de tierra Jack del Káiser ondeaban en su cubierta superior, agitándose con la brisa.

—Es un acorazado alemán —dijo Alek en voz baja—. Pero ¿no estamos todavía en el Imperio austrohúngaro?

—Sí —dijo Volger—, aunque todos los que están a favor del caos y la guerra nos están persiguiendo ahora, Su Alteza. ¿O es que aún dudáis de mí?

«Pero ¿y si es en realidad una misión de rescate?», pensó Alek. Tal vez sus secuestradores le habían estado mintiendo, y Padre y Madre aún estaban vivos. ¡Se habría desplegado una amplia búsqueda y el Ejército de tierra alemán les estaría ayudando! Si no, ¿por qué otra razón se permitiría el paso de aquella monstruosidad en tierra austriaca?

Entonces Alek vio que la máquina cambiaba de dirección y, lentamente, se daba la vuelta hacia un lado por donde salía el sol.

Alzó su mano y la agitó.

—¡Aquí! ¡Estoy aquí!

«El S.M.S. BEOWULF».

—Ya nos han visto, Su Alteza —dijo el conde Volger quedamente.

Alek aún estaba agitando una mano cuando la primera andanada de costado estalló, con destellos brillantes ondeando por el flanco del acorazado, con ráfagas de humo de cañón creciendo e hinchándose en un tupido velo a su alrededor. Unos momentos después siguió el sonido, un trueno retumbante que estalló en explosiones agudas y desgarradoras en todas direcciones. Las copas de los árboles se agitaron a su alrededor y unos golpes violentos sacudieron al caminante y lanzaron nubes de hojas por los aires.

Entonces Volger lo arrastró de vuelta a la cabina y los motores rugieron de nuevo al ponerse en marcha.

—¡Carguen el cañón! —gritó el profesor Klopp a los hombres de abajo.

Alek se encontraba sentado en la silla del comandante cuando la máquina empezó a moverse. Intentó abrocharse rápidamente el cinturón del asiento, pero un pensamiento terrible le vino a la cabeza, inmovilizando sus dedos.

«Si están intentando matarme, entonces es que todo es cierto».

El conde Volger se agachó junto a él, gritando para que se escuchara su voz por encima del ruido de los motores y los cañonazos.

—Tenéis que armaros de valor ante esta descortesía, Alek, puesto que demuestra que aún sois una amenaza para el trono.

• SEIS •

La segunda andanada de cañonazos cayó más cerca; un chorro de grava y astillas de madera sacudió ruidosamente la rejilla del visor y los trozos más pequeños penetraron por ella en el interior.

Alek escupió arena.

—¡Visión a la mitad! —exclamó el profesor Klopp, maldiciendo.

Los dos tripulantes estaban abajo y Volger se había subido de nuevo para mirar por la escotilla, con las piernas colgando del techo.

Klopp miró a Alek con aire de disculpa.

—Haced el favor, Su Alteza.

—Por supuesto, profesor Klopp —dijo Alek.

Se desabrochó el cinturón y se levantó de la silla del comandante. La cabina iba de un lado a otro y se balanceaba, por lo que se sujetó a las correas que colgaban del techo para mantener el equilibrio.

Intentó girar la manivela del visor, pero estaba encallada. Cogiéndola con las dos manos, Alek apretó más hasta que el enorme visor blindado se cerró con dificultad unos centímetros.

Otra andanada hizo temblar la tierra debajo de ellos y el caminante se tambaleó hacia delante. Las botas de montar del conde Volger se agitaron violentamente, golpeando a Alek en la parte posterior de la cabeza.

—¡Aún pueden vernos! —gritó Volger desde arriba—. ¡Somos demasiado altos!

El profesor Klopp torció las palancas de los andadores, haciendo que el Caminante de Asalto se agachase más. Los árboles se alzaban ante el visor y la torpe marcha del caminante hizo que las botas de Volger se balanceasen de nuevo. Por un momento, Alek se quedó mirando atónito cómo las manos de Klopp manipulaban los controles. Nunca había visto a un caminante avanzar arrastrando los pies, agachado de aquella manera.

Por supuesto, tampoco se hubiese imaginado jamás que un Caminante de Asalto *Cíklope* tuviese que ocultarse de nada. Pero contra un acorazado, aquel caminante era prácticamente un juguete.

Alzándose y entre gruñidos, Alek consiguió cerrar el visor de la derecha hasta la mitad. Cuando iba a alcanzar la otra manivela, Klopp exclamó:

—Joven señor, ¡la antena!

—Sí, ¡por supuesto! —la antena de radio del caminante se alzaba por encima de los árboles, con el estandarte archiducal ondeando en la brisa.

Sin embargo, Alek no tenía ni idea de cómo bajarla. Miró por la cabina y deseó haber prestado más atención a los tripulantes cuando estaba aprendiendo a pilotar.

Finalmente, vio un cabrestante junto al aparato de radio. Mientras salía disparado hacia allí, las botas colgando de Volger le propinaron otro golpe en el hombro. El cabrestante giró salvajemente en el momento en que Alek lo soltó y la antena se cerró como un telescopio a pocos centímetros de su oreja.

Iba a regresar al asiento del comandante pero entonces vio que el visor izquierdo aún estaba abierto. Alargó el brazo por la tambaleante cabina y empezó a accionar la manivela con más fuerza.

Volger se dejó caer en la cabina y cerró la escotilla por encima de él, cubriéndose de una repentina lluvia de tierra y piedras.

—Ahora estamos fuera de su vista.

Retumbó otra descarga en la distancia, seguida de más explosiones que hicieron temblar los árboles que tenían frente a ellos. Los escombros golpeaban al caminante, pero las rejillas del visor ahora estaban tan apretadas como los dientes de un peine y solamente el fino polvo del suelo pulverizado del bosque se filtraba a través de su rejilla.

Alek sintió un momento de satisfacción: había hecho algo útil. Aquella había sido su primera batalla real, cuando solamente hacía unas horas había estado jugando con soldados de plomo. El retumbar de las explosiones y el chirrido de los motores conseguía llenar de algún modo el vacío que sentía en su interior.

El Caminante de Asalto ahora estaba arrastrándose por el denso bosque. Por supuesto, cualquier camino despejado habría sido más claramente visible desde las torres de vigía del *Beowulf*.

El corazón de Alek latía deprisa cuando se deslizó otra vez en la silla del comandante y observó las manos de Klopp en los controles de avance. Al fijarse en ellos, sus largas horas de prácticas de pilotaje de pronto le parecieron una trivialidad. Todo el tiempo que había pasado en las lanchas pequeñas había sido un juego de simulación y aquello era real.

Volger se agachó entre las sillas para mirar hacia delante, tenía el rostro tiznado con arena y sudor. En un rasguño que tenía sobre un ojo, la sangre roja brillaba en la penumbra de la cabina cerrada.

—Creo haberle sugerido un tanque más pequeño, profesor Klopp.

Klopp soltó una risa, aún luchando por mantener al caminante agazapado cerca del suelo.

—¿No aprecias el blindaje extra, Volger? La última andanada habría hecho saltar por los aires a una nave más pequeña.

El bosque volvió a retumbar, pero las explosiones provenían de bastante lejos tras ellos y hacia la derecha. Por ahora, el acorazado los había perdido de vista.

—El sol se alzaba tras el *Beowulf,* de modo que nosotros nos dirigimos hacia el oeste —dijo Alek—. Deberíamos virar a la izquierda. Los pinos y los abetos que crecen al sur son mucho más altos que estos carpes.

—Buena memoria, Su Alteza —dijo el profesor Klopp, ajustando el rumbo.

Alek le dio una palmada en el hombro.

—Tenía razón al elegir un Caminante de Asalto, Klopp. Si no, ahora ya estaríamos muertos.

—Querrá decir que ya estaríamos a medio camino de Suiza —dijo Volger, arreglándoselas para prestarle una entonación como si fuese una lección de esgrima que Alek no consiguiese comprender—. En primer lugar, en una nave pequeña, de la mitad de este tamaño, o a caballo, no nos habrían visto.

Alek se quedó mirando al conde, pero antes de que pudiese abrir la boca restalló el intercomunicador.

—Cargado y listo, señor.

Alek bajó la mirada hacia el suelo de la cabina.

—Esos dos habrían sido más útiles aquí arriba. No creo que puedan hacer mucho con esta cerbatana contra un acorazado.

—Cierto, Su Alteza —dijo Klopp—. Pero el acorazado lleva escoltas, unas naves más pequeñas que se mueven por debajo de la altura de los árboles. Es posible que nos llegue alguna ráfaga de ellos más pronto de lo que pensamos.

—Ah, puede ser —Alek cerró la boca y tragó saliva.

El fragor de la batalla estaba empezando a desvanecerse y las manos aún le temblaban.

Lo único que había hecho era cerrar unas manivelas; los demás habían controlado todo lo importante. Los cardenales que le habían producido las botas de Volger al balancearse aún le dolían, como un recordatorio de cómo Alek se las había apañado principalmente para ponerse en medio.

Se apoyó en el respaldo de la silla del comandante. A medida que el simple miedo abrumador de ser disparado desaparecía, el vacío que sentía en su interior volvía a apoderarse de él.

Alek deseó que el que estuviese sangrando fuera él mismo en lugar de Volger, al menos aquello le distraería de la verdad que se estaba haciendo cada vez más tangible en su mente.

—Hemos salido de su alcance —dijo Klopp—. No tienen cañones que alcancen unas seis millas.

—Se han desviado para darnos caza —dijo Volger—. Está esperando a que sus patrullas de reconocimiento nos vean. Entonces el acorazado dará enseguida la vuelta para atacarnos de nuevo.

Alek consideró decir algo, pero se sintió atrapado, presa de un pánico silencioso, con su visión nublada por las lágrimas. Aquel ataque había disipado todas las dudas que le quedaban.

Su padre había muerto, su madre también. Ambos desaparecidos para siempre.

Su Serena Majestad, el príncipe Aleksandar de Hohenberg, ahora estaba solo. Lo más probable era que nunca más volviese a ver su casa. Las fuerzas armadas de dos imperios estaban buscándole, y él contaba para enfrentarse a ellos con un caminante y cuatro hombres.

Volger y Klopp permanecían en silencio y, cuando Alek se dio la vuelta, vio la desesperación reflejada en sus rostros. Apretó los apoyabrazos de la silla del comandante con las manos, intentando respirar.

Su padre habría sabido qué decir en esta situación: un discurso breve y enérgico, alabando a los hombres por sus esfuerzos, animándolos a seguir adelante. Pero Alek solamente podía mirar hacia el bosque, parpadeando para apartar las lágrimas de sus ojos.

Si no decía algo, aquel vacío lo engulliría.

El estallido de un cañonazo explosionó entre los árboles que había frente a ellos, irrumpiendo entre el chirrido de los motores. El caminante se retorció cambiando el rumbo y el conde Volger se puso en pie de nuevo.

—Patrullas de reconocimiento a caballo, eso creo —dijo el profesor Klopp—. El *Beowulf* tiene establos.

Una lluvia de balas repiqueteó contra el visor del Caminante de Asalto, con mucha más fuerza que cualquier chorro de arena y piedras. Alek imaginó que los proyectiles de metal desgarraban el blindaje y le alcanzaban, y su corazón empezó a acelerarse otra vez.

Aquel horrible vacío se alivió un poco.

Un enorme estruendo sacudió al caminante con un «bouum», haciéndole tambalear, y una columna de humo se alzó ante el visor, llenando de un hedor sofocante la cabina. Por un momento, Alek pensó que les habían dado, pero entonces una explosión respondió desde la distancia, seguida por el crujido de los árboles al partirse y los desgarradores relinchos de caballos.

—¡Eso hemos sido nosotros! —murmuró—. Los hombres que están en el compartimento inferior habrán disparado el cañón del caminante.

Cuando el eco se extinguió, Volger gritó:

—¿Sabes cargar una metralleta *Spandau*, Alek?

El príncipe Aleksandar no tenía ni idea, pero sus manos ya estaban moviéndose ligeras, desabrochándose el cinturón del asiento.

· SIETE ·

Cuando la tormenta estalló, acababan de empezar a recoger la cuerda que sujetaba a Deryn.

Los hombres que estaban en tierra se habían dado cuenta de que el cielo se estaba encapotando. Corrían de un lado a otro por el campo, asegurando la tienda del hangar con más estacas y ordenando a los reclutas que se pusieran a cubierto. Cuatro hombres tiraban del cabrestante del elevador, haciendo descender a Deryn de forma continua y rápida. Otra docena de hombres del personal de tierra esperaba para sujetar los tentáculos de la bestia para cuando esta hubiese descendido lo suficiente.

Sin embargo, cuando las primeras ráfagas de lluvia empezaron a caer Deryn aún estaba a más de ciento cincuenta metros del suelo. Las frías gotas caían en diagonal, golpeándole los pies incluso bajo la protección de la aerobestia. Los tentáculos del animal se enroscaron aún con más fuerza y se preguntó durante cuánto tiempo la medusa soportaría aquel martilleo antes de que soltase su hidrógeno, enviándola a toda velocidad contra el suelo.

—Calma, bestezuela. Ya nos están bajando —dijo Deryn suavemente.

Una fuerte ráfaga empujó la bolsa de aire de la medusa y esta se hinchó como la vela de un barco a toda velocidad. Deryn se balanceaba sacudida por la fuerza de la tormenta. Sus calzones de chico quedaron empapados de lluvia helada al instante.

Entonces, el cable chasqueó al tensarse, fustigando a la bestia hacia el suelo como si fuese una cometa sin suficiente cordel. Cayó hacia las casas y los jardines traseros, hacia los altos muros de la prisión. Justo por debajo de Deryn la gente corría por las húmedas calles, con los hombros encorvados, ajenos al monstruo que tenían sobre sus cabezas.

Se produjo otro golpe de viento que obligó al Huxley a bajar tanto que Deryn pudo ver las varillas de los paraguas que tenía debajo.

—Oh, bestezuela. Esto no va bien.

La medusa se hinchó otra vez, intentando recuperar la altitud y se elevó una docena de pies por encima de los tejados. El cable se tensó contra el viento durante un momento y después se soltó. Deryn se fijó en que el personal de tierra le estaba dando cuerda para que subieran un poco más, como un pescador intentando mantener una captura en el anzuelo.

Pero el cable extra que les estaban dando suponía que tendrían que soportar más peso y, por otra parte, ella y el Huxley ya pesaban más a causa de la lluvia. Deryn podía derramar el agua que llevaba de lastre, pero si lo soltaba, entonces ya no le quedaría nada para aminorar su caída si a la bestia le entraba pánico.

El cable ahora pasaba rozando por los tejados de la prisión, golpeando las tejas y los tubos de los desagües. Deryn vio que se enganchaba en una de las humeantes chimeneas y se quedó mirándola asustada.

No le extrañaba que el personal de tierra estuviese soltando más cable, puesto que los estaban alejando de la prisión. Si salía despedida una chispa de la chimenea y alcanzaba la bolsa de aire del Huxley, el hidrógeno se encendería y el elevador explotaría, convertido en una inmensa bola de fuego, con lluvia o sin lluvia.

El cable tiró de ellos de nuevo, enviando una sacudida al Huxley. La criatura se asustó, enroscó con fuerza sus tentáculos y cayó de nuevo.

Deryn se agarró a la cuerda del lastre con los dientes apretados. Tal vez sobreviviese a un aterrizaje forzoso empujada por el viento, pero los tejados de tejas y las verjas de los patios que tenían debajo descuartizarían a la criatura. Y todo aquello sería culpa de Deryn Sharp, por no avisar al personal de tierra cuando tuvo la ocasión de hacerlo.

Aquello requería algo de sensibilidad aérea.

—Está bien, bestezuela —gritó—. Puede que yo te haya metido en este lío, pero también voy a sacarte de él. Y ahora escucha: no es el momento de tener miedo.

La criatura no hizo ninguna promesa pero, de todos modos, Deryn tiró de las cuerdas del lastre. Las bolsas se abrieron y derramaron el agua que contenían entre la tormenta.

Lentamente, la aerobestia empezó a elevarse.

Los hombres de tierra la animaron, tensaron el cabrestante y por lo tanto tiraron furiosamente de la aerobestia contra el viento. El capitán les supervisaba, gritando órdenes desde la parte trasera de un carruaje todoterreno. Los tigrescos tenían un aspecto miserable bajo la lluvia, como un par de gatos caseros bajo un grifo.

Con unos pocos giros más del cabrestante la medusa ya se encontraba sobre el campo de pruebas, a salvo y segura, lejos de las humeantes chimeneas de la prisión.

Pero entonces, el viento cambió de dirección. La aerobestia se hinchó de nuevo, arqueada como un semicírculo hacia el otro extremo de la Scrubs.

El Huxley soltó un chillido que se alzó por encima del viento, como el horrible sonido de cuando una de las cámaras de aire de papá tenía una fuga.

—¡No, bicho! ¡Vamos, que ya casi estamos a salvo! —gritó Deryn.

Pero la medusa había sido sacudida anteriormente demasiado a menudo. Su bolsa de gas se estaba contrayendo, los tentáculos enroscándose con tanta fuerza como una serpiente de cascabel.

Deryn Sharp olió el hidrógeno que se derramaba en el aire, un olor parecido al de las almendras amargas. Estaba cayendo... Pero el viento aún los transportaba, cambiando de dirección sin ningún tipo de ritmo o de razón. La aerobestia estaba siendo sacudida como un trozo de papel arrugado, tirando de Deryn tras ella.

En aquellos momentos debían de ser más pesados que el aire, pero con un vendaval de aquel tipo, Deryn imaginó que se podría hacer volar un sombrero hongo atado a un trozo de cordel.

En el otro extremo del cable, el personal de tierra estaba observándolos con impotencia, con el capitán de vuelo agachando la cabeza mientras el cable daba vueltas de forma cortante sobre su pelo. Si intentaban hacerle dar la vuelta para acercarla, tirarían de la aerobestia directamente hacia el suelo. Jaspert corría por el campo hacia ella, poniéndose las manos junto a la boca en forma de bocina y gritándole algo...

Ella captó el sonido de su voz, pero el viento se llevó las palabras.

Los pies de Deryn ahora colgaban a pocas yardas del suelo, que pasaba deprisa por debajo de ella como si estuviese montando a caballo. Se quitó su pesada chaqueta empapada y la lanzó por la borda.

La prisión se acercó de nuevo amenazadora cuando el Huxley avanzó a toda prisa. Si chocaban contra sus muros a aquella velocidad, tanto ella como la aerobestia quedarían convertidos en una mancha sanguinolenta.

Sus dedos palparon los aparejos del piloto, buscando una forma de escapar del arnés. Deryn se dio cuenta de que tendría más oportunidades si se dejaba caer sobre la hierba fangosa que chocando contra una pared. Y, sin su peso, el Huxley se elevaría de nuevo en el aire.

Por supuesto, aquel caraculo de timonel no se había molestado en enseñarle cómo desabrocharse el arnés. Las correas de cuero estaban empapadas de lluvia, cinchadas tan fuerte como el trasero de un pato. Evidentemente, el Ejército no confiaba en los reclutas que se removían presas del pánico y que podían caer y matarse.

Entonces Deryn vio el nudo sobre su cabeza: ¡era la cuerda que ataba a la aerobestia al suelo! Miró la cuerda que se extendía entre ella y el cabrestante, eran unos noventa metros más o menos en aquel momento. Aquella tira de cáñamo empapada de lluvia tenía que pesar mucho más que una chica delgaducha y minúscula y sus ropas mojadas. Si pudiese soltar al Huxley, tal vez este tuviese suficiente hidrógeno para transportarla a salvo.

Pero el suelo se estaba acercando de nuevo y la brillante hierba mojada y los charcos pasaban borrosos justo por debajo de sus pies mientras los muros de la prisión seguían estando enfrente. Al alargar una mano, Deryn sintió la forma del nudo que ya le estaba empezando a ser familiar...

¡No era más que un nudo al revés de amarre! ¡Recordó que Jaspert le había contado que los aparejadores del Ejército del Aire utilizaban nudos marineros, los mismos que había atado mil veces en los globos de Pa!

Mientras Deryn intentaba librar la cuerda mojada de su nudo, sus botas tocaron el suelo con un golpe que le sacudió todos los huesos, patinando por la hierba húmeda.

Pero el peligro real no estaba encima, sino en los muros de la prisión, que se acercaban. Deryn y el Huxley estuvieron a pocos segundos de quedar aplastados en aquella brillante extensión de piedra húmeda.

Finalmente, sus dedos consiguieron empujar un extremo del cable. El nudo se deshizo y la cuerda se retorció como un ser vivo, desollándole los dedos al deslizarse por la anilla de acero.

Cuando el peso de más de noventa metros de cuerda húmeda cayó, la aerobestia remontó el vuelo, apartándose de los muros de la prisión a bastantes yardas de distancia.

Deryn contuvo el aliento cuando una chimenea humeante pasó justo bajo sus pies. Imaginó gotas de lluvia cayendo por su boca hasta los hogares de carbón que había abajo, escupiendo humo, y las chispas elevándose para encender la furiosa masa de hidrógeno sobre su cabeza.

Pero el viento se llevó volando las chispas, pocos momentos después de que el Huxley dejase atrás los edificios de la prisión que estaban más al sur. Al subir, Deryn escuchó una gutural ovación que provenía de abajo.

Los hombres de tierra elevaban sus brazos en señal de triunfo. ¡Jaspert estaba radiante, con las manos en forma de bocina junto a su cara y gritando algo que sonaba a felicitación, como si le dijese que había hecho exactamente lo que él le había dicho que hiciese!

—Ha sido *mi* loca idea, Jaspert Sharp —murmuró ella, chupándose los dedos quemados por la cuerda.

Por supuesto aún estaba en medio de una tormenta, atada a un Huxley nervioso, ambos planeando por una zona de Londres con muy pocos espacios de terreno adecuados.

Y, además, ¿cómo iba Deryn a hacer aterrizar a aquella bestia? No contaba con ninguna forma de insuflar hidrógeno, ya no le quedaba más lastre en caso de que la criatura se asustase y no tenía ni idea de si alguien alguna vez había volado con un Huxley sin sujetarse y haber vivido para contarlo.

De todas maneras..., al menos, estaba volando. Si conseguía salir de aquello con vida, los científicos tendrían que admitir que ella había superado la prueba.

Chico o no, Deryn Sharp había demostrado que al fin y al cabo tenía una sensibilidad aérea a prueba de bomba.

· OCHO ·

La tormenta parecía estar extrañamente quieta.

Recordó haber sentido aquella sensación cuando montaba en los globos de aire caliente de Pa. Liberada de su correa de sujeción, la medusa volaba exactamente a la misma velocidad que el viento. El aire parecía estar inmóvil y la tierra daba vueltas debajo como en un torno gigante.

Unas nubes oscuras todavía bullían a su alrededor, por lo que el Huxley daba algún giro ocasional. Pero lo peor eran los destellos en la distancia. Una forma segura de provocar las llamas en un respirador de hidrógeno era que lo alcanzase un rayo. Deryn intentó distraerse observando cómo la ciudad de Londres pasaba bajo sus pies, con todas las casas como cajas de cerillas y las calles sinuosas, así como las fábricas con sus chimeneas selladas.

Se acordó de cómo Pa explicaba el aspecto que tenía Londres antes de que el viejo Darwin hubiese obrado su magia. Un paño mortuorio de humo de carbón cubría toda la ciudad, junto con una niebla tan espesa que las farolas incluso permanecían encendidas de día. Durante la peor época de la edad de vapor, había tanto hollín y ceniza decorando las zonas campestres cercanas que hasta las mariposas habían desarrollado manchas negras en sus alas como camuflaje.

Pero antes de que Deryn naciese, los enormes motores habían sido sustituidos por bestias fabricadas. Músculos y tendones reemplazaron a las calderas y los engranajes. Actualmente, el único humo de chimenea provenía de los hornos y no de las inmensas fábricas, y la tormenta había limpiado incluso aquellas tinieblas del aire.

Adonde quiera que mirase Deryn veía *fabs*. Sobre el palacio de Buckingham, una bandada de halcones bombarderos patrullaban en formación de espiral, transportando redes que rebanarían las alas de cualquier aeroplano que se atreviera a acercarse demasiado. Golondrinas mensajeras se entrecruzaban por Square Mile, sin que el mal tiempo las hubiese disuadido.

Las calles estaban llenas de animales diseñados: hipopotámicos y razas equinas, un elefantino arrastraba un trineo lleno de ladrillos bajo la lluvia. La tormenta que casi había acabado con su Huxley apenas había detenido el ritmo de la ciudad que tenía bajo ella.

A Deryn le habría gustado llevar consigo su libreta de dibujo, para captar la maraña de calles, bestias y edificios que había debajo. Al principio había empezado a dibujar uno de los globos de Pa, intentando captar las maravillas del vuelo.

A medida que las nubes se fueron disipando gradualmente, el

Huxley se deslizó por un haz de luz y lo atravesó. Deryn se desperezó al sentir su calor y empezó a sacudirse el agua de sus ropas frías y empapadas.

Las casas que había debajo cada vez se veían más pequeñas, y la multitud de copas de paraguas se difuminaron entre las húmedas calles. A medida que se secaba, el Huxley ascendía. Deryn frunció el ceño. Para descender en un globo, se tenía que dejar escapar aire caliente desde lo alto. Pero los Huxleys eran unos elevadores primitivos, diseñados para ser llevados con correa de sujeción todo el tiempo.

¿Y ahora qué se supone que debo hacer, decirle a la bestia que baje?

—¡Eh! —gritó—. ¡Tú, el de arriba!

El tentáculo que tenía más cerca se enroscó un poco, pero nada más.

—¡Bicho! ¡Te estoy hablando!

Nada.

Deryn puso mala cara. ¡No hacía ni una hora que el Huxley se había asustado con suma facilidad! Tal vez los gritos de una chica enojada no significaban casi nada después de una terrible tormenta.

—¡Eres un enorme y gordinflón caraculo! —gritó, balanceando sus pies para sacudir el equipo del piloto—. ¡Y me estoy hartando de tu compañía! ¡Que-me-bajes-ya!

Los tentáculos se desenroscaron, como si fuesen un gato desperezándose al sol.

—Simplemente fantástico —gruñó ella—. Añadiré la mala educación a tus defectos.

Al pasar por otro retazo de sol, la medusa hizo un suave ruido como si exhalase un suspiro, expandiendo su bolsa para secarse.

Deryn notó que se estaban elevando aún más. La chica refunfuñó, mirando el cielo azul que se extendía ante ella. Ahora podía ver todo el camino hasta las granjas de Surrey. Y después encontraría el Canal de la Mancha.

Durante dos largos años, lo que más había deseado Deryn con toda su alma era volar otra vez, igual que cuando Pa estaba vivo, y allí estaba ella ahora, abandonada a su suerte en medio de los cielos. Tal vez aquel era su castigo por actuar como un chico, tal como su madre siempre le había avisado.

El viento era constante e impulsaba la bestia hacia Francia.

Iba a ser un largo día.

El Huxley se dio cuenta primero.

Los aparejos del piloto se sacudieron bajo Deryn como un carruaje pasando por un charco. La sacudida la despertó de una cabezada y miró hacia arriba, al Huxley.

—¿Te aburres?

La aerobestia parecía resplandeciente, el sol brillaba justo en línea recta sobre ella, traspasando su piel iridiscente. Era mediodía, por lo tanto hacía más de seis horas que estaba en el aire. El Canal de la Mancha brillaba a no mucha distancia de ellos, recortado contra un cielo perfecto. Habían dejado muy atrás las nubes grises de Londres.

Deryn frunció el ceño y se desperezó.

—Maldito tiempo fantástico —refunfuñó.

Sus labios estaban agrietados y le dolía mucho, muchísimo, el trasero.

Entonces vio que los tentáculos se enroscaban a su alrededor.

—¿Y ahora qué pasa? —se quejó, aunque habría agradecido incluso que una bandada de aves les hubiese atacado con tal de que hubiesen hecho bajar a la bestia.

Un aterrizaje accidentado era mejor que colgar de allí hasta que se muriera de sed.

Deryn observó atentamente el horizonte y no vio nada. No obstante sintió un temblor en las tiras de cuero de su equipo de piloto y escuchó un zumbido de motores en el aire.

Se quedó con los ojos muy abiertos.

Una inmensa aerobestia estaba emergiendo entre las nubes grises que había tras ella. Su parte superior reflectante brillaba bajo la luz del sol.

Aquella cosa era gigantesca, mayor que la catedral de St. Paul, más larga que el *Dreadnought,* un trasatlántico acorazado Orión que había visto en el Támesis hacía una semana. El brillante cilindro tenía la forma de un zepelín, pero los flancos vibraban con el movimiento de sus cilios y en el aire, a su alrededor, pululaban murciélagos y aves.

La medusa hacía un sonido sibilante infeliz.

—¡No, bestezuela, no te pongas nerviosa! —dijo en voz baja—. ¡Han venido a ayudarnos!

Por lo menos, Deryn creía que era así. Pero no esperaba que hubiesen enviado nada tan *enorme* a por ella, para conseguir bajarla.

La aeronave se acercó hasta que Deryn distinguió la barquilla colgando de la barriga de la bestia. Las letras, de un pie de alto, bajo las ventanas del puente poco a poco quedaron a la vista... *Leviathan*. Tragó saliva.

—Y vaya si son endemoniadamente famosos estos amigos.

El *Leviathan* había sido el primero de los grandes respiradores de hidrógeno fabricados para rivalizar con los zepelines del Káiser. Se habían criado algunas bestias más grandes desde entonces, pero ninguna de ellas había hecho aún el viaje hasta la India, ida y vuelta, superando todos los récords aéreos alemanes hasta la fecha.

El cuerpo del *Leviathan* estaba hecho con cadenas de vida de una ballena, pero otros cientos de especies estaban intrincadas en su diseño: innumerables criaturas unidas como los resortes de un cronómetro. Bandadas de aves fabricadas pululaban a su alrededor: exploradores, combatientes y depredadores para conseguir comida. Deryn vio lagartos mensajeros y otras bestias recorriendo rápidamente su piel.

Según el *Manual de Aerología*, los grandes respiradores de hidrógeno se modelaban en las minúsculas islas de América del Sur donde Darwin había hecho sus famosos descubrimientos. El *Leviathan* no era una sola bestia, sino una vasta red de vida en toda la extensión de su siempre cambiante equilibrio.

El ruido de los motores de impulsión cambió de inflexión,

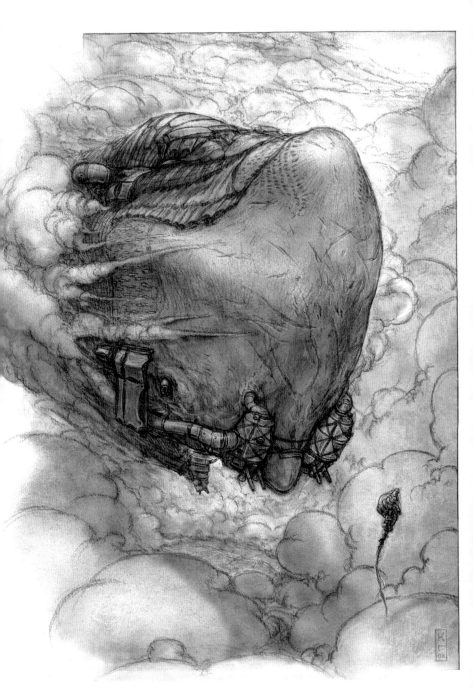

«EL *LEVIATHAN* SE ACERCA».

alzando la proa de la criatura ligeramente. La aerobestia obedeció. Los cilios que recorrían sus flancos se ondulaban como un mar de hierba mecida por el viento y una gran cantidad de minúsculos remos moviéndose hacia atrás detuvieron al *Leviathan* hasta dejarlo casi inmóvil.

La inmensa silueta se movió lentamente sobre ellos, como una mancha en el cielo. Tenía lo que era la barriga toda llena de motas grises que servían de camuflaje para los ataques nocturnos.

Bajo la repentina frialdad de la inmensa sombra, Deryn alzó la vista fascinada. Aquella vasta y fantástica criatura había acudido realmente a rescatarla, *a ella*.

El Huxley tembló de nuevo, preguntándose adónde había ido a parar el sol.

—Silencio, bestezuela. No es más que tu primo mayor.

Deryn escuchó gritos por encima de ella y percibió movimiento. Vio que le lanzaban una cuerda que se desenrolló a su lado. A esta le siguió otra y luego otra docena más, hasta que Deryn se encontró rodeada de un bosque de cuerdas que se balanceaban de arriba abajo.

Alargó el brazo para coger una, pero la amplitud de la bolsa de gas de la aerobestia dejaba las cuerdas fuera de su alcance. Deryn balanceó el arnés del piloto intentando acercarse.

Su impulso hizo que los tentáculos del Huxley se enroscasen y provocasen una vertiginosa caída.

—¡Ay! ¿Así que *ahora* sí que quieres ir cabeza abajo? —se quejó—. ¡Mira que eres inútil!

Los motores de la nave volvieron a cambiar de inflexión y reaparecieron los cabos colgantes, todavía fuera de su alcance. Entonces, los motores que tenía encima empezaron a funcionar con un ritmo chirriante, de encendido-apagado, encendido-apagado y las cuerdas empezaron a cimbrearse al ritmo del sonido.

Seguro que allí arriba había un piloto inteligente.

Las cuerdas se balanceaban y se acercaban con cada impulso de los motores. Deryn alargó un brazo lo máximo que pudo...

Finalmente sus dedos consiguieron sujetar el cabo. Tiró de la cuerda y la ató a la anilla que había sobre su aparejo y, a continuación, frunció el ceño.

¿Es que iban a izarla hasta la barquilla? Si lo hacían, ¿eso no haría que el Huxley acabara cabeza abajo?

Pero la cuerda seguía floja y, al cabo de unos momentos, un lagarto mensajero bajó hasta ella. Sus minúsculas manos palmeadas se pegaban a la cuerda como una ventosa, como si fuese la fina rama de un árbol. La piel del lagarto, de un color verde intenso, parecía brillar en las sombras debajo de la nave.

El animal habló con un acento afectado, con una voz grave, extraña en un cuerpecillo como aquel.

—Señor Sharp, supongo —el lagarto soltó una risita gutural entre dientes.

Estupefacta como estaba, Deryn casi respondió. Por supuesto, el lagarto mensajero solo estaba repitiendo lo que uno de los oficiales de a bordo le había dicho.

—Saludos del *Leviathan* —prosiguió—. Sentimos mucho el

retraso. Ha sido por el mal tiempo y todo eso —hizo un ruido como un hombre carraspeando y Deryn casi esperó que el lagarto alzase su pequeño puño para cubrirse la boca—. Pero al fin aquí estamos. Le llevaremos hasta la parte dorsal, por supuesto: procedimiento estándar.

El lagarto hizo una pausa y Deryn meditó qué significaría «parte dorsal».

—Ah, sí. Me han comentado que usted es solo un recluta. Bien hecho, su primer vuelo y ya se pierde.

Deryn puso los ojos en blanco. Primero una bolsa de gas y tripas llena de insectos la había arrastrado por media Inglaterra, y ahora estaba escuchando las impertinencias de una maldita ¡*lagartija*!

—Supongo que usted no conoce el procedimiento estándar. Bueno, en realidad es bastante sencillo: bajaremos hasta situarnos debajo de usted, entonces subiremos poco a poco y le situaremos en el cabrestante dorsal. ¿Alguna pregunta?

El lagarto mensajero se la quedó mirando expectante, parpadeando con sus ojillos negros.

—Ninguna pregunta, señor. Estoy listo —dijo Deryn, acordándose de usar su voz de chico.

Por supuesto, no iba a admitir que no sabía lo que la palabra «dorsal» significaba.

El lagarto mensajero no se movió, solamente parpadeó otra vez.

—Así que... ¿el procedimiento estándar es? —añadió ella.

El lagarto esperó otro momento, pero cuando vio que Deryn no decía nada más, se dio media vuelta y subió corriendo por la cuerda para repetir sus palabras a quienquiera que fuese que estaba en el otro extremo.

Un minuto después, izaron las otras cuerdas, pero soltaron aún más la que estaba unida al equipo del piloto. Esta cayó en forma de lazo hasta quedar casi fuera de su vista, por lo menos había un cuarto de milla de cuerda o al menos eso parecía. Entonces los motores ociosos de la aeronave se encendieron otra vez.

La inmensa sombra se impulsó hacia atrás contra el viento, de manera que el sol apareció radiante desde detrás de su nariz, casi cegando a Deryn. La aeronave cayó cuando al desprender hidrógeno con un sonido como el agua corriente descendió de forma constante, hasta que los oficiales que estaban en las ventanas del puente estuvieron perfectamente a su nivel aunque a veinte yardas de distancia.

Uno de ellos sonrió y la saludó enérgicamente. Deryn devolvió el saludo.

El *Leviathan* descendió aún más y el Huxley lloriqueó un poco cuando un enorme ojo se puso a su altura y se acercó a él.

—No me causes más problemas —murmuró Deryn.

Ella observaba todo con entusiasmo, notando cómo los gigantescos arneses de la aeronave envolvían todo su cuerpo, sujetando inmóviles en su sitio las barquillas. Las tiras de los arneses estaban conectadas a una red de cuerdas como las jarcias de un velero. Unas extrañas bestias de seis patas escalaban con la tripulación por las cuerdas, husmeando la piel de la aerobestia. Aquellos debían de ser los rastreadores de hidrógeno sobre los cuales había leído, deslizándose por la membrana en busca de fugas.

Cuando la vasta masa plateada del *Leviathan* se deslizó bajo ella, Deryn vio que el otro extremo de su cuerda ahora estaba atado a un cabrestante en la parte dorsal de la criatura.

Así que «dorsal» era solamente una manera del Ejército de llamar al «trasero».

El cabrestante era pequeño y de aluminio, hecho de la forma más ligera posible, como todo lo que había en un dirigible. Dos hombres hacían girar su manivela, tirando con bastante rapidez de la cuerda floja. Pronto Deryn y su nervioso Huxley descendían hacia la parte trasera y plateada del *Leviathan*.

Unos minutos después, media docena de tripulantes sujetaban los tentáculos de la medusa y tiraban de ella hacia abajo. Deryn se encontró libre del equipo del piloto, tambaleándose sobre sus piernas entumecidas encima de la húmeda y esponjosa superficie de la piel hinchada del *Leviathan*.

—Bienvenido a bordo, señor Sharp —dijo el joven oficial al mando.

Deryn intentó ponerse erguida, pero el dolor atenazaba su columna vertebral. Retorció los dedos de los pies dentro de las botas de Jaspert, intentando hacer desaparecer el hormigueo de sus pies.

—Gracias, señor —consiguió decir.

—¿Se encuentra bien? —preguntó el oficial.

—Sí, señor. Solo un poco de entumecimiento en mi, humm, en mis dorsales.

El oficial se echó a reír.

—Un vuelo largo, ¿verdad?

—Sí, señor. Un poco —tímidamente le devolvió el saludo.

Por lo menos el oficial sonreía. Toda la tripulación parecía bastante contenta mientras revisaban la medusa. Deryn supuso que no les llamaban demasiado a menudo para rescatar reclutas en el aire.

Un hombre vestido con uniforme de timonel le dio una palmada en la espalda.

—Su Huxley está en buena forma, después de una tormenta como esta. Debe de tener mano para las bestias, señor Sharp.

—Gracias, señor —repuso ella.

Los hombres que estaban manipulando el cabrestante estaban llevándose al Huxley hacia atrás, remolcándolo en vuelo hacia la estela del *Leviathan*.

—No muchos cadetes pueden disfrutar de su primer día volando —dijo el oficial.

—No soy un cadete exactamente, señor. Aún no he pasado las pruebas —Deryn paseó la mirada ansiosamente por la parte superior, rezando para que le dejasen explorar la nave mientras la llevaban de vuelta a la Scrubs. Podría caminar de nuevo tan solo dentro de unos pocos minutos más...

El timonel se echó a reír.

—Resolver unos problemas de Aeronáutica seguro que no le resultará demasiado difícil después de permanecer en vuelo libre en globo con un Huxley. Y con todos estos problemas en ciernes supongo que el Ejército ya estará reclutando algunos muchachos más.

Deryn frunció el ceño.

—¿Problemas, señor?

El oficial asintió.

—Ah, sí. Supongo que usted aún no se habrá enterado. Ayer noche un duque y una duquesa austriacos fueron asesinados. Lo más probable es que se produzcan disturbios en el continente.

Deryn parpadeó.

—Lo siento, señor. No comprendo.

El oficial se encogió de hombros.

—No estoy seguro de lo que esto tiene que ver con Gran Bretaña, pero estamos en alerta. Ahora que ya le hemos rescatado, debemos encaminarnos directamente a Francia por si los clánkers intentan iniciar algo —sonrió—. Espero que se quede con nosotros unos días y que esto no sea una molestia para usted.

Deryn abrió mucho los ojos. Cuando recuperó la sensibilidad en las piernas, pudo sentir el retumbar de los motores en la piel de la aerobestia. Los flancos plateados del *Leviathan* descendían por su espina dorsal extendiéndose en la distancia hacia el infinito. El cielo se veía inmenso en cualquier dirección.

«Unos días», acababa de decir aquel hombre, cientos de horas más en aquel cielo perfecto. Deryn saludó de nuevo, intentando ocultar su sonrisa.

—No, señor. No es ninguna molestia.

• NUEVE •

Alek se despertó con el repiqueteo del código Morse.

Cuando se desperezó, la madera crujió y un olor a humedad llenó su nariz. El polvo se arremolinaba en las saetas de los rayos de sol que se filtraban a través de las paredes medio podridas. Se sentó y parpadeó, mirando el montón de heno que cubría sus ropas.

El príncipe Aleksandar nunca había dormido en un granero. Desde luego, aquellas dos últimas semanas había hecho un montón de cosas nuevas.

Klopp, Bauer y el ingeniero jefe Hoffman estaban roncando no muy lejos de él. El caminante estaba agazapado en el granero, en penumbra. Su cabeza casi alcanzaba el techo del henar. La noche anterior Alek había maniobrado la máquina y la había hecho entrar hasta acomodarla a media altura en la oscuridad para que cupiese dentro. Un pilotaje un poco peliagudo.

El código Morse repiqueteaba de nuevo a través del visor abierto del caminante.

El conde Volger, por supuesto. Parecía que el hombre fuese alérgico al sueño.

El espacio que quedaba entre el techo del henar y la cabeza del caminante era apenas el de la longitud de una espada, un salto fácil.

Alek aterrizó suavemente. Sus pies descalzos no hacían ruido sobre la armadura de metal. Se dejó caer por el borde para mirar por el visor. Volger estaba sentado, mirando a lo lejos en la silla del comandante, con un auricular sin cables presionado contra su cabeza.

Lenta y silenciosamente, Alek bajó un pie y lo apoyó en el borde del visor

—Tenga cuidado de no caer, Su Alteza.

Alek suspiró, preguntándose si alguna vez conseguiría escabullirse de su profesor de esgrima. Entró por el visor y se dejó caer en el asiento del piloto.

—¿Es que usted no duerme nunca, conde?

—No, con este alboroto —Volger miró hacia el henar.

—¿Se refiere a los ronquidos? —Alek frunció el ceño.

Se había acostumbrado a dormir entre ruidos de hombres y máquinas pero, por alguna razón, aquel simple repiqueteo de puntos y rayas del radiotelégrafo le había despertado. Dos semanas de huida constante había alterado sus sentidos.

—¿Algo sobre nosotros?

Volger se encogió de hombros.

—Han vuelto a cambiar los códigos. Pero hay más conversaciones que nunca. El ejército se está preparando para la guerra.

—Tal vez me hayan olvidado —dijo Alek.

Durante los primeros días, acorazados terrestres les habían estado siguiendo los pasos en todas direcciones con multitud de puestos de vigilancia en sus cubiertas superiores. Pero, últimamente, los fugitivos solamente habían viso de forma ocasional algún aeroplano volando sobre sus cabezas.

—No se han olvidado de vos, Su Alteza —dijo Volger categóricamente—. Solo sucede que Serbia representa un objetivo fácil.

—Desafortunadamente para ellos —dijo Alek en voz baja.

—La fortuna no tiene nada que ver en ello. Hace años que el Imperio desea una guerra con Serbia. El resto es una excusa —murmuró Volger.

—¿Una *excusa*? —dijo Alek, sintiendo cómo la furia crecía en su interior al imaginar los rostros de sus padres asesinados.

Aunque no podía discutir con la lógica de Volger. Al fin y al cabo, los acorazados que los perseguían eran alemanes y austriacos. Su familia había sido destruida por viejos amigos, no por una banda de desgraciados estudiantes serbios.

—Pero mi padre siempre luchó por la paz —añadió Alek.

—Y ahora ya no puede luchar más. Listos, ¿verdad?

Alek sacudió la cabeza.

—Me horroriza, Volger. A veces creo que *admira* a la gente que hay tras esto.

—Sus planes tienen cierta elegancia: asesinar a un pacificador para empezar una guerra. Sin embargo han cometido un error muy grave —el hombre se dio la vuelta y lo miró—. Os han dejado a vos con vida.

—Yo ya no importo, para nada.

Volger apagó el radiotelégrafo y en la cabina se hizo el silencio. El piar de los pájaros se filtraba por las vigas del granero.

—Importáis más de lo que nadie sospecha, Aleksandar.

—¿*Cómo?* No tengo padres, ningún título real —Alek se miró de arriba abajo las ropas de granjero con las que iba vestido y que además eran robadas y estaban cubiertas de heno—. Hace dos semanas que no me he dado un buen *baño*.

—No, desde luego —Volger arrugó la nariz—. Pero vuestro padre preparó minuciosos planes en previsión de que estallase la inminente guerra.

—¿A qué se refiere?

—Cuando lleguemos a Suiza, os lo explicaré —Volger conectó de nuevo el radiotelégrafo—. Pero esto no será posible a menos que podamos comprar combustible y piezas de recambio mañana. Id a despertar a los hombres.

Alek alzó una ceja.

—¿Me acaba de dar una orden, conde?

—Id a despertar a los hombres, *si hacéis el favor*, Su Serena Majestad.

—Sé que estáis siendo insolente conmigo solamente para distraerme de vuestro pequeño secreto, conde. Pero esto no hace que sea menos *molesto*.

Volger soltó una risa.

—Creo que no. Pero aún no puedo revelar mi secreto. Prometí a vuestro padre que esperaría al momento adecuado.

Alek apretó los puños. Ya se estaba empezando a cansar de ser tratado de aquella manera, Volger nunca le explicaba los planes hasta el último momento. Tal vez el día en que murieron sus padres aún era un niño, pero ya no.

Durante las últimas dos semanas había aprendido a encender una hoguera, cómo cambiar las bujías de incandescencia de los motores, cómo trazar su avance nocturno hacia Suiza con un sextante y las estrellas. Podía hacer que el Caminante de Asalto se agachase bajo puentes, y entrase en graneros, además podía desmontar y limpiar las metralletas *Spandau* con tanta facilidad como lavar sus propias ropas, otra cosa que había aprendido a hacer. Hoffman incluso le había enseñado a cocinar un poco, a hervir carne curada para reblandecerla, añadiendo vegetales que recogían mientras pisoteaban algún que otro campo de algún infortunado granjero.

Pero lo más importante era que Alek había aprendido a contener su desesperación. No había llorado desde aquel primer día, ni una sola vez. Su sufrimiento estaba oculto, encerrado en un rincón de su interior. Únicamente aquella horrible sensación de vacío, aparecía cuando estaba solo de vigilancia mientras los demás dormían.

E incluso entonces, Alek practicaba el arte de contener sus lágrimas en su interior.

—Ya no soy un niño —dijo.

—Lo sé —Volger suavizó su voz—. Pero vuestro padre me pidió que esperase, Alek, y yo intento honrar sus deseos. Id a despertar a los hombres y después del desayuno os daré una lección de esgrima. Necesitáis ejercitar vuestros reflejos para pilotar esta tarde.

Alek miró a Volger unos instantes y luego, finalmente, asintió con la cabeza. Sentía la necesidad de sostener una espada en su mano.

—En guardia, por favor.

Alek alzó su sable y se puso en guardia. Volger caminó lentamente en círculo a su alrededor, inspeccionando la posición de Alek durante lo que pareció un prolongado minuto.

—Más peso en el pie trasero —dijo finalmente el hombre—. Por lo demás aceptable.

Alek cambió el peso de su cuerpo puesto que sus músculos empezaban a agarrotarse. Los largos días pasados en la cabina habían acabado con su forma. Aquella lección iba a doler. El dolor siempre era el objetivo del conde Volger, por supuesto. Cuando Alek empezó su entrenamiento, a los diez años, pensaba que practicar la esgrima sería algo emocionante. Pero sus primeras lecciones habían consistido en quedarse inmóvil de aquella manera durante horas, con Volger burlándose de él cada vez que su brazo extendido empezaba a temblar. Por lo menos ahora, a los quince años, se le permitía cruzar espadas.

Volger también se puso en guardia.

—Primero despacio. Veamos cómo paráis los golpes —dijo, y empezó a atacar, gritando los nombres de los movimientos defensivos mientras se abalanzaba sobre él.

—*Tierce…, tierce* otra vez. Ahora *prime*. Horrible, Alek. ¡Vuestra hoja está demasiado baja! Dos en *tierce*. Ahora desplazamiento hacia atrás cubriéndose. Ahora *quarte*. Simplemente horrible. Otra vez…

Los ataques del conde continuaron, pero su voz se fue apagando, confiando en que Alek eligiese sus propias paradas. Las espadas destellaban y sus pies, arrastrándose por el suelo, removían el polvo que bailaba en los rayos de luz que atravesaban todo el granero.

Se sentía extraño practicando esgrima vestido con ropas de granjero, sin criados rodeándole prestos para traerle agua y toallas. Por el contrario, había ratones corriendo bajo sus pies y el gigantesco caminante los observaba como un dios de la guerra de acero. Cada cinco minutos el conde Volger gritaba alto y miraba a la máquina, como si esperase encontrar en su estoico silencio la paciencia para soportar la torpe técnica de Alek.

Entonces suspiraba y decía:

—Otra vez…

Alek notó que mientras luchaban cada vez se concentraba más. A diferencia de la esgrima de salón en casa, allí no había espejos en las paredes, y Klopp y los demás hombres estaban demasiado ocupados revisando los motores del caminante para observarles. No había distracciones, tan solo el nítido sonido de metal entrechocando y el arrastrar de los pies.

«PRÁCTICA».

Cuando el entrenamiento creció en intensidad, Alek se dio cuenta de que aún no se habían puesto las máscaras. Siempre había suplicado luchar sin protección, pero sus padres nunca se lo habían permitido.

—¿Por qué Serbia? —preguntó de pronto Volger.

Alek bajó la guardia.

—¿Cómo dice?

Volger apartó la parada medio preparada de Alek y tocó su muñeca.

—¿Qué demonios? —exclamó Alek, frotándose la mano.

El filo del sable de deporte era romo, pero aun así podía magullar si daba en la carne.

—No bajéis la guardia hasta que el otro hombre lo haga, Su Alteza. No, en tiempos de guerra.

—Pero si acabáis de preguntarme... —empezó Alek y después suspiró y alzó de nuevo la espada—. Muy bien. Continuad.

El conde empezó con otra tanda de golpes, haciendo retroceder a Alek. Según las reglas del sable, cualquier contacto con la espada del contrario terminaba un ataque legal. Pero Volger pasaba por alto todas las paradas, usando la fuerza bruta para ganar terreno.

—¿Por qué Serbia? —repitió el conde, empujando a Alek hacia la pared del fondo del granero.

—¡Porque los serbios son aliados de Rusia! —exclamó Alek.

—Desde luego —Volger detuvo de repente su ataque, dándole la espalda y alejándose—. La antigua alianza de los pueblos eslavos.

Alek parpadeó. El sudor le entraba en los ojos y el corazón se le aceleraba.

Volger recuperó su posición en el centro del granero.

—En guardia, señor.

Alek se acercó con cautela, con la espada en alto. Volger atacó otra vez, de nuevo pasando por alto las reglas de prioridad. Alek se dio cuenta de que aquello no era esgrima, sino que era más parecido a un... *combate de espadas.* Intentó concentrarse más, que su conciencia se extendiese por la longitud de su sable. Igual que el Caminante de Asalto, el fragmento de acero se convirtió en una extensión de su cuerpo.

—¿Y quién ha establecido las alianzas más estrechas con Rusia? —Volger preguntó, sin ni siquiera mostrar un signo de cansancio.

—Gran Bretaña —dijo Alek.

—No creo —la hoja de Volger burló la guardia de Alek, y golpeó con fuerza su brazo derecho.

—¡Auu! —Alek bajó la guardia y se frotó la herida—. ¡Por Dios, Volger! ¿Me está enseñando esgrima o diplomacia?

Volger sonrió.

—Por lo visto necesitáis instrucción en ambas disciplinas.

—¡Pero si los mandos de la armada británica se reunieron con los rusos el año pasado! Padre dijo que aquello dejó a los alemanes brutalmente preocupados.

—Aquello no fue una alianza, Alek. No aún.

Volger alzó su espada.

—Así, ¿quién está aliado con Rusia, entonces?

—Francia, supongo —Alek tragó saliva—. Ellos tienen un tratado, ¿cierto?

—Correcto —Volger hizo una pausa. La punta de su espada trazó un dibujo en el aire y luego hizo una mueca—. Alzad vuestra espada, Alek. No volveré a avisaros, ni tampoco lo harán vuestros enemigos.

Alek suspiró y se puso en guardia. Se dio cuenta de que sujetaba el sable demasiado fuerte y obligó a su mano a relajarse. ¿Volger creía que aquellas distracciones eran útiles?

—Concéntrate en mis ojos. No en la punta de mi espada —dijo Volger.

—Hablando de ojos, no llevamos máscaras.

—En la guerra no hay máscaras.

—¡Tampoco hay muchos *combates de espadas* en las guerras! No últimamente.

Volger alzó una ceja al escuchar aquello y Alek sintió un momento de triunfo. Al juego de molestar al otro también podían participar los dos.

El hombre se abalanzó sobre él y Alek lo paró, contraatacando por una vez. El filo de su sable erró el brazo de Volger por un pelo.

Retrocedió y se cubrió.

—Entonces demos un repaso —dijo Volger con su espada aún destellando—. Austria quiere vengarse de Serbia. Entonces ¿qué sucede? Para proteger a Serbia, Rusia declara la guerra a Austria.

Mientras Alek charlaba, su mente conseguía permanecer concentrada en el combate de sables. Era extrañamente liberador no llevar máscara. Había conocido oficiales alemanes de las escuelas militares en las que la protección era considerada de cobardes. Tenían el rostro cruzado de cicatrices como crueles sonrisas.

—¿Y luego? —dijo Volger.

—Alemania protege el honor clánker declarando la guerra a Rusia.

Volger se abalanzó sobre una rodilla de Alek, un objetivo ilegal.

—¿Y luego?

—Francia hace valer su tratado con Rusia y declara la guerra a Alemania.

—¿Y luego?

—¿Quién sabe? —gritó Alek machacando el sable de Volger. Se dio cuenta de que había perdido el apoyo de los pies y la mayor parte de su cuerpo estaba expuesta. Se dio la vuelta para corregirlo—. Gran Bretaña intentará entrar en guerra de alguna manera. Darwinistas contra clánkers.

Volger se abalanzó hacia delante y su sable giró, envolviéndose alrededor del de Alek como una serpiente tirando bruscamente de él para quitárselo de la mano. El metal destelló cuando la espada atravesó volando el granero y se clavó en la pared medio podrida con un sonoro «tump». El conde avanzó unos pasos y alzó su sable hasta el cuello de Alek.

—¿Y qué podemos extraer de esta lección, Su Alteza?

Alek se quedó mirando al hombre.

—Podemos concluir, conde Volger, que debatir sobre política mientras se practica esgrima es una idiotez.

Volger sonrió.

—Para la mayoría de la gente, tal vez. Pero algunos de nosotros nacimos sin elección. El juego de las naciones es vuestro derecho de nacimiento, Alek. La política forma parte de todo lo que hacéis.

Alek apartó el sable de Volger. Sin una espada en su mano de pronto se sintió entumecido y exhausto y no le quedaban fuerzas para discutir lo obvio. Su nacimiento había conmocionado el trono austrohúngaro y ahora la muerte de sus padres había alterado el delicado equilibrio de Europa.

—De modo que esta guerra es responsabilidad mía —dijo amargamente.

—No, Alek. Los poderes clánker y darwinista habrían encontrado una excusa para luchar tarde o temprano. Pero tal vez vos aún podáis dejar vuestra huella.

—¿Cómo? —preguntó Alek.

El conde entonces hizo algo extraño. Cogió su propio sable por la hoja y se lo entregó a Alek, por la empuñadura, como si se lo ofreciera a un vencedor.

—Ya veremos, Alek. Ya veremos.

· DIEZ ·

Movió con suavidad las palancas de los andadores
a ambos lados y notó que el pie derecho del Caminante de Asalto
cambiaba de sitio.

—Eso es —dijo Otto Klopp—. Ahora despacio.

Alek empujó suavemente los controles de nuevo y el caminante
avanzó un poco más, deslizándose. Era frustrante maniobrar en un
espacio tan estrecho como aquel. Un solo golpe con el hombro
del caminante podía enviar abajo todo el granero podrido y de-
rrumbarlo a su alrededor. Al menos todos aquellos indicadores y
palancas habían empezado a tener algún sentido. Un poco más de
presión en las rodillas sería de ayuda...

Con otro movimiento suave lo habría conseguido: el visor estaba alineado con un agujero abierto en la pared del granero. Los
últimos rayos de sol de la tarde brillaban en la cabina y los campos
se extendían ante ellos. Una cosechadora retumbaba en la distancia moviéndose sobre doce patas con una docena de granjeros y

un camión de cuatro patas siguiéndoles para recolectar el grano atado en bultos.

El conde Volger posó una mano sobre el hombro de Alek.

—Esperad hasta que estén fuera de la vista.

—Bueno, obviamente —dijo Alek.

Con sus cardenales aún doliéndole, ya tenía suficientes consejos del conde Volger por un día.

La cosechadora avanzaba lentamente por el campo y finalmente desapareció tras una suave colina. Unos pocos obreros andaban rezagados detrás, como puntos negros en el horizonte. Alek pronto los perdió en la distancia, pero aun así esperó.

Finalmente, la voz de Bauer resonó en el intercomunicador:

—El último ya se ha ido, señor.

El cabo Bauer tenía el raro alcance visual de un experto artillero. Dos semanas antes estuvo a punto de comandar su propia máquina. El jefe Hoffman había sido el mejor ingeniero de los Guardas de los Hausburgo. Pero ahora aquellos dos hombres no eran más que fugitivos.

Alek lentamente había llegado a comprender todo lo que habían dejado atrás por él: sus rangos, familias y su futuro. Si los capturaban, los colgarían como desertores. El príncipe Aleksandar desaparecería de una forma más discreta, por supuesto, por el bien del Imperio. La última cosa que una nación en guerra necesitaba era la incertidumbre de saber quién era realmente el heredero al trono.

Movió el caminante hacia las puertas abiertas del granero, usando el paso que Klopp le había enseñado en que la máquina arrastraba los pies. Aquel paso borraba las enormes huellas de la máquina y cualquier otro signo de que alguien había estado oculto allí.

—¿Preparado para vuestra primera carrera, joven señor? —preguntó Klopp.

Alek asintió, flexionando sus dedos. Estaba nervioso pero contento de pilotar de día, por primera vez, en lugar de en plena noche. Y, en realidad, las caídas de los caminantes tampoco eran tan malas. Todos ellos probablemente resultarían golpeados y magullados, pero el profesor Klopp podría poner de pie la máquina otra vez.

Cuando los motores alcanzaron más impulso, el olor de su tubo de escape se mezcló con el del polvo y el heno. Alek movió suavemente los controles de la máquina y esta avanzó. Cuando el caminante se abrió paso entre las puertas y salió al aire libre, la madera crujió.

—¡Lo habéis hecho como una seda, joven señor! —dijo Klopp.

No hubo tiempo para responder. Ahora estaban a campo abierto. Alek llevó al Caminante de Asalto a alcanzar toda su altura y a sus motores a carburar al máximo. Lo impulsó hacia delante, alargando cada vez más las patas de metal a cada paso que daban. Después llegó el momento en que el paso se convirtió en carrera: con ambos pies en el aire a la vez, la cabina temblaba con cada impacto contra el suelo.

Alek escuchó cómo el centeno se hacía trizas bajo sus pies. El rastro del caminante podría ser fácilmente visto desde un aeroplano, pero por la noche la cosechadora volvería y borraría todas las enormes huellas.

Alek mantenía la mirada en su objetivo: el cauce de un río cuyas orillas estaban sembradas de árboles donde ponerse a cubierto. Aquella era la vez que había viajado más rápido, más rápido que cualquier caballo, incluso más rápido que el tren expreso a Berlín. Cada paso de diez metros parecía durar unos interminables segundos, gráciles considerando la vasta escala de la máquina. Aquel ritmo trepidante era fantástico, después de pasar largas noches arrastrándose por el bosque.

Pero a medida que el cauce del río se acercaba, Alek empezó a pensar que el caminante tal vez se estaba moviendo *demasiado* deprisa. ¿Cómo se suponía que iba a detener la máquina?

Hizo retroceder los controles un poco y de pronto todo empezó a ir mal. El pie derecho bajó demasiado pronto... y la máquina empezó a tambalearse hacia delante. Entonces, Alek hizo bajar la pierna izquierda, pero el impulso del caminante la arrastró hacia delante.

Se vio obligado a dar otro paso, como un borracho ladeándose, incapaz de parar.

—Joven señor... —empezó Otto.

—¡Cójalo! —gritó Alek.

Klopp agarró los mandos e hizo girar al caminante, alargando una pierna e inclinando toda la nave hacia atrás. La silla del piloto dio media vuelta y Volger giró violentamente colgado de las correas de mano que había sobre sus cabezas, pero de alguna forma Klopp permaneció pegado a los controles. El Caminante de Asalto derrapó, con una pierna estirada hacia delante, y su pie delantero desgarró con fuerza el suelo y los tallos de heno. Entró polvo en la cabina y Alek pudo entrever el lecho del río lanzándose hacia ellos.

La máquina gradualmente aminoró la velocidad, un último y pequeño impulso la enderezó y..., seguidamente, ya estaba de pie sobre las dos patas, oculta entre los árboles con los enormes pies metidos en el riachuelo.

Alek observó cómo el polvo y el heno triturado se arremolinaban ante el visor. Un momento después sus manos empezaron a temblar.

—¡Bien hecho, joven señor! —dijo Klopp, dándole una palmada en la espalda.

—¡Pero si casi nos caemos!

—¡Por supuesto, casi lo conseguís! —Klopp se echó a reír—. Todo el mundo se cae la primera vez que intenta correr.

—¿Todo el mundo *qué?*

—Todo el mundo se cae. Pero habéis hecho lo correcto y habéis dejado que yo me ocupara de los controles a tiempo.

Volger se sacudió unos brotes de heno de su chaqueta.

—Parece que la humildad era un punto bastante fastidioso de la lección de hoy. Junto con asegurarnos de que parecemos verdaderos plebeyos.

—*¿Humildad?* —Alek apretó los puños—. ¿Eso significa que sabíais que me iba a caer?

—Por supuesto —dijo Klopp—. Como os he dicho, todo el mundo se cae la primera vez. Pero vos me habéis entregado los controles a tiempo. ¡Eso también es una lección!

Alek puso mala cara. Klopp estaba feliz sonriéndole, como si Alek hubiese acabado de efectuar un salto mortal en un cúter de seis patas. No estaba seguro de si debía reír o darle al hombre una buena paliza.

Se incorporó para intentar toser el polvo que aún tenía en los pulmones y después volver a los controles. El Caminante de Asalto respondió con normalidad. Parecía que nada más importante, aparte de su orgullo, había resultado dañado.

—Lo habéis hecho mejor de lo que esperaba —dijo Klopp—. Especialmente con lo inestable que resulta nuestra parte superior.

—¿Inestable? —preguntó Alek.

—Ah, bueno —Klopp miró a Volger tímidamente—. Creo que en realidad no.

El conde Volger suspiró.

—Adelante, Klopp. Si tenemos que enseñar a Su Alteza a hacer acrobacias con el caminante, supongo que le será de ayuda mostrarle la carga extra que llevamos.

Klopp asintió con una maliciosa sonrisa en su rostro. Se levantó del asiento del comandante y se arrodilló junto a una pequeña trampilla que había en el suelo.

—¿Me echáis una mano, joven señor?

Ya con un poco de curiosidad, Alek se arrodilló a su lado y juntos desenroscaron los tornillos. El panel hizo ruido al abrirse y Alek parpadeó. En lugar de cables y resortes, la obertura reveló ordenados rectángulos de metal de un brillo apagado, cada uno de ellos llevaba grabadas las iniciales del sello de los Hausburgo.

—¿Eso son...?

—Lingotes de oro —dijo Klopp alegremente—. Una docena. ¡En total casi un cuarto de tonelada!

—¡Por los clavos de Cristo! —soltó Alek con un bufido.

—Es el contenido de la caja fuerte de vuestro padre —dijo el conde Volger—. Nos fue confiada a nosotros como parte de vuestra herencia. No nos faltará dinero.

—Supongo que no —Alek se sentó otra vez—. ¿Así que este es vuestro pequeño secreto, conde? Debo admitir que estoy impresionado.

—Esto es simplemente una idea de última hora —Volger hizo un gesto con la mano y Klopp empezó a sellar el panel de nuevo—. El secreto real está en Suiza.

—Un cuarto de tonelada de oro, *una idea de última hora* —Alek miró al conde—. ¿Lo dice en serio?

El conde Volger alzó una ceja.

—Yo siempre hablo en serio. ¿Nos vamos?

Alek regresó al asiento del piloto, intrigado por saber qué otras sorpresas le reservaba el conde.

Alek los condujo río abajo hacia Lienz, la ciudad más cercana, que contaba con una industria mecánica. El caminante necesitaba urgentemente queroseno y piezas de recambio y, con una docena de barras de oro, podían comprar la ciudad entera si era necesario. Sin embargo, lo difícil era no delatarse. Un Caminante de Asalto *Cíklope* resultaba una forma bastante llamativa de viajar.

Alek mantuvo la máquina entre los árboles junto a la orilla del río. Bajo la tenue luz del atardecer ya casi desvaneciéndose, podrían moverse furtivamente y acercarse lo suficiente para llegar a la ciudad a pie por la mañana.

A Alek le resultaba extraño pensar que, por la mañana, por primera vez en dos semanas, vería a otras personas. No solamente a aquellos cuatro hombres sino a toda una ciudad repleta de plebeyos, ninguno de los cuales se daría cuenta de que un príncipe caminaba entre ellos.

Tosió de nuevo y miró su polvoriento disfraz de ropas de granjero. Volger tenía razón, ahora iba tan sucio como un campesino. Nadie iba a pensar que se trataba de alguien especial. Y menos todavía un chico con una gran fortuna en oro. Klopp, que estaba junto a él, iba igualmente mugriento pero aún lucía una sonrisa de satisfacción en su rostro.

• ONCE •

Aunque el señor Rigby le había dicho que no lo hiciese, Deryn Sharp miró hacia abajo.

Unos trescientos metros por debajo, el mar estaba en movimiento. Las inmensas olas rodaban por su superficie y el viento levantaba espuma blanca de sus crestas iluminadas por la luz de la luna. Y, aun así, allí, colgada del flanco del *Leviathan* en la oscuridad, el viento estaba quieto. Era igual que en los diagramas de los flujos de aire, una capa de calma envolvía la inmensa bestezuela.

Con calma o no, los dedos de Deryn se agarraron a la jarcia con más fuerza cuando miró al mar. El aspecto de lo que había allí abajo parecía frío y húmedo. Y, tal como el señor Rigby había señalado multitud de veces durante aquella última quincena, la superficie del agua es dura como una piedra si caes a gran velocidad.

Los minúsculos cilios vibraban y ondeaban por las cuerdas, cosquilleando en sus dedos. Deryn soltó una mano y presionó su palma contra la calidez de la bestia. La membrana tenía un tacto

terso y saludable, sin ninguna fuga de hidrógeno escapando de
ella.

—¿Descansando, señor Sharp? —preguntó Rigby—. Solo hemos ascendido hasta la mitad.

—Estaba escuchando, señor —respondió ella.

Los oficiales más antiguos decían que el zumbido de la membrana puede contártelo todo de un dirigible. La piel del *Leviathan*
vibraba con el tamborileo de los motores, el arrastrar de los pies
de los lagartos de lastre del interior e incluso las voces de la tripulación a su alrededor.

—Se refiere a *haraganear* —gritó el contramaestre—. ¡Esto es
un ejercicio de combate! ¡Empiece a escalar, señor Sharp!

—¡Sí, señor! —repuso ella, aunque no tenía mucho sentido
apresurarse.

Los otros cinco cadetes aún estaban tras ella. *Ellos* eran los
que estaban haraganeando, deteniéndose a abrochar sus arneses de
seguridad a los travesaños de cuerda cada pocos pies. Deryn esca-
laba sin sujeción, como los antiguos aparejadores, excepto que ella
colgaba ahora de la parte inferior de la aerobestia.

La parte *ventral*, la opuesta a la dorsal, se corrigió. Las Fuerzas
Armadas odiaban el lenguaje normal y corriente. Las paredes eran
en su argot «mamparos», el comedor una «cantina» y las cuerdas
de escalar eran «flechastes o cordeles». El Ejército incluso tenía
palabras diferentes para decir «izquierda» y «derecha», algo que a
ella le parecía que ya era ir un poco lejos.

Deryn enganchó el talón de su bota en los cordeles y se impulsó hacia arriba otra vez, con la pesada bolsa de comida cruzada sobre el hombro y el sudor bajándole por la espalda. Sus brazos no eran tan fuertes como los de los demás cadetes, pero había aprendido a escalar ayudándose con las piernas. Y tal vez sí que *había* estado descansando, pero tan solo un momento.

Un lagarto mensajero pasó corriendo por su lado, con sus pies ventosa tirando de la membrana como dedos atrapados en caramelo. No se detuvo a graznar órdenes a los modestos cadetes, sino que subió moviéndose rápidamente hacia la parte dorsal. Toda la nave estaba en alerta de combate, los flechastes cimbreándose con la tripulación marchando a paso rápido y el aire nocturno lleno de aves fabricadas.

En la distancia, Deryn pudo distinguir unas luces que se recortaban en el oscuro mar. El *H.M.S. Gorgon* era un navío de la Marina Real, una embarcación pequeña *kraken* que tenía la misión de remolcar al objetivo aquella noche.

El señor Rigby también debía de haberlo visto porque gritó:

—¡Moveos, imbéciles! ¡Los murciélagos están esperando su desayuno!

Deryn apretó los dientes, alargó la mano buscando la cuerda siguiente: «¡Esto es un flechaste, imbécil!», y tiró lo más fuerte que pudo.

La prueba para ser cadete, por supuesto, había sido fácil.

El reglamento del ejército decía que se suponía que la prueba debía hacerse en tierra, pero Deryn había suplicado sin ningún tipo de vergüenza que le dejasen ser cadete temporalmente en la nave. En su tercer día a bordo del *Leviathan,* los oficiales del navío se habían ablandado. Incluso el arisco contramaestre, el señor Rigby, había mostrado un leve indicio de admiración.

Desde que pasó la prueba, no obstante, la suficiencia de Deryn se había diluido un poco. Resultó que *no* lo sabía todo sobre aeronaves. Es decir, no aún.

Cada día el contramaestre llamaba a todos los jóvenes cadetes del *Leviathan* a la sala de oficiales de la nave para darles lecciones. Principalmente se trataba de clases sobre el arte de la aviación, sobre navegación, consumo de combustible, predicción del tiempo e interminables nudos y tonos de silbatos de órdenes que debían aprender. Esbozaban la anatomía de la aeronave con tanta frecuencia que Deryn conocía sus entrañas tan bien como las calles de Glasgow. Los días de suerte, las lecciones eran de Historia Militar: las batallas de Nelson, las teorías de Fisher, las tácticas de la aerobestia contra los barcos de superficie y las fuerzas terrestres. Algunos días representaban batallas en el tablero de la mesa contra los inánimes zepelines y aeroplanos del Káiser.

Pero las clases favoritas de Deryn eran cuando los científicos explicaban Filosofía Natural. Cómo el viejo Darwin había descubierto la manera de tejer nuevas especies a partir de las antiguas, extrayendo las minúsculas hebras, cadenas de vida, y uniéndolas en secuencias bajo un microscopio. Cómo la evolución había exprimido una copia de la propia cadena de vida de Deryn en todas y cada una de las células de su cuerpo. Cómo un gran número de bestias formaban parte del *Leviathan* (desde las bacterias microscópicas que expelían hidrógeno en su vientre hasta la enorme ballena enjaezada). Cómo las criaturas de la aeronave, al igual que el resto de la naturaleza, estaban siempre luchando entre ellas formando un complicado e intrincado equilibrio.

Las lecciones del contramaestre eran simplemente una fracción de lo que ella tenía que asimilar en la azotea. Cada vez que otra nave pasaba volando por su lado, los cadetes acudían en tropel hacia el cuadro de señales para leer los mensajes enfilados en las distantes banderas ondeantes. Seis palabras por minuto sin un error o, si no, se pasaban largas horas desempeñando tareas en las regiones gástricas. Cada hora se ejercitaban en comprobar la altitud del *Leviathan*, disparando una pistola de aire y cronometrando el eco desde el mar o dejando caer una botella reluciente de algas fosforescentes y cronometrando cuánto tiempo tardaba en estrellarse. Deryn había aprendido a reconocer en un santiamén cuántos segundos tardaba un objeto en caer en picado desde cualquier distancia, desde un centenar de pies a dos millas. Pero lo más extraño era que lo estaba haciendo todo *como si fuese un chico*.

Jaspert tenía razón: sus tetas no eran la mayor complicación. El agua pesaba, por lo tanto en una aeronave se bañaban con trapos y un balde. Y los lavabos a bordo del *Leviathan* («letrinas», en jerga del Ejército) estaban en el oscuro canal gástrico, que expulsaba los excrementos y los convertían en lastre e hidrógeno. Así que ocultar su cuerpo de chica era fácil... Era su *cerebro* lo que tenía que cambiar.

Deryn siempre había pensado que ya era un poco chico, por haberse criado entre la fanfarronería de Jaspert y el entrenamiento en globo de Pa. Pero convivir con otros cadetes era algo más que luchar e intentar hacer nudos, era como unirse a una manada de perros. Se daban empellones y se golpeaban por conseguir los mejores asientos en la mesa de la cantina de los cadetes. Se insultaban y se burlaban de las puntuaciones de las lecturas de señales y navegación y de quienes los oficiales habían felicitado aquel día. Competían interminablemente para ver quién podía escupir más lejos, beber ron más deprisa o cuál de ellos eructaba más ruidosamente.

Era endiabladamente agotador ser un chico.

Pero no todo aquello era malo. Su uniforme de aviador era muchísimo mejor que cualquier vestido de chica. Las botas resonaban espléndidamente cuando corría a toda prisa a las prácticas de señales o a los ejercicios de bombero y la chaqueta tenía una docena de bolsillos, inclusive compartimentos especiales para su silbato de mando y una navaja marinera. Y a Deryn no le importaban las constantes prácticas en habilidades útiles como el lanzamiento de cuchillo, maldecir y no mostrar dolor cuando le daban un puñetazo.

Pero ¿cómo conseguían los chicos estar siempre así durante toda su maldita vida?

Deryn cambió un poco el peso de la bolsa de comida en sus doloridos hombros. Por una vez llegó a la espina dorsal de la aeronave muy por delante de los demás y pudo permitirse un momento de descanso.

—Haraganeando de nuevo, señor Sharp —gritó una voz.

Deryn se dio la vuelta y vio al cadete Newkirk a la vista, que asomaba sobre la curva del *Leviathan*, con su calzado de suelas de goma rechinando. Allí arriba no había cilios ondulantes, tan solo escamas dorsales para montar cabrestantes y armamento.

—Solo esperaba a que usted me alcanzase, señor Newkirk —le repuso ella.

Siempre se le hacía raro llamar a los otros chicos «señor». Newkirk aún tenía acné en su rostro y apenas sabía cómo atarse la corbata. Pero los cadetes debían saber comportarse como verdaderos oficiales.

Cuando llegó a la espina dorsal, Newkirk dejó caer su bolsa de provisiones y sonrió.

—El señor Rigby está aún a *millas* de distancia.

—Sí. Ahora no podrá decir que somos unos haraganes —dijo Deryn.

Permanecieron allí un momento, jadeando y mirando a su alrededor.

La parte superior de la aerobestia era un hervidero de actividad. Los flechastes parpadeaban gracias a las antorchas eléctricas y a las luciérnagas, y Deryn sintió cómo la membrana temblaba a causa de los pasos distantes. Cerró los ojos, intentando *sentir* la aeronave en su totalidad, con sus cientos de especies enmarañadas para formar un vasto organismo.

—Es endiabladamente genial estar aquí arriba —murmuró Newkirk.

Deryn asintió. Aquellas dos últimas semanas se había presentado voluntaria para las tareas al aire libre siempre que había sido posible. Estar en la parte dorsal era volar *de verdad:* con el viento en la cara y el cielo en todas direcciones. Una experiencia tan valiosa como sus horas de vuelo en los globos de Pa.

Una patrulla de aparejadores ocupados se movía a toda prisa con dos rastreadores de hidrógeno sujetos con correas buscando fugas en la membrana. Uno de ellos olisqueó la mano de Newkirk al pasar y este soltó un chillido.

Los aparejadores rieron y Deryn se unió a ellos.

—¿Quiere que llame a un médico, señor Newkirk? —preguntó.

—Estoy bien —soltó, mirándose la mano con recelo.

La madre de Newkirk era una Mono Ludista y había heredado de ella un estómago nervioso para los fabricados. El porqué se había presentado voluntario para servir en un bestiario demencial como el *Leviathan* era un verdadero misterio.

—Es solo que no me gustan estas bestias de seis patas.

—No tiene de qué tener miedo, señor Newkirk.

—Que te den, señor Sharp —murmuró alzando su bolsa de provisiones—. Vamos. Rigby ya está justo detrás de nosotros.

Deryn soltó un gruñido. Sus doloridos músculos habrían agradecido otro minuto de descanso. Pero Newkirk le hizo reír puesto que aquella interminable competencia estaba en marcha de nuevo. Alzó su bolsa y lo siguió hacia la proa.

Ser un chico era un trabajo rematadamente duro.

· DOCE ·

A medida que Deryn y Newkirk se acercaban a la
proa, aumentó el número de murciélagos. Sus chillidos de ecolo-
calización repiqueteaban como el granizo sobre un tejado de ho-
jalata.

Los otros cadetes estaban detrás de ellos con el señor Rigby
en medio, urgiéndoles a que se apresurasen. El dar de comer a
los murciélagos tenía que estar sincronizado precisamente con el
ataque de los *fléchette*.

De pronto una chirriante masa de caos barrió la oscuridad, era
un nido de halcones bombarderos y redes antiaéreas brillando en
la oscuridad. Newkirk soltó un grito sorprendido y se le enredaron
los pies. Se cayó por la pendiente de la aerobestia con las suelas
de goma de sus botas rechinando por la membrana. Finalmente se
detuvo.

Deryn soltó su bolsa y corrió hacia él.

—¡Arañas chaladas! —exclamó Newkirk, con la corbata más descentrada de lo usual—. ¡Esos pájaros del demonio nos han atacado!

—No han hecho tal cosa —dijo Deryn, tendiéndole una mano.

—¿Problemas para mantenerse en pie, caballeros? —el señor Rigby les gritó desde el lomo del *Leviathan*.

—Tal vez pueda arrojarles algo de luz.

Sacó su silbato de mando y silbó unas notas, de forma fuerte y ruda. Cuando el sonido vibró por la membrana, las luciérnagas se despertaron bajo los pies. Se arrastraron hasta situarse bajo la piel de la aerobestia, proporcionando una luz verdosa pálida pero suficiente para que la tripulación viese dónde ponía los pies y no lo bastante como para que cualquier nave pudiese avistar al *Leviathan* en el cielo.

Aun así, los ejercicios de combate debían ser llevados a cabo en la oscuridad. Ya que era un poco molesto necesitar gusanos solamente para *andar*.

Newkirk miró hacia abajo y tembló un poco.

—Estos bichos tampoco me gustan.

—A ti no te gusta *ningún* bicho —dijo Deryn.

—Ya, pero los que se arrastran son los peores.

Deryn y Newkirk escalaron de nuevo y ahora se encontraban detrás de los otros cadetes. No obstante, la proa estaba a la vista y los murciélagos la cubrían como limaduras de hierro en un imán. Aquella especie de piar provenía de todas las direcciones.

—Suenan hambrientos, caballeros —previno el señor Rigby—. ¡Asegúrense de que no les muerden!

Newkirk puso una cara nerviosa y Deryn le dio un codazo.

—No seas bobo. Los murciélagos *fléchette* solo comen insectos y frutas.

—Sí, vale, y *aguijones de metal* —murmuró—. Todo esto es rematadamente antinatural.

—Lo único que pasa es que están diseñados para hacerlo —gritó el señor Rigby.

Aunque las cadenas de vida humanas estaban fuera de los límites de la fabricación, los cadetes a menudo conjeturaban que las orejas del contramaestre eran fabricadas. Podía oír un murmullo de queja bajo un vendaval de fuerza 10.

Los murciélagos cada vez hacían más ruido a la vista de las bolsas de comida, empujándose para buscar posiciones en la semiesfera inclinada de la proa. Los cadetes abrocharon sus cabos de seguridad juntos y se repartieron por la ondulación del navío, con sus bolsas de comida a punto.

—¿Preparados, caballeros? —gritó el señor Rigby—. Lancen la comida con fuerza y repártanla.

Deryn abrió su bolsa y metió una mano en el interior. Sus dedos se cerraron sobre higos secos, cada uno con un *fléchette* de metal accionado y clavado por el centro. Cuando los lanzó, se alzó una oleada de murciélagos con sus alas revoloteando como si se tratase de una pelea y se lanzaron sobre la comida.

—No me gustan estos pájaros —murmuró Newkirk.

—No son pájaros, majadero —dijo Deryn.

—¿Si no son pájaros qué son, eh?

Deryn soltó un gruñido.

—Los murciélagos son mamíferos. Como los caballos, o como tú y yo.

—¡Mamíferos que vuelan! —Newkirk sacudió la cabeza—. ¿Qué es lo siguiente que se les va a ocurrir a esos lumbreras?

Deryn puso los ojos en blanco y lanzó otro puñado de comida. Newkirk tenía la costumbre de dormirse en las lecciones de Filosofía Natural. Aun así, tenía que admitir que era rematadamente extraño ver a los murciélagos comerse aquellos *fléchette* de metal. Pero nunca parecía que les hicieran daño.

—¡Asegúrense de que todos comen algunos! —el señor Rigby gritaba.

—Sí, claro, es lo mismo que cuando daba de comer a los patos de pequeño —murmuró Deryn—. Nunca podía dar pan a los más menudos.

Lanzó la comida con más fuerza, pero no importaba dónde caían los dardos, los matones siempre llegaban los primeros. La supervivencia de los más agresivos era una cosa que los científicos no podían eliminar en sus creaciones.

—¡Ya basta! —gritó el señor Rigby finalmente—. ¡Los murciélagos sobrealimentados no nos sirven! —el contramaestre volvió el rostro—. Y ahora tengo una pequeña sorpresa para ustedes, bastardos. ¿Alguien tiene alguna objeción a quedarse en la parte dorsal?

Los cadetes soltaron vítores. Normalmente regresaban enseguida abajo a las barquillas para hacer ejercicios de combate. Pero aquello no era comparable a ver un ataque de *fléchettes* desde lo alto.

El *H.M.S. Gorgon* ahora estaba a su alcance, tirando de un barco objetivo que estaba detrás de él. El blanco era una vieja goleta sin luces, aunque las velas se dejaban ver con un revoloteo blanco destacando sobre el oscuro mar. El *Gorgon* soltó su amarre, se alejó a toda máquina y se situó a una milla de distancia. Entonces disparó una bengala de señales para indicar que ya estaba a punto de empezar.

—Dejad paso, chicos —surgió una voz tras ellos.

Era el doctor Busk, el cirujano y jefe científico del *Leviathan*. En su mano sujetaba una pistola de aire comprimido, la única arma que se les permitía llevar encima en un respiradero de hidrógeno. Se abrió paso con dificultad entre los murciélagos, con sus siluetas negras moviéndose de un lado a otro, alejándose de sus botas.

—¡Vamos! —Deryn agarró el brazo de Newkirk y bajó rápidamente la pendiente del flanco de la aerobestia para tener una mejor vista.

—Intenten no caer, caballeros —dijo el señor Rigby.

Deryn no le hizo caso y se dirigió directamente hacia abajo, a los flechastes. Era trabajo del contramaestre ocuparse de los cadetes, pero Rigby parecía que pensase que era su madre.

Un lagarto mensajero pasó corriendo junto a Deryn y se presentó al jefe científico.

—Puede empezar su ataque, doctor Busk —dijo con la voz del capitán.

Busk asintió, como todo el mundo hacía con los lagartos mensajeros aunque aquello no tuviese sentido, y alzó su arma.

Deryn pasó un brazo por las escaleras de cuerda y se quedó colgando del codo.

—Tápese los oídos, señor Newkirk.

—¡Sí, sí, señor!

La pistola explosionó con un «¡crac!» y la membrana tembló junto a Deryn. Aquello sobresaltó a los murciélagos, que alzaron el vuelo como una inmensa sábana negra ondeando al viento. Se arremolinaron alocadamente, como una tormenta de alas y ojos brillantes. Newkirk se agazapó de miedo junto a Deryn, acercándose aún más al flanco.

—No seas bobo —dijo ella—. Aún no están preparados para soltar las púas.

—¡Bueno, espero que no!

Un momento después, se encendió un reflector debajo de la barquilla principal lanzando un rayo de luz que atravesó la oscuridad. Los murciélagos se encaminaron directamente a la luz. Las cadenas de vida mezcladas de polilla y mosquito les guiaron con la misma exactitud que una brújula.

La luz del reflector se llenó con sus pequeñas formas revoloteando, como motas de polvo arremolinadas en un rayo de sol. Entonces el haz de luz empezó a balancearse de un lado a otro con la horda de murciélagos persiguiéndolo lealmente por el cielo. Se extendieron por toda su longitud, acercándose cada vez más y más al blanco que ondeaba sobre las olas.

El balanceo del foco estaba perfectamente cronometrado, conduciendo al gran enjambre de murciélagos sobre la goleta y, de repente, la luz se volvió de color rojo sangre.

Deryn escuchó los chillidos de los murciélagos. Aquel sonido llegaba a sus oídos por encima de los motores y de los gritos de guerra de la tripulación del *Leviathan*. Los murciélagos *fléchette* tenían un miedo atroz al color rojo, tanto que soltaban sus excrementos mortales al momento.

Cuando las púas cayeron, la horda empezó a dispersarse, explotando en una docena de nubes más pequeñas y los murciélagos regresaron en enjambres hacia sus nidos a bordo del *Leviathan*. Al mismo tiempo, el reflector se zambullía de nuevo hacia el objetivo.

Los *fléchette* aún estaban cayendo. Aquellas púas, lanzadas a millares, brillaban como una lluvia de metal bajo la luz carmesí del proyector, despedazando las velas de la goleta hasta hacerlas trizas. Incluso a aquella distancia, Deryn pudo distinguir cómo se astillaba la madera de la cubierta, y los mástiles se inclinaban cuando sus estays y obenques eran cortados.

—¡Ah! ¡Unos cuantos de estos deberían darles una buena lección a los alemanes! —gritó Newkirk

Deryn frunció el ceño, imaginando por un momento que en aquella embarcación hubiese tripulación. No le resultó una imagen agradable, precisamente. Incluso un acorazado perdería sus cubiertas principales, su bandera de señales, y un ejército de tierra podría ser atacado salvajemente por las púas al caer.

—¿Por *eso* te alistaste? —preguntó ella. —¿Porque odias a los alemanes más que a las bestias fabricadas?

—No. El Ejército del aire fue idea de mi madre —repuso él.

—Pero ¿ella no es una Mono Ludista?

—Sí, ella cree que los *fabs* son seres impíos. Pero resulta que oyó en alguna parte que el aire era el lugar más seguro en una guerra —y señaló el barco despedazado—. Que no era tan peligroso como estar ahí abajo.

—Bueno, eso es bastante cierto —dijo Deryn, dando unos golpecitos a la zumbante piel de la aeronave—. ¡Eh, mira..., *ahora* viene el espectáculo! El barco auxiliar *kraken* va a empezar a trabajar.

Desde el *Gorgon* aparecieron dos reflectores, parpadeando señales de colores a medida que navegaban, llamando a su bestia. Cuando las luces alcanzaron a la goleta, cambiaron a un blanco cegador, iluminando los daños que habían causado los murciélagos del *Leviathan*. Apenas quedaba nada de las velas, y las arboladuras parecían una maraña de cordones de zapatos masticados. La cubierta estaba sembrada de astillas y púas brillantes.

—¡Diablos! —exclamó Newkirk—. Mira lo que...

Su voz se apagó cuando el primer brazo de la bestia se alzó del agua.

El gigantesco tentáculo barrió el aire y una cortina de agua de mar cayó como si fuese lluvia por toda su longitud. El *kraken* de la Marina Real era otro de los fabricados de Huxley, Deryn lo había leído, hecho con cadenas de vida de pulpo y de calamar gigante. Su brazo se desenroscó como un vasto y lento látigo bajo la luz de los reflectores.

Tomándose su tiempo, el tentáculo se enroscó alrededor de la goleta con sus ventosas sujetándose con fuerza en el casco. Entonces, a aquel brazo se unió otro y cada uno atrapó un extremo del barco. A continuación, el navío se partió en dos. El horrible sonido de la madera al partirse rebotó por las oscuras aguas hasta llegar a los oídos de Deryn.

Del agua aparecieron más tentáculos desenroscándose y envolviéndose alrededor del barco. Finalmente la cabeza del *kraken* quedó a la vista, con un enorme ojo mirando al *Leviathan* durante unos instantes antes de que la bestia sepultara la goleta entre las olas.

Pronto solamente quedaron los pecios de la nave sobre el oleaje. Los cañones del *Gorgon* saludaron con un rugido.

—Hummm —profirió Newkirk—. Supongo que es la forma que tiene la Marina de decir la última palabra: «caraculos».

—Yo no diría que a nadie de esta goleta le haya molestado el *kraken* —dijo Deryn—. Que te maten por segunda vez no duele mucho.

—Sí, y hemos sido nosotros quienes hemos causado los daños. ¡Somos rematadamente geniales!

Los primeros murciélagos ya estaban revoloteando de regreso a casa, lo que significaba que era hora de que los cadetes descendiesen a por más comida. Deryn flexionó sus músculos cansados. No quería resbalar y terminar allí abajo con el *kraken*. Seguramente la bestia estaría irritada al comprobar que su desayuno no contenía ningún sabroso tripulante y a Deryn no le apetecía mejorar su humor.

«UN *KRAKEN* TERMINA EL TRABAJO».

De hecho, contemplar el ataque con *fléchette* la había dejado temblorosa. Tal vez Newkirk estaba ansioso por entrar en batalla, pero ella se había alistado en el Ejército para volar, no para destrozar a pobres sinvergüenzas que se encontraban a unos trescientos metros por debajo de ellos.

Seguramente, los alemanes y sus colegas austriacos no serían tan estúpidos como para empezar una guerra porque unos aristócratas habían sido asesinados. Los clánkers eran como la madre de Newkirk. Tenían miedo de las especies fabricadas y adoraban sus motores mecánicos. ¿Realmente pensaban que su pandilla de artefactos andantes y aeroplanos zumbantes podía hacer algo contra el poder darwinista de Rusia, Francia y Gran Bretaña?

Deryn Sharp sacudió la cabeza y decidió que todos aquellos rumores de guerra no eran más que un montón de tonterías. Tal vez los poderes clánker no quisieran luchar.

Dio la espalda a los pecios esparcidos de la goleta y bajó corriendo tras Newkirk por el trémulo flanco del *Leviathan*.

· TRECE ·

Al caminar por la ciudad de Lienz, la piel de Alek empezó a erizarse.

Él ya había visto mercados parecidos antes, llenos de actividad febril y repletos de olores provinientes de las carnicerías y de otros alimentos. Tal vez habría sido un paseo encantador visto desde un caminante descapotable o desde un carruaje. Pero Alek nunca antes había visitado un lugar como aquel a pie.

Carros de vapor rugían por las calles, escupiendo nubes de vapor caliente. Transportaban montones de carbón, gallinas enjauladas cacareando en coro y, en general, iban sobrecargados con montones de productos. Alek siguió resbalando sobre las patatas y las cebollas que había esparcidas entre los adoquines. Unos trozos de carne cruda colgaban de largos palos que transportaban unos hombres sobre sus hombros, y una recua de mulas casi golpea a Alek con su carga de trozos de madera y leña.

Aunque, lo peor de todo, era la gente. Dentro de la pequeña ca-

«LAS CALLES DE LIENZ».

bina del caminante ya se había habituado al olor de los cuerpos sin bañar, pero en aquella ciudad se amontonaban cientos de plebeyos en el mercado del sábado, tropezando con Alek por todos lados y pisándole los pies sin una palabra de disculpa.

En todos los puestos la gente se quejaba de los precios, como si fuese obligado discutir cada transacción que se hacía. Los que no estaban discutiendo por tonterías estaban por allí hablando de trivialidades: el calor del verano, la cosecha de fresas, la salud del cerdo de alguien. Su constante charla sobre nada en concreto tenía cierto sentido, suponía, como si a la gente corriente no le sucediese jamás nada importante. Pero la simple insignificancia de todo aquello era abrumadora.

—¿Siempre son así? —preguntó Volger.

—¿De qué manera, Alek?

—Pues tan triviales en sus conversaciones —en aquel instante una mujer chocó con él y a continuación murmuró una palabrota por lo bajo—. Y maleducados.

Volger se echó a reír.

—El conocimiento de la mayoría de las personas no va más allá de la comida que tienen en el plato.

Alek vio una hoja de periódico revoloteando a sus pies, medio incrustada en el barro del suelo por la rueda de un carruaje.

—Pero seguramente sí que saben lo que les sucedió a mis padres. Y que se está preparando la guerra. ¿Cree que, en realidad, sí que están algo nerviosos y solo fingen que no están preocupados?

—Lo que yo creo, Su Alteza, es que la mayoría de ellos no sabe leer.

Alek frunció el ceño. Padre siempre daba dinero a las escuelas católicas y apoyaba la idea de que todos los hombres deberían tener derecho a voto, sin importar su rango. Pero al escuchar aquella cháchara de la multitud, Alek dudó de que los plebeyos tuvieran la capacidad suficiente para comprender los asuntos de Estado.

—Ya hemos llegado, caballeros —dijo Klopp.

La tienda de *mekánica* era un edificio construido en piedra de aspecto sólido alzado en la parte exterior de la plaza del mercado. Su puerta abierta conducía hacia una compasivamente fría y silenciosa oscuridad.

—¿Sí? —preguntó una voz desde las sombras.

Cuando los ojos de Alek se acostumbraron a la oscuridad, el príncipe vio que había un hombre mirándolos tras un mostrador lleno de engranajes y resortes. Otras piezas *mekánicas* más grandes cubrían las paredes: ejes, pistones, y un motor entero alzándose amenazadoramente en la penumbra.

—Necesitamos algunas piezas de recambio, eso es todo —dijo Klopp.

El hombre los miró de arriba abajo, fijándose en las ropas que habían robado del tendedero de un granjero hacía unos días. Y, además, los tres aún estaban cubiertos con la suciedad y los restos del centeno triturado del día anterior.

El comerciante volvió a dirigir su mirada hacia lo que estaba haciendo.

—Aquí no encontraréis piezas *mekánicas* para la granja. Podéis probar suerte en la tienda de Kluge.

—Aquí ya tienes las que necesitamos —dijo Klopp.

Avanzó y dejó caer una bolsa de monedas en el mostrador. La bolsa de dinero hizo un ruido apagado al chocar contra la madera con un «clac», y sus lados se mostraron abultados por la cantidad de monedas que había en su interior. El hombre alzó una ceja y luego asintió con la cabeza.

Klopp empezó a hacer una lista de engranajes, de conectores relucientes y componentes *eléctrikos*, es decir, las partes del Caminante de Asalto que habían empezado a deteriorarse después de dos semanas de viaje. El comerciante le interrumpía con alguna pregunta de vez en cuando, sin apartar en ningún momento la mirada de la bolsa de dinero.

Al escucharles, Alek se dio cuenta de que el profesor Klopp había cambiado su acento. Normalmente, este hablaba con una cadencia lenta y clara, pero ahora sus palabras eran confusas y estaban salpicadas con el hablar propio de los plebeyos de arrastrar las palabras. Por un momento Alek pensó que Klopp estaba fingiendo. Pero más tarde se le ocurrió que tal vez aquella fuese la forma normal de hablar de aquel hombre. Tal vez lo que hacía era disimular su acento cuando estaba en presencia de nobles.

Le resultaba extraño pensar que en aquellos tres años de entrenamiento Alek tal vez nunca había escuchado el verdadero acento de su tutor.

Cuando hubo hecho la lista, el dueño de la tienda asintió lentamente. Luego sus ojos miraron rápidamente a Alek.

—¿Y tal vez no quieran algo para el chico?

Sacó un juguete de un montón de cosas desordenadas. Era un caminante de seis patas, una maqueta de una fragata terrestre de ochocientas toneladas de la clase *Mefisto*. Después de dar vueltas a su resorte, el tendero quitó la llave de su espalda. El juguete empezó a andar, avanzando espasmódicamente entre los engranajes y tornillos.

El hombre alzó la vista con una ceja levantada.

Dos semanas atrás, Alek habría encontrado aquel artefacto fascinante, pero ahora aquel juguete tambaleante le parecía infantil. Y era insufrible que aquel plebeyo le estuviese llamando «chico».

Soltó un bufido mirando el minúsculo caminante.

—La cabina del piloto está mal. Si pretende ser un *Mefisto*, está situada demasiado a popa.

El comerciante asintió lentamente, reclinándose hacia atrás con una sonrisa.

—Oh, así que aquí tenemos a un joven experto, ¿verdad? Supongo que ahora vas a darme una lección de *mekánica*.

La mano de Alek se dirigió instintivamente hacia un lado, allí donde normalmente colgaba su espada. Los ojos del hombre siguieron atentamente el gesto. La habitación se quedó mortalmente silenciosa durante unos instantes.

Entonces Volger se adelantó y recogió la bolsa de dinero. Sacó una moneda de oro y la dejó caer con un manotazo en el mostrador.

—No nos has visto —dijo con una voz cortante como el metal.

El dueño de la tienda no reaccionó, solamente miró fijamente a Alek, como si intentase memorizar su rostro. Alek le devolvió la mirada, con la mano aún sobre su espada imaginaria, presto a responder a un desafío. Pero, sin saber cómo, Klopp ya estaba tirando de él hacia la puerta y de nuevo se encontraron en la calle.

Cuando el polvo y la luz del sol hirieron sus ojos, Alek se dio cuenta de lo que había hecho. Su acento, su porte... El hombre había *visto* quién era.

—Tal vez nuestra lección de humildad de ayer fue insuficiente —siseó Volger mientras se abría paso entre la multitud, dirigiéndose hacia el arroyo que les conduciría de regreso hacia el caminante oculto.

—Es culpa mía, joven señor —se disculpó Klopp—. Debería haberos advertido que no hablaseis.

—Lo supo desde que salió la primera palabra de mi boca, ¿no es así? —dijo Alek—. Soy un imbécil.

—Los tres somos imbéciles —Volger lanzó una moneda de plata a un carnicero y recogió dos tiras de salchichas sin detenerse—. ¡Por *supuesto* ya deben de haber avisado al Gremio de *Mekánicos* para que nos busquen! —maldijo—. Y os llevamos directamente a la primera tienda que encontramos, pensando que un poco de suciedad podría ocultaros.

Alek se mordió el labio. Padre nunca había permitido que se le fotografiase o ni siquiera que se le hiciese un esbozo, y ahora Alek sabía por qué: era por si en alguna ocasión necesitaba ocultarse.

Y, aun así, él mismo se había delatado. Él incluso se había dado cuenta de la diferencia en la forma de hablar de Klopp. ¿Por qué no había mantenido la boca cerrada?

Cuando llegaron a las afueras del mercado, Klopp hizo que se detuviesen con la nariz olisqueando el aire.

—Huelo a queroseno. Al menos necesitamos eso y aceite para el motor o no podremos avanzar ni un kilómetro más.

—Pues vayamos rápido entonces —dijo Volger—. Mi soborno probablemente no habrá sido suficiente —puso de mala manera una moneda en la mano de Alek y le indicó—: A ver si Su Alteza es capaz de comprar un periódico sin iniciar un duelo. Debemos saber si han elegido ya a un nuevo heredero y lo cerca que está Europa de entrar en guerra.

—Pero permaneced a la vista, joven señor —añadió Klopp.

Los dos hombres se encaminaron hacia un montón de latas de fuel y dejaron a Alek solo entre la apretujada multitud del mercado. El príncipe se abrió paso entre el gentío, apretando los dientes entre tantos empellones.

Los periódicos estaban expuestos en un largo banco con las páginas sujetas con piedras, mientras sus esquinas se levantaban empujadas por la brisa. Los repasó todos, sin saber cuál elegir. Su padre siempre decía que los periódicos sin ilustraciones eran los únicos que merecía la pena leer. Sus ojos se posaron en un titular: «LA SOLIDARIDAD DE EUROPA CONTRA LA PROPAGANDA SERBIA».

Todos los periódicos eran como aquel, seguros de que todo el mundo apoyaría al Imperio austrohúngaro después de lo que había sucedido en Sarajevo. Pero Alek se preguntaba si aquello sería verdad. Incluso a la gente en aquella pequeña ciudad austriaca no parecía que les hubiese importado demasiado el asesinato de sus padres.

—¿Cuál vas a comprar? — le preguntó una voz desde el otro lado del banco.

Alek miró la moneda que tenía en la mano. Nunca antes había sostenido dinero en su mano, a excepción de unas monedas de plata romanas de la colección de su padre. Aquella moneda era de oro y lucía el penacho de los Hausburgo en una cara y un retrato del tío abuelo de Alek en la otra: el emperador Francisco José, el hombre que había decretado que Alek nunca ascendería al trono.

—¿Cuántos puedo comprar con esto? —preguntó, intentando parecer plebeyo.

El hombre de los periódicos cogió la moneda y la miró atentamente. Seguidamente se la metió en el bolsillo y sonrió como si estuviese hablando con un idiota.

—Tantos como quieras.

Alek iba a pedir una respuesta más correcta, pero se mordió la lengua. Era mejor actuar como un tonto que hablar como un noble.

Se tragó su rabia y cogió entre sus brazos una copia de todos los periódicos que había, incluso los que estaban llenos de fotografías de caballos de carreras y salones de señoras. Tal vez a Hoffman y Bauer les gustarían.

Cuando Alek miró al vendedor de periódicos por última vez, se dio cuenta de una inquietante realidad. Hablaba francés, inglés y húngaro con fluidez, y siempre había impresionado a sus tutores en el dominio del latín y el griego. Pero el príncipe Aleksandar de Hohenberg apenas conseguía balbucear el lenguaje diario de su propia gente, ni siquiera para comprar un periódico.

• CATORCE •

Caminaron pesadamente por el lecho del río intentando no derramar el queroseno a cada paso. A pesar de ello, sus emanaciones quemaban los pulmones de Alek. Cada uno de ellos transportaba dos pesadas latas y el viaje de vuelta al *Cíklope* les estaba pareciendo mucho más largo que la caminata hacia la ciudad realizada aquella misma mañana.

Y a pesar de todo, por culpa de Alek, habían dejado atrás la mayoría de las cosas que necesitaban.

—Durante cuánto tiempo podemos estar sin los recambios, Klopp —preguntó.

—Hasta que alguien nos lance un proyectil, joven señor.

—Querrá decir hasta que algo se rompa —dijo Volger.

Klopp se encogió de hombros.

—Se supone que un Caminante de Asalto *Cíklope* está hecho para formar parte de un ejército. Por lo tanto no contamos con un tren de provisiones, ni camiones cisterna, ni equipo de reparación.

—Habríamos ido mejor a caballo —murmuró Volger.

Alek cambió el peso de la lata en su mano y el hedor del queroseno se mezcló con el de las salchichas ahumadas que colgaban de su cuello. Llevaba los bolsillos repletos de periódicos y fruta fresca. Se sintió como si fuese un vagabundo que llevase encima todas sus pertenencias.

—Profesor Klopp, mientras el caminante aún esté en condiciones óptimas de combate, ¿por qué no *cogemos* lo que necesitamos? —preguntó él.

—¿Y que todo el ejército caiga sobre nosotros? —intervino Volger.

—Pero si ya saben dónde estamos —dijo Alek—. Gracias a mí...

—¡Escuchad! —les hizo callar Volger con un siseo.

Alek se detuvo... No oyó nada excepto el ruido del fuel saliéndose de las latas. Cerró los ojos. El ruido lejano de un trueno retumbó en el filo de su conciencia: cascos de animales.

—¡Ocultémonos! —dijo Volger.

Bajaron corriendo por la orilla del río y se adentraron entre los espesos matorrales. Alek se agazapó. El corazón le latía con fuerza.

A medida que el sonido de los cascos se acercaba, se sumó a él el aullido de perros de caza.

Alek tragó saliva. No tenía sentido ocultarse. Aunque los sabuesos no tuviesen su olor, las salchichas y el queroseno atraerían la curiosidad de cualquier perro.

Volger sacó su pistola.

—Alek, sois el más rápido. Corred directamente al caminante. Klopp y yo resistiremos aquí.

—¡Pero si resuena como una docena de caballos!

—No son muchos para un caminante. ¡Seguid *avanzando*, Su Alteza!

Alek asintió y tiró las salchichas. Corrió como una flecha por el agua poco profunda, con los pies resbalando sobre las piedras húmedas. Los perros no podrían rastrearle por el agua y la orilla del otro lado era más llana y no tenía maleza.

Mientras corría, el sonido de los caballos y perros se acercaba. Se escuchó el restallido de un disparo y, seguidamente, se produjeron gritos y hasta él llegó el relinchar de un caballo.

Resonaron más disparos, eran las fuertes detonaciones que caracterizaban a los rifles. Klopp y Volger estaban sobrepasados en armas y en número. Pero por lo menos los jinetes se habían detenido a luchar en lugar de darle caza. Al fin y al cabo, lo más probable era que los soldados rasos no supieran quién era él. Tal vez no se molestarían en perseguir a un chico joven vestido con ropas de granjero.

Alek siguió corriendo, sin mirar atrás, intentando no imaginarse las balas penetrando en su piel.

El riachuelo recorría las granjas y tenía hierba alta en cada orilla. En aquel momento vio el bosquecillo donde estaba oculto el caminante, a medio kilómetro de distancia. Bajó la cabeza y corrió aún con más intensidad, con la atención centrada solamente en sus botas y las piedras que había a lo largo del lecho del río.

Cuando estaba a mitad de camino para llegar a los árboles, un sonido terrible llegó hasta sus oídos: eran los cascos de un solo caballo que se acercaba. Alek se atrevió a mirar atrás y vio a un jinete en el otro lado del riachuelo, cabalgando a toda velocidad. Llevaba la correa de su carabina enroscada alrededor de un brazo. Estaba preparado para disparar...

Alek se desvió y subió gateando por la orilla. El centeno de los campos le llegaba a la altura del pecho, lo suficientemente alto para ocultarse en él.

Se escuchó una detonación y un géiser de arena estalló a un metro de distancia a su derecha. Se zambulló en el centeno gateando como pudo con las manos y rodillas, alejándose del arroyo. La carabina disparó de nuevo y la bala pasó rozando una oreja de Alek. Sus instintos le gritaban que corriese más deprisa, pero entonces el jinete vería la alta hierba moviéndose. Alek se quedó inmóvil allí donde estaba, jadeando.

—¡He fallado a propósito! —gritó una voz.

Alek siguió allí echado en el suelo, intentando recuperar el aliento.

—Escucha, tan solo eres un crío —la voz prosiguió—. Sea lo que sea lo que hayan hecho los otros dos, estoy seguro de que el capitán no será duro contigo.

Alek oyó el chapoteo de las pisadas del caballo en el arroyo, que avanzaba sin prisas.

Empezó a arrastrarse para adentrarse más en el centeno con cuidado de no mover los tallos. El corazón le latía con fuerza y el sudor le bajaba hasta los ojos. Nunca había estado en una batalla como aquella, sin la protección de la piel metálica del caminante *Cíklope*. Pero Volger no le había permitido llevar un arma a la ciudad, ni siquiera un cuchillo.

Era su primera vez en un combate cuerpo a cuerpo y estaba desarmado.

—Vamos, chico. ¡No me hagas perder el tiempo o entraré y te sacaré arrastras yo mismo!

Alek se detuvo al darse cuenta de su única ventaja: aquel joven soldado no sabía a quién estaba persiguiendo. Seguramente esperaba encontrarse con algún rufián plebeyo y no con un noble preparado para el combate desde que tenía diez años. Aquel hombre no esperaría un contraataque.

El caballo ya estaba penetrando en el centeno, Alek podía escuchar cómo sus flancos separaban los altos tallos. El alto y vistoso penacho del casco del jinete quedó a la vista y Alek se pegó aún más al suelo. Seguramente, el hombre estaba alzándose sobre sus estribos para mirar hacia abajo, entre la hierba.

Alek estaba en el lado izquierdo del caballo, en la parte donde debería colgar el sable del jinete. No era tan buena opción como un rifle, pero aquello era mejor que nada.

—No me hagas perder el tiempo, chico, ¡sal de ahí!

Alek observó el penacho del casco del jinete, y se dio cuenta de que la curva de sus altas plumas dejaba traslucir hacia dónde estaba mirando su propietario. Erguido como estaba, lo más probable era que no se mantuviese demasiado firme.

Alek se acercó arrastrándose más, permaneciendo bien agachado y esperando el momento preciso.

—Te lo advierto, chico. ¡Sea lo que sea lo que hayas robado no merece la pena que te peguen un tiro por ello!

El príncipe se fue acercando cada vez más al caballo y, al fin, la cabeza del jinete se dio la vuelta hacia el otro lado. Alek se levantó del suelo y corrió unos pasos, saltó sobre el hombre, sujetó su brazo izquierdo y tiró con fuerza de él. El jinete soltó un juramento y entonces su carabina disparó directamente al aire. El ruido de la explosión sobresaltó al caballo, que echó a correr hacia delante por el centeno, levantándole en el aire y arrastrando a Alek, que no tocó con los pies en el suelo. Alek sujetó el brazo del hombre con una mano y con la otra intentó agarrar el sable que se balanceaba salvajemente en su vaina.

El jinete se retorció, intentando mantener los pies en los estribos. Su codo golpeó la cara de Alek como un martillo. Alek notó el sabor de la sangre pero pasó por alto el dolor y siguió moviendo los dedos.

—Voy a matarte, chico —gritó el hombre, mientras con una mano retorcía las riendas y con la otra intentaba golpear con la culata del rifle en la cabeza de Alek.

Al final, la mano de Alek se cerró en la empuñadura del sable. Soltó el brazo del jinete, se dejó caer de nuevo al suelo y el acero del sable resonó al sacarlo de su funda. Aterrizó junto al caballo, que todavía se movía agitadamente, y giró sobre un pie, golpeando con la parte plana de la espada el trasero del caballo.

El animal se alzó sobre sus patas traseras, con el jinete gritando sobre él hasta que finalmente cayó de su montura. La carabina salió despedida de sus manos, fue a caer sobre la alta hierba y aterrizó con un fuerte golpe.

Alek se abrió paso a sablazos por el centeno hasta que quedó de pie junto al jinete caído. Bajó la punta del sable hasta el cuello del hombre.

—Rendíos, señor.

El hombre no dijo nada.

El jinete tenía los ojos entornados y estaba pálido. No era mucho mayor que el propio Alek, su barba era incipiente y los brazos que tenía extendidos eran delgados. La expresión en su rostro era tan estática...

Alek retrocedió un paso.

—¿Está herido, señor?

Algo grande y cálido se acercó a él despacio por detrás: era el caballo, repentinamente tranquilo. Su hocico empujó suavemente la nuca de Alek, enviándole un frío escalofrío por su columna vertebral.

El hombre no respondió.

En la distancia se escuchó la detonación de disparos. Volger y Klopp necesitaban su ayuda, *ya*. Alek se alejó del jinete caído y montó en la silla. Las riendas estaban enredadas y retorcidas y sentía al caballo inestable debajo de él.

Alek se inclinó hacia el animal y le susurró al oído.

—Todo va bien. Todo va a salir bien.

Espoleó al caballo en los flancos con los talones y el animal se movió tras una sacudida, dejando a su anterior jinete atrás, en la hierba.

Los motores del Caminante de Asalto ya estaban retumbando.

El caballo no dudó cuando Alek lo espoleó para que pasara entre las gigantescas patas de acero. Debía de haber sido entrenado junto a caminantes, puesto que al fin y al cabo era un caballo austriaco.

Alek acababa de matar a un soldado austriaco.

Se obligó a no pensar en ello, sujetó la escalera de cadenas colgante y despidió al caballo con un grito y un puntapié.

Bauer se reunió con él en la escotilla.

—Hemos oído disparos y hemos puesto en marcha el caminante, señor.

—Bien hecho —dijo Alek—. También tenemos que cargar el cañón. Volger y Klopp están a un kilómetro de aquí, intentando contener a una tropa de caballería.

—Enseguida, señor —Bauer le tendió una mano y tiró de él hacia el interior.

Mientras Alek gateaba hacia el interior del abdomen del caminante y la cabina del piloto, resonaron más disparos en la distancia. Por lo menos la lucha aún no había terminado.

—¿Necesitáis ayuda, señor? —preguntó Hoffman.

Había asomado medio cuerpo por la escotilla, con una mirada de preocupación en su rostro barbudo.

Alek se quedó mirando los controles y reparó en que nunca antes había pilotado sin el profesor Klopp sentado a su lado. Y allí estaba él, a punto de adentrarse en una batalla.

—Tú nunca has pilotado, ¿verdad? —preguntó Alek.

Hoffman sacudió la cabeza.

—Yo solo soy ingeniero, señor.

—Bueno, pues entonces será mejor que ayude a Bauer con el cañón. Y los dos átense fuerte los cinturones.

Hoffman sonrió, saludando.

—Seguro que lo hará bien, señor.

Alek asintió con la cabeza y, cuando la escotilla se cerró, centró su atención en los controles. Flexionó las manos.

«Paso a paso», decía siempre Klopp.

Alek empujó las palancas de los andadores hacia delante... El caminante se irguió y las válvulas sisearon. Un pie inmenso penetró en el arroyo enviando un chorro de agua al aire. Alek dio otro paso, urgiendo a la máquina a andar más deprisa.

Sin embargo, todos sus manómetros parpadeaban en verde, puesto que los motores aún estaban fríos.

Al cabo de unos pocos pasos el Caminante de Asalto ya había escalado la orilla del río hasta llegar al nivel del terreno de los campos. Alek pisó a fondo los inyectores de combustible y los motores rugieron.

Los manómetros de potencia empezaron a subir.

Hizo avanzar la máquina, permitiendo que sus zancadas cada vez fuesen más largas. Los surcos de los arados empezaron a pasar rápida y fugazmente por debajo de él, y el sonido del centeno partiéndose era audible por encima de los motores. Sintió el momento en que el caminante cambió el paso de ir deprisa a correr, con la máquina elevándose en el aire entre pisada y pisada.

Desde lo alto de cada zancada podía ver la tropa de caballería que tenía delante. Estaban diseminados por el campo de centeno repartidos en formación de búsqueda.

Alek sonrió. Klopp y Volger también se habían escabullido entre la hierba alta, por esa razón habían conseguido resistir durante tanto tiempo.

De pronto, todas las cabezas se volvieron y los jinetes se dieron la vuelta hacia la nueva amenaza.

El intercomunicador chasqueó:

—Listos para disparar.

—Apunte por encima de sus cabezas, Bauer. Son austriacos, y Klopp y Volger están en alguna parte entre esta hierba.

—Entonces, un disparo de advertencia, señor.

Algunas carabinas dispararon y Alek oyó cómo una bala chocaba contra el metal muy cerca. Se dio cuenta de que el visor estaba completamente abierto, y de que allí no había nadie para cerrarlo.

El joven jinete que él había matado cuando disparó había fallado a propósito, pero aquellos hombres apuntaban a matar.

Cambió el paso del caminante, para que empujase los pies hacia afuera de manera que la máquina serpentease de izquierda a derecha. «Correr en serpentina», Klopp lo llamaba así, puesto que recorría un camino como una serpiente entre la hierba.

Pero el camino serpenteante de la máquina no parecía tan grácil como se suponía. El estallido del cañón retumbó bajo él, seguidamente, una columna de tierra y humo salió disparada al aire, justo detrás de los jinetes. Unos círculos que se agrandaban paulatinamente ondearon por la hierba igual que el agua de un estanque cuando lanzas una piedra, y dos caballos cayeron hacia un lado, lanzando al suelo a sus jinetes.

Un segundo después, una oleada de tierra y una fuerza que le hizo desviar el rumbo golpeó a Alek por el visor abierto y sus manos resbalaron de las palancas de los andadores. El caminante se inclinó hacia un lado, girando hacia el arroyo. Alek sujetó los controles, retorciéndolos con fuerza, y el *Cíklope* recuperó el equilibrio, tambaleándose, pero aún en pie.

Los jinetes se habían reunido en estrecha formación, preparados para retirarse. Pero Alek vio que dudaban, preguntándose si el caminante estaba fuera de control. Al tambalearse de aquella manera, lo más probable es que pareciese tan intimidante como una gallina borracha. Dudaba que Bauer pudiera volver a cargar los cañones a menos que él pudiese a su vez estabilizar la máquina.

De nuevo sonaron disparos y algo produjo un sonido metálico alrededor de los oídos de Alek: era una bala rebotando por la cabina de metal. No tenía sentido detenerse, puesto que tan solo conseguiría ser un blanco mejor, de modo que Alek se inclinó sobre los controles, cubriéndose, y se dirigió directamente hacia el escuadrón de caballería.

Los jinetes dudaron otro instante, luego dieron media vuelta y

«¡A LA CARGA!».

retrocedieron al galope hacia el arroyo, decididos a no enfrentar carne contra metal.

—¡Señor! ¡Es el profesor Klopp! —le llegó la voz de Bauer por el intercomunicador—. ¡Está aquí delante, frente a nosotros!

Alek tiró hacia atrás de los mandos, tal como había hecho el día antes, y de nuevo el pie derecho del caminante se clavó fuertemente en el suelo y la máquina empezó a inclinarse.

Pero esta vez sabía lo que tenía que hacer. Hizo que el caminante se retorciese hacia ambos lados, propulsando hacia fuera una pata de metal. Un montón de tierra estalló por delante del visor y el sonido de los engranajes al ser forzados y de la hierba partida llenó sus oídos.

Alek notó que la máquina recuperaba el equilibrio, después de que el impulso de su carga fuese consumido por el patinazo. A medida que el caminante se estabilizaba, Alek escuchó que la trampilla abdominal del Caminante de Asalto se abría por debajo. Se produjeron disparos y se escuchó el repiqueteo metálico de la escalera de cadenas desenrollándose. ¿Era la voz de Klopp? ¿Y Volger?

Quería echar un vistazo hacia abajo por la escotilla de la cabina pero tenía que permanecer en los controles. El polvo que se había levantado se estaba despejando ante él y vio movimiento en la distancia, el destello de los cascos y las espuelas. Tal vez debería disparar una de las metralletas al aire, para mantenerlos en retirada.

—¡Joven señor!

Alek hizo girar en redondo el asiento del piloto.

—¡Klopp! ¿Está bien?

—Bastante —el hombre entró en la cabina.

Tenía la ropa rota y llena de sangre.

—¿Le han alcanzado?

—A mí no. A Volger —Klopp se dejó caer en la silla del comandante, jadeando—. Su hombro, ahora Hoffman lo está viendo abajo. Pero debemos irnos, joven señor. Vendrán más.

Alek asintió.

—¿Por dónde escapamos?

—Primero de nuevo al arroyo. El queroseno sigue aún allí.

—Está bien. Por supuesto.

El polvo se estaba despejando ante los visores y Alek puso sus temblorosas manos en los controles de nuevo. Esperaba que Klopp tomara los controles, pero el hombre aún estaba jadeando y tenía el rostro de un color rojo intenso.

—No os preocupéis, Alek. Lo habéis hecho bien.

Alek tragó saliva, obligando a sus manos a hacer que el Caminante de Asalto diese su primer paso.

—Casi vuelvo a hacerlo caer.

—Exactamente: *casi* —Klopp se echó a reír—. ¿Recordáis que os dije que todo el mundo se cae la primera vez que intenta correr?

Alek frunció el ceño cuando plantó un pie gigante en la orilla del río.

—Me parece que no podré olvidarlo.

—¡Bueno, pues todo el mundo también se cae la segunda vez que corre, joven señor! —la risa de Klopp se convirtió en tos, luego escupió y se aclaró la garganta.

—Excepto vos, por lo que parece. Por fortuna para nosotros sois un Mozart con los mandos de los andadores.

Alek siguió con la vista fija al frente, sin responder. No se sentía orgulloso, después de dejar a aquel jinete atrás, tendido, roto en la hierba. Aquel hombre era un soldado que servía al Imperio. Lo más probable era que él tampoco comprendiese la política que le rodeaba más que cualquiera de los plebeyos que encontraron en Lienz. Sin embargo, había perdido igualmente la vida.

Alek sintió como si se hubiese dividido en dos personas, de la misma forma que cuando estaba solo de guardia, una parte de él aplastando su desesperación en su pequeño y oculto lugar. Parpadeó para apartar el sudor de sus ojos y buscó por la orilla las valiosas latas de queroseno, esperando que Bauer estuviese vigilando por si aparecían caballos y que el cañón estuviese cargado otra vez.

• QUINCE •

Después de pasar toda la mañana practicando ejercicios de altitud, todos los cadetes estaban reunidos desayunando, hablando de anotaciones de señales, de la lista de turnos de trabajos y de cuándo por fin estallaría la guerra.

Deryn ya había terminado su ración de huevos y patatas. Se entretenía esbozando la forma en que los conductos de los lagartos mensajeros se enroscaban por las paredes y ventanas del *Leviathan*. Las bestezuelas siempre asomaban la cabeza mientras esperaban los mensajes, igual que zorros en su madriguera.

Entonces, de pronto, el cadete Tyndall, que estaba mirando soñadoramente por las ventanas gritó:

—¡Mirad esto!

Los otros cadetes se levantaron de golpe, amontonándose hacia el costado de babor donde reinaba la confusión. En la distancia, entre el mosaico que formaban las granjas y los pueblos, la gran ciudad de Londres se alzaba a la vista. Se gritaban

«INDIFERENTE ANTE LAS VISTAS CONOCIDAS».

unos a otros comentando los acorazados amarrados en el río Támesis, la maraña de líneas de ferrocarril convergentes y los animales de calado elefantino que atestaban las carreteras que conducían a la capital. Deryn permaneció en su asiento, aprovechando la oportunidad para pillar una de las patatas del cadete Fitzroy.

—¿Es que vuestras cabezas de chorlito no habían visto Londres? —preguntó mientras masticaba.

—No desde aquí arriba —repuso Newkirk—. Las Fuerzas Armadas nunca nos permiten sobrevolar las ciudades con naves grandes.

—¿No vayamos a asustar a los Monos Ludistas, verdad? —dijo Tyndall, dando un ligero puñetazo al hombro de Newkirk.

Este no le hizo caso.

—¡Mirad! ¿Aquello no es St. Paul?

—Yo ya lo he visto —dijo Deryn, birlándole un trozo de bacón a Tyndall—. Una vez ya sobrevolé esta parte de Londres en un Huxley. Resultó ser una historia interesante.

—¡Deje de decir idioteces, señor Sharp! —le soltó Fitzroy—. Ya hemos escuchado demasiadas veces *esa* historia.

Deryn envió un trozo de patata a las regiones dorsales de Fitzroy. Aquel chico siempre mostraba aires de superioridad, solamente porque su padre era capitán de la Marina Oceánica. Cuando notó que el proyectil había hecho diana, Fitzroy se volvió y frunció el ceño.

—Nosotros fuimos quienes le rescatamos, ¿recuerda?

—¿Qué? ¿Vosotros, estúpidos? —dijo ella—. No recuerdo haberle visto a *usted* en el cabrestante, señor Fitzroy.

—Tal vez no —sonrió y volvió a mirar por la ventana—. Pero le vimos pasar flotando por estas mismas ventanas, colgado de su Huxley como si fuera un cachivache.

Los otros cadetes se echaron a reír y Deryn se levantó de un salto de su silla.

—Creo que debería expresar su frase de otro modo, señor Fitzroy.

Él se dio la vuelta y se quedó mirando tranquilamente por la ventana.

—Y yo creo que debería aprender a respetar a sus superiores, señor Sharp.

—¿*Superiores?* —Deryn apretó los puños—. ¿Quién quiere que muestre respeto a un caraculo como usted?

—¡Señores! —resonó la voz del señor Rigby desde el corredor—. Firmes, *por favor.*

Deryn se puso firme bruscamente con los demás, pero su mirada permanecía fija en Fitzroy. Él era más fuerte que ella, pero en las dos minúsculas habitaciones de las literas que compartían los cadetes había más de cien formas para vengarse.

Entonces el capitán Hobbes y el doctor Busk entraron en la cantina tras el señor Rigby y su furia se desvaneció. No sucedía muy a menudo que el responsable del *Leviathan* y, mucho menos, el jefe científico del navío se dirigiesen a los cadetes de menor rango. Intercambió una mirada de preocupación con Newkirk.

—Descansen, señores —dijo el capitán sonriendo—. No vengo a traerles noticias de guerra. Por lo menos hoy no.

Algunos de los cadetes parecieron desilusionados.

—Hace una semana, el Imperio austrohúngaro finalmente declaró la guerra a Serbia, con la promesa de vengar el asesinato de su archiduque con una invasión. Unos días después, Alemania declaró la guerra a Rusia, lo que significa que Francia será la siguiente en entrar en combate. La guerra entre las fuerzas darwinistas y clánkers se está extendiendo como un reguero de pólvora y no parece que Gran Bretaña pueda mantenerse al margen durante mucho más tiempo. Habrán notado que Londres está bajo nosotros —prosiguió el capitán—. Una visita poco corriente y eso no es ni la mitad. Aterrizaremos en Regent's Park cerca del zoo de Londres, de Su Majestad.

Deryn abrió mucho los ojos. Volar sobre Londres ya era suficientemente malo, pero descender en un parque público seguramente echaría aún más leña al fuego. Y no solamente por las quejas de los Monos Ludistas. Incluso el viejo Darwin se habría mostrado inquieto sobre una aerobestia de trescientos metros aterrizando en una zona de *picnic*.

El capitán se acercó a las ventanas y miró hacia abajo.

—Regent's Park tiene por lo menos una longitud de media milla, poco más del doble de nuestra envergadura. Va a ser una maniobra difícil, aunque el riesgo en este caso es necesario. Tenemos que embarcar a un importante invitado, un miembro del personal de zoo, para transportarlo a Constantinopla.

Deryn, por un instante, dudó de si lo había escuchado bien. Constantinopla estaba en el Imperio otomano, claramente en la otra punta de Europa, y los otomanos eran clánkers. ¿Por qué caracoles el *Leviathan* tenía que dirigirse allí ahora?

La aeronave se había pasado el último mes preparándose para la guerra, haciendo ejercicios de combate cada noche y habían pasado revista diaria a los murciélagos *fléchette* y a los halcones bombarderos. Incluso la nave había sobrevolado dentro del rango de alcance de un acorazado alemán en el mar del Norte, solo para mostrarle que una aeronave viviente no se amedrentaba ante ningún montón de engranajes y motores.

¿Y ahora se dirigían de excursión a Constantinopla?

El doctor Busk les habló:

—Nuestro pasajero es un científico de gran prestigio, al que se le ha encomendado una importante misión diplomática. También transportaremos carga a bordo de naturaleza delicada que deberá ser tratada con sumo cuidado.

El capitán carraspeó.

—El señor Rigby y yo tal vez debamos tomar una difícil decisión acerca del peso.

Deryn contuvo brevemente el aliento. «Peso»... pero ¿de qué iba todo aquello?

El *Leviathan* era aerostático, es decir, en la jerga del Ejército aquello equivalía a tener la misma densidad que el aire que le rodeaba. Mantener aquel equilibrio era algo fundamental. Cuando se acumulaba lluvia en la parte superior, tenían que vaciar agua de los tanques de lastre. Si la nave se expandía bajo el calor del sol, debía expulsarse hidrógeno. Y cuando subían a bordo pasajeros o carga extra, algo más debía bajar de la nave, normalmente algo que no fuera útil.

Y no había nada más inútil allí que un nuevo cadete.

—Revisaré sus puntuaciones de señales y navegación —decía el capitán—. El señor Rigby sopesará y valorará a cada uno de ustedes entre los que prestan más atención a las clases. Y, por supuesto, cualquier traspié que cometan en este aterrizaje será reprobado.

—Buenos días, caballeros.

Se dio la vuelta, salió a grandes zancadas de la sala y el jefe científico tras él. Se produjeron unos instantes de silencio mientras los cadetes asimilaban las noticias. Dentro de unas pocas horas algunos de ellos abandonarían el *Leviathan* para siempre.

—Está bien, muchachos —espetó el señor Rigby—. Ya habéis oído al capitán. ¡Estamos a punto de aterrizar en un aeropuerto improvisado, así que mejor será que os espabiléis! Habrá soldados de tierra de la Scrubs, pero no contarán con ningún jefe de aterrizaje entre ellos y nuestro pasajero va a necesitar ayuda ahí abajo. Señor Fitzroy y señor Sharp, ustedes dos son los mejores con los Huxleys, de modo que bajarán primero.

Cuando el contramaestre dio las órdenes, Deryn miró los rostros de los otros cadetes. Fitzroy le devolvió la mirada fríamente y no tuvo que adivinar lo que aquel caraculo estaba pensando. Ella solo hacía un mes que estaba a bordo del *Leviathan* y, además, solamente por una extraña casualidad. Por lo que a Fitzroy se refería, ella no era mucho mejor que un polizón.

Deryn le devolvió enseguida la mirada. El capitán no había dicho nada sobre los que llevaban más tiempo a bordo, sino que había considerado a sus aviadores según su valía, de modo que quería conservar a los mejores hombres.

Y eso era exactamente lo que era ella, fuese un hombre o no.

Tal vez toda aquella competencia en el *Leviathan* ahora le sería de utilidad. Gracias al entrenamiento de Pa, Deryn siempre había sido mejor que los otros cadetes en cuestión de nudos y sextantes. E incluso el señor Rigby admitiría que su comportamiento no había sido tan pendenciero últimamente, y acababa de alabar su trabajo con los Huxleys. Mientras el aterrizaje saliese a la perfección, no habría nada de lo que preocuparse.

Regent's Park se extendía bajo Deryn, con su espesa y frondosa hierba gracias a las lluvias de agosto.

Unas patrullas de soldados de infantería recorrían el parque, intentando sacar a los últimos civiles de la zona de aterrizaje. Una delgada línea de policías estaba apostada en los límites de la zona, conteniendo a cientos de curiosos. La sombra del *Leviathan* se extendía sobre los árboles y el aire temblaba con el zumbido de los motores.

Deryn estaba descendiendo deprisa, dirigiéndose a la intersección de dos veredas, allí donde un jefe de policía local estaba esperando órdenes. Un lagarto mensajero bajó por su hombro, con sus pies ventosa tirando de su uniforme como las garras de un gato nervioso.

—Ya casi hemos llegado, bichito —dijo tranquilizadoramente—.
No le apetecía llegar al suelo con un lagarto muerto de miedo
con las órdenes de aterrizaje del capitán repetidas confusamente y
sin que se pudiesen entender.

Deryn sí que estaba un poco nerviosa. Había montado en elevadores una media docena de veces, desde que se unió a la tripulación del *Leviathan*: era el cadete que pesaba menos y siempre
podía instar a sus bestias a subir más alto. Pero aquello había sido
durante unos ejercicios de avistamiento de submarinos alemanes
U-boats. Era la primera vez que volaba en globo libre desde su
accidentado vuelo como recluta.

Por lo menos, hasta el momento, había sido un descenso digno
de manual. El lastre extra que llevaba la bestia hacía que bajase rápidamente, guiada por un par de alas de planeador atadas a su aparejo.

Deryn estaba intrigada por saber por qué era tan importante ga-
rantizar que no hubiese ningún problema. Estaban arruinando un
centenar de *picnics,* arriesgándose a que se produjese un desastre
al aterrizar allí en el parque y, probablemente, asustando mortalmente a todos los Monos Ludistas de Londres. ¿Y todo aquello para que un científico llegase a Constantinopla un poco más rápido?

Aquel tipo debía de ser una especie de lumbrera fuera de serie,
incluso para ser un científico.

El suelo se estaba acercando rápidamente y Deryn soltó lastre.
Aminoró la velocidad de su descenso una pizca mientras el agua
derramada brillaba al sol cayendo como una cascada. El lagarto
mensajero se apretujó un poco más.

—No te preocupes, bichito —murmuró Deryn—. Todo está bajo control.

El señor Rigby le había dicho que bajase rápido y se dejase de tonterías. Imaginaba que le estaba mirando desde arriba, midiendo el tiempo del descenso con su cronómetro, ponderando quién debería abandonar la tripulación.

No le parecía justo perder aquella sensación, no después de aquellos dos largos años de no poder montar en los globos aerostáticos de Pa. Seguramente, Rigby se habría dado cuenta de que ella había *nacido* para volar.

Un viento de costado encrespó al Huxley y, cuando Deryn tiró de él para recuperar el rumbo, una idea horrible la impactó. Si ella era el cadete desafortunado, ¿aquella sería la última vez que estaría en el aire? Si la guerra era inminente, seguramente la trasladarían a otra aeronave. Tal vez incluso al *Minotauro,* donde estaba sirviendo Jaspert, su hermano.

Pero Deryn sentía que ya formaba parte del *Leviathan*, su primer hogar real desde el accidente de Pa. El primer lugar donde nadie la había visto con faldas o donde nadie esperaba de ella que se comportase de forma femenina y respetuosa. ¡No podía perder su lugar en la nave solo porque un lumbrera necesitase transporte!

Los hombres de tierra corrían por todas partes a la sombra del Huxley, prestos para agarrar sus tentáculos. Inclinó un poco las alas planeadoras hacia atrás para aminorar la velocidad del descenso e hizo bajar suavemente a la aerobestia. Cuando tiró de ella para que se detuviese se produjo una leve sacudida y el lagarto mensajero soltó un chillido.

—¿Agente de policía Winthrop? —balbuceó.

—¡Espera un minuto! —suplicó ella.

El lagarto hizo un ruido parecido a un «tut-tut», que sonó justo igual que el señor Rigby cuando los cadetes se estaban peleando. Esperaba que no empezase a farfullar. Los lagartos mensajeros a veces balbuceaban antiguos fragmentos de conversación cuando se ponían nerviosos. Nunca sabías qué conversaciones privadas podían repetir.

Los hombres de tierra tiraron del Huxley, lo estabilizaron y lo bajaron rápidamente.

Deryn se desató ella misma del equipo del piloto y saludó al jefe de policía.

—Cadete Sharp informando con el lagarto del capitán, señor.

—Ha sido un aterrizaje perfecto, jovencito.

—Muchas gracias, señor —dijo Deryn preguntándose cómo pedirle al jefe de policía que transmitiese su apreciación al señor Rigby.

Pero aquel hombre ya estaba quitándole el lagarto del hombro. La bestia empezó a barbotar palabras sobre cuerdas de aterrizaje y velocidades del viento, repitiendo instrucciones como una metralleta, más rápido que una docena de encargados de señales.

El jefe de policía no parecía comprender ni la mitad de lo que el lagarto estaba diciendo, pero Fitzroy pronto estaría allí para ayudar. Vio que su elevador aterrizaba no muy lejos de allí, y se alegró al ver que se había caído.

La sombra de la aeronave planeaba sobre ellos y todos los hombres empezaron a dispersarse en todas direcciones. No era momento de perder el tiempo. Fitzroy debía ocuparse de aquello, y a Deryn le correspondía el trabajo de preparar la carga del científico para ser cargada.

Saludó al jefe de policía otra vez, alzó la vista hacia la aeronave que se cernía sobre sus cabezas y echó a correr hacia el zoo.

• DIECISÉIS •

El zoo de Londres de Su Majestad graznaba como una jaula de periquitos ardiendo. Deryn se detuvo derrapando en la verja de la entrada, sorprendida por el alboroto de aullidos, rugidos y chillidos.

A su derecha, una manada de monos colgaba de los barrotes de su jaula, aullando al aire. Tras ellos, un recinto cubierto de redes estaba lleno de aves agitadas, que formaban una tempestad de plumas y ruido. Al otro lado de un foso, un elefantino gigante pisoteaba el suelo nerviosamente, y Deryn podía percibir a través de sus botas los temblores que producía.

—¡Arañas chaladas! —maldijo en voz baja.

Hacía unas cinco semanas, recién llegada de Glasgow en tren, había pedido a Jaspert que la llevase a visitar el zoo de Londres. Pero en aquella visita no había oído nada parecido a la algarabía de ahora.

Obviamente, el *Leviathan* había puesto nerviosos a los animales.

Deryn se preguntó a qué debía oler la aeronave desde la perspectiva de los animales naturales. ¿Como un depredador gigante acercándose para engullirlos? ¿O como un primo lejano perdido desde tiempos remotos en la evolución? ¿O tal vez su maraña de especies fabricadas les hacía pensar en él como en una isla entera que pasaba flotando sobre ellos?

—¿Tú eres mi aviador? —le preguntó una voz.

Deryn se volvió y vio a una mujer que vestía un abrigo largo de viaje, con un bolso también de viaje en una mano.

—¿Disculpe, señora?

—Me prometieron un aviador —dijo la mujer—. Y tú parece que vistes uniforme. ¿O es que simplemente estás aquí para tirar cacahuetes a los monos?

Deryn parpadeó, y luego se dio cuenta de que la mujer llevaba puesto un bombín negro.

—Oh… ¿*usted* es el científico?

La mujer alzó una ceja.

—Culpable de todos los cargos. Pero mis conocidos me llaman doctora Barlow.

Deryn se sonrojó y se inclinó levemente.

—Cadete Dylan Sharp, a su servicio.

—Así que tú eres mi aviador. Excelente —la mujer le entregó su equipaje—. Si eres tan amable, voy a buscar a mi compañero de viaje.

Deryn cogió la bolsa y se inclinó de nuevo.

—Por supuesto, señora. Siento haber sido tan torpe. Es solo que… nadie me dijo que usted era una dama.

La doctora Barlow se echó a reír.

—No te preocupes, jovencito. Este tema ya ha sido debatido alguna que otra vez.

Después de decir aquello, se dio la vuelta y desapareció por la puerta de la casa del guarda, y dejó a Deryn sosteniendo la pesada bolsa y pensando que tal vez había estado viendo visiones. Nunca había oído hablar de una dama científico antes, o de una mujer diplomático, en realidad. Las únicas mujeres que se mezclaban en los asuntos exteriores eran espías, o al menos era lo que siempre había pensado.

Pero la doctora Barlow no tenía en absoluto el aire de una espía. Parecía un poco demasiado llamativa para un trabajo como aquel.

—Con cuidado, señores —su voz resonaba desde la casa del guarda.

Por la puerta salieron dos jóvenes científicos vestidos con batas blancas, transportando una caja larga entre los dos. Los hombres no se molestaron en presentarse a Deryn. Estaban demasiado concentrados en dar pequeños y cuidadosos pasos, como si la caja contuviese pólvora y valiosa porcelana china. Brotes de paja de embalar sobresalían entre las tablas.

No era de extrañar que el *Leviathan* hubiese aterrizado justo en el centro de Londres: por lo que parecía, aquella misteriosa carga era demasiado frágil para transportarla en un carruaje de caballos.

Deryn se adelantó para echarles una mano, pero dudó cuando sintió el leve calor que desprendía la caja.

—¿Hay algo *vivo* aquí dentro? —preguntó.

—Eso es secreto militar —dijo el más joven de los dos científicos.

Antes de que Deryn pudiese responder nada, la doctora Barlow salió a toda prisa de la casa del guarda, con la bestia fabricada más extraña que Deryn había visto tirando de ella.

La criatura parecía un lustroso perro canela con un largo hocico y rayas de tigre en su grupa. El animal tiró de la correa para poder olisquear la mano que Deryn le ofrecía. Cuando le acarició la cabeza, la bestia se echó hacia atrás, se incorporó sobre sus patas traseras y dio un salto allí mismo.

¿Es que aquel animal tenía una pizca de *canguro* en su cadena de vida?

—Me parece que le gustas a Tazza —dijo la doctora Barlow—. Es extraño. Normalmente es muy tímido.

—Pues parece muy... entusiasta —dijo Deryn—. Pero ¿para qué caramba sirve?

—¿Para qué? —la doctora Barlow frunció el ceño—. ¿A qué se refiere, señor Sharp?

—Bueno, no se parece a un rastreador de hidrógeno. ¿Es algún tipo de perro guardián tigresco?

—¡Oh, cielos! —la mujer se echó a reír—. Tazza no es un fabricado, y no *sirve* para nada. Excepto que odio viajar sin él.

Deryn apartó la mano y retrocedió un paso.

—¿Quiere decir que esta bestia es *natural*?

—Es un tilacino perfectamente sano —la doctora Barlow alargó la mano para rascar a la criatura entre sus robustas orejas—. Comúnmente se le conoce como el tigre de Tasmania. Aunque nosotros encontramos que la comparación con los felinos es un poco indignante, ¿verdad, Tazza?

El tilacino bostezó, y sus largas mandíbulas se abrieron tanto como las de un caimán.

La doctora Barlow debía de estar bromeando. La criatura no parecía en absoluto natural. ¿Y se la llevaba con ella como *mascota*? Tazza parecía lo suficientemente fuerte como para echar por los suelos al menos a algún cadete desafortunado.

Pero no parecía diplomático puntualizar aquello, por lo que Deryn carraspeó y dijo:

—Tal vez deberíamos ir hacia el campo, señora. La nave descenderá pronto.

La doctora Barlow hizo un gesto hacia un gran baúl que descansaba junto a la puerta de la casa del guarda y encima de este reposaba una jaula cubierta.

—Si es tan amable, señor Sharp.

—Sí, señora —suspiró Deryn.

Se colocó la bolsa bajo un brazo y levantó la jaula con la misma mano. El baúl pesaba casi tanto como ella (tendría que bajar otro cadete), pero Deryn se las apañó para levantar un extremo y llevarlo a rastras. Los cuatro, más Tazza, el tilacino, se encaminaron al parque, con los científicos transportando la caja a paso de caracol.

Mientras se dirigían a la aeronave, Deryn gruñó por lo bajo. Una cosa era cederle su litera a un científico famoso en misión secreta, pero si alguna bestia boba llamada Tazza iba a quitarle su sitio, era que el mundo se había vuelto *rematadamente* loco.

❖ ❖ ❖

La doctora Barlow chasqueó la lengua.

—Vuestra aeronave parece infeliz.

El *Leviathan* aún estaba a unos quince metros de altura y el capitán la estaba haciendo descender con una precaución infinita. Los cilios de sus flancos ondeaban y unas bandadas de pájaros fabricados revoloteaban por el parque, sacados de sus calas de anidamiento, alterados al sentir el nerviosismo de la aeronave. ¿Por qué estaba tan nerviosa la gran bestia? Deryn alzó la vista, recordando la borrasca que casi había terminado su carrera en las Fuerzas Aéreas el primer día. Pero el cielo estaba despejado. Tal vez eran los curiosos que rodeaban el campo, con sus chillones parasoles arremolinándose bajo el sol.

—Mi carga requiere un transporte muy suave, señor Sharp.

—Se tranquilizará cuando dejemos el suelo —dijo Deryn. En una de las lecciones de aviación, el señor Rigby había llenado un vaso de vino hasta el borde, e incluso durante los fuertes giros no

«ATERRIZAJE EN REGENT'S PARK».

había derramado ni una gota—. Es solo que la corriente de aire aquí abajo es un poco confusa.

La doctora Barlow asintió con la cabeza.

—Especialmente en el centro de Londres, supongo.

—Sí, señora. Las calles forman corrientes de aire con el viento y las grandes naves se ponen nerviosas al descender en campos que no les son familiares —Deryn dijo esto categóricamente, sin mencionar de quién era la culpa de aquella situación—. ¿Ve aquellos minúsculos trozos en los flancos del barco? Se llaman cilios y me parece que se están estremeciendo.

—Sé lo que son los cilios, señor Sharp —dijo la científica—. En realidad, he fabricado estas especies en particular.

Deryn parpadeo, sintiéndose como una idiota. ¡Estaba dando lecciones a uno de los creadores del *Leviathan* sobre el tema de los flujos de aire! El tilacino estaba botando feliz sobre sus patas traseras otra vez y sus grandes ojos pardos captaban toda la actividad que había a su alrededor. Dos elefantinos esperaban bajo la aeronave, enjaezados para transportar un vagón y un coche blindado. Los agentes de policía apenas podían mantener a la multitud apartada del espectáculo.

Puesto que en el parque no había ningún mástil de amarre, del *Leviathan* colgaban cuerdas en todas direcciones. Deryn frunció el ceño, al darse cuenta de que algunos de los hombres que colgaban de ellas no iban vestidos con los uniformes de las Fuerzas Armadas. Vio a algunos policías e incluso a un equipo de jugadores de críquet que habían dejado sus juegos en el parque.

—Fitzroy debe de estar chiflado —murmuró ella.

—¿Tiene algún problema, señor Sharp? —preguntó la doctora Barlow.

—Aquellos hombres de las cuerdas, señora. Si de pronto se levanta una ráfaga de aire, no sabrán cómo soltarse rápidamente y, si no lo hacen, pueden ser arrastrados por el aire...

—Donde finalmente ya no podrán seguir sujetos —dijo la doctora Barlow.

—Sí. Una ráfaga fuerte puede elevar al *Leviathan* unos cien pies en cuestión de segundos. Es lo primero que se enseña a los hombres de tierra. A no colgarse.

La parte superior de los árboles se balanceaba, y a Deryn le entró un escalofrío.

—¿Qué me recomienda que hagamos, señor Sharp?

Deryn puso cara de circunstancias puesto que no sabía si los oficiales de la nave eran conscientes de lo que estaba sucediendo. La mayoría de aquellos hombres sin preparación estaban retrocediendo hacia el extremo de la popa, fuera de la vista del puente.

—Bueno, si se lo pudiésemos notificar al capitán seguro que sabrá descender rápidamente, o cortar las cuerdas si se levanta una ráfaga de aire.

La muchacha repasó atentamente el campo, buscando a Fitzroy o a alguien que estuviese al mando. Pero todo el parque estaba sumido en el caos y el jefe de policía no se veía por ninguna parte.

—Tal vez Clementina pueda ayudarnos —dijo la doctora Barlow.

—¿Quién?

La doctora Barlow le tendió la correa de Tazza a Deryn y seguidamente cogió la jaula. Abrió la cubierta de tela y metió la mano dentro. Sacó un pájaro con plumas grises y un penacho de plumas de un rojo intenso en su cola.

—Buenos días, doctora Barlow —graznó el pájaro.

—Buenos días, querida —respondió ella.

Entonces le dijo con una voz clara y despacio:

—Capitán Hobbes, saludos de la doctora Barlow. Tengo un mensaje del señor Sharp: al parecer tenéis hombres sin preparación colgando de vuestras cuerdas —miró a Deryn y se encogió de hombros—. Y... espero reunirme pronto con usted, señor. Fin del mensaje.

Primero se acercó el pájaro al pecho y a continuación lo lanzó hacia la aeronave.

Cuando lo hubo lanzado y ya estaba lejos, Deryn murmuró:

—¿Qué era eso?

—Un loro mensajero —dijo la doctora Barlow—. Basado en el Gris Africano Congo. Lo hemos estado entrenando especialmente para este viaje. Sabe leer los uniformes de los aviadores y las marcas de las barquillas, como un mismísimo lagarto del Ejército.

—¿«Entrenando», señora? —Deryn frunció el ceño—. Si yo creía que todo este asunto de Constantinopla había surgido así, de pronto.

—Por supuesto, pero las cosas se están desarrollando más rápidamente de lo que yo esperaba —la doctora Barlow posó una mano sobre la misteriosa caja—. Sin embargo algunos de nosotros hemos estado planeando esta misión durante años.

Deryn echó otra cautelosa ojeada a la caja y luego se dio la vuelta para observar al loro. Volaba entre las cuerdas y las líneas, directamente hacia las ventanas abiertas del puente.

—Eso es *genial*, señora. ¡Es como enviar volando a un lagarto mensajero!

—Ambos comparten muchas cadenas de vida —dijo la doctora—. En realidad, algunos de nosotros creemos que las aves comparten ancestros con los antiguos lagartos... —su voz se desvaneció cuando los tanques del *Leviathan* se abrieron, soltando un chorro de lastre.

El barco se elevó un poco y los hombres de las cuerdas resbalaron hacia el suelo en un tira y afloja en el que tenían las de perder contra la nave.

—¡Caracoles! —exclamó Deryn—. ¿Por qué están *escalando*?

—Oh, cielos —dijo la doctora Barlow, bajando la vista—. *Espero* que sea Clementina.

Deryn siguió su mirada hacia la jaula. Otro pico curvo estaba asomando por la jaula, mordisqueando los barrotes.

—¿Hay dos de esos?

La científica asintió.

—Winston suele desordenar los mensajes y nunca puedo distinguirlos. Es realmente una molestia.

Deryn tragó saliva, mientras miraba cómo el agua de lastre caía sobre las cabezas de los hombres de tierra. El agua brillaba hermosa

bajo la luz del sol, pero Deryn sabía de dónde provenía el lastre: salía directamente por el conducto gástrico, con excrementos y restos.

Los civiles que había entre ellos pensaron que algo había ido
mal. Un equipo de hombres vestidos con uniformes blancos de críquet soltaron las cuerdas y se cubrieron la cabeza, apartándose de
la inesperada lluvia de agua apestosa. La nave se alzó más cuando
su peso soltó las cuerdas, pero Deryn vio que los rastreadores de
hidrógeno de encima de la nave se estaban poniendo frenéticos. El
capitán también estaba soltando gas. La nave se estabilizó en el aire.

De pronto, soltó otro chorro de lastre, más fuerte que el último. Los verdaderos hombres de infantería, que ya habían sido cubiertos de excrementos cientos de veces, siguieron colgados de las
cuerdas. No obstante, y en un santiamén, todos los que no debían
de estar allí abandonaron sus cuerdas.

—Es muy inteligente tu capitán —dijo la doctora Barlow.

—¡No hay nada como un poco de estiércol para despejar las
cosas! —dijo Deryn, y añadió—: por así decirlo, señora.

La doctora Barlow soltó una risa.

—Desde luego. Me gustará viajar con usted, señor Sharp.

—Muchas gracias, señora —Deryn miró de reojo el enorme
montón de equipaje de la científica—. Tal vez podría mencionár-
selo al contramaestre; verá, el barco está un poco demasiado so-
brecargado.

—Lo haré —dijo la mujer, recuperando la correa de su mascota—. Nos conformamos con un pequeño camarote de grumete
para nosotros, ¿verdad, Tazza?

—Hum, eso no es en realidad lo que yo... —Deryn balbuceó, intentando explicar que los cadetes eran oficiales, prácticamente. Y que en realidad no eran *grumetes*.

Pero la doctora Barlow ya estaba llevando a su tilacino hacia la aeronave, seguida por los demás científicos y su caja misteriosa.

Deryn suspiró. Por lo menos se había ganado su lugar a bordo del *Leviathan*. Y después de su metedura de pata con las cuerdas, aquel caraculo de Fitzroy tal vez al final recibiría lo que se merecía. No estaba mal por un día de trabajo.

Aunque, por supuesto, ahora tenía una nueva preocupación en su cabeza. Como cualquier otra mujer, era posible que la doctora Barlow se diese cuenta de algunos detalles fuera de lo corriente que el resto de la tripulación masculina no podía apreciar. Y, además, ella era una lumbrera, con toda aquella ciencia reposando bajo su bombín. Si alguien podía averiguar o sospechar algo acerca del pequeño secreto de Deryn, sería aquella científica.

—Genial —murmuró Deryn, sujetando el pesado baúl y corriendo hacia la nave.

• DIECISIETE •

La fragata de tierra permanecía en lo alto de un
lejano promontorio, con sus banderas de señalización ondeando
al viento.

—Esto va a ser un problema —dijo Klopp, bajando sus prismáticos—. Es una fragata de mil toneladas, de clase *Wotan*. Es
un nuevo modelo experimental lo suficientemente pequeño para
alcanzar una buena velocidad y lo suficientemente grande para hacernos picadillo.

Alek cogió los prismáticos de Klopp y se los llevó a los ojos.

El *Hérkules* no era el carro de combate más grande que había
visto, pero con sus largas patas de ocho toneladas dispuestas como
las de una araña, realmente tenía el aspecto de moverse con agilidad. La hilera de chimeneas sugería que su interior albergaba un
poderoso motor.

—¿Qué estará haciendo aquí, en la frontera suiza? —preguntó
Alek—. ¿Al final ha estallado la guerra?

—Podría decirse que la guerra nos está esperando a nosotros —dijo el conde Volger.

—¿Veis aquella torreta? —Klopp señaló el alto mástil que se alzaba en la cubierta de batería de la fragata. Había dos minúsculas figuras en la plataforma que habían instalado en lo alto—. Esa torre de vigía no pertenece a un equipamiento estándar.

—Y los vigías están mirando hacia allí: hacia Austria —señaló Bauer. La cabina del piloto del caminante estaba abarrotada, con los otros tres ocupantes dispuestos alrededor de Alek, como un retrato familiar—. Dudo de que estén apostados allí para protegernos de la invasión.

—No, están allí para que no salgamos —dijo Alek, bajando los prismáticos—. Por mi culpa saben que nos dirigimos a Suiza.

El conde Volger se encogió de hombros.

—¿Y adónde más podíamos ir?

Alek suponía que el conde tenía razón. Cada día la guerra se estaba propagando más y Suiza era el único país que permanecía neutral. Era el último lugar que les quedaba a los fugitivos y a los desertores donde ocultarse. Pero, aun así, no le parecía justo tener que ir a parar directamente contra aquella fragata de tierra. Hacía más de un mes que es-

taban zigzagueando de acá para allá por Austria, arrastrándose por
los bosques durante largas horas cada noche. Habían sido perse-
guidos, disparados, e incluso bombardeados en picado por un aeroplano. Habían pasado días enteros recogiendo piezas de recambio de entre la basura y combustible de las máquinas de labranza
y chatarrerías, para conseguir los materiales suficientes para que
el Caminante de Asalto siguiera su avance. Y, finalmente, habían
encontrado un pasaje a la seguridad y resulta que lo encontraban
custodiado por una araña gigante de metal.

Lo cierto era que parecía que el *Hérkules* no iba a ir a ninguna parte pronto. Una tienda de mando se inclinaba bajo sus
motores, donde un caminante cargo de seis patas esperaba para llevar y traer provisiones y tripulación de
repuesto.

—¿A cuánta distancia estamos de la frontera? —preguntó Alek.

—La estáis contemplando, señor —dijo Bauer, señalando al otro lado de la fragata—: Aquellas montañas ya están en Suiza.

Klopp hizo un gesto preocupado con la cabeza.

—Es como si estuviesen en Marte. Retroceder y buscar otro paso montañoso nos llevará por lo menos una semana.

—Nunca lo conseguiríamos —dijo Alek, dando un golpecito al indicador de queroseno.

La aguja del manómetro tembló marcando la mitad, con suerte tendrían lo suficiente para unos pocos días.

Les había costado mucho conseguir combustible después de la locura que había cometido Alek en Lienz. Patrullas montadas barrían los caminos de carro, y zepelines patrullaban los cielos, todo por haberse comportado como un niño consentido y mimado.

Pero por lo menos Volger había tenido razón en una cosa. El príncipe Aleksandar de Hohenberg no había sido olvidado.

—No podemos rodearlos, de modo que tendremos que pasar justo por donde están ellos —decidió Alek.

Klopp negó con la cabeza.

—Este carro de combate está diseñado para proceder a ataques de popa, joven señor. Sus grandes cañones están en las torretas traseras y nos pueden machacar sin girar hacia los lados.

—No he dicho que tengamos que *enfrentarnos* a ellos —dijo Alek. Klopp y Volger se lo quedaron mirando, y a su vez Alek estaba pensando por qué estaban siendo tan duros de mollera. Suspiró—: Antes de que todo esto empezase, ¿alguno de ustedes había viajado en un caminante de noche?

Klopp se encogió de hombros.

—Es demasiado arriesgado. En las Guerras de los Balcanes, todas las batallas de caminantes se hicieron a pleno día.

—Exactamente —dijo Alek—. No obstante, nosotros hemos cruzado toda Austria en la oscuridad. Hemos conseguido dominar una habilidad que nadie más se atreve siquiera a practicar.

—*Vos* os habéis especializado en caminar de noche —dijo Klopp e hizo un gesto negativo con la cabeza—. Mis viejos ojos ya no pueden hacerlo.

—Eso no es verdad, Klopp. Usted aún es, y de lejos, el mejor piloto.

—De día tal vez. Pero si tenemos que echar a correr en la oscuridad, deberíais estar vos al mando de las palancas de los andadores.

Alek frunció el ceño. Durante todo el pasado mes había dado por descontado que el viejo Klopp le permitía pilotar para que fuera adquiriendo así práctica. La idea de que hubiese superado a su viejo profesor de *mekánica* era desconcertante.

—¿Está usted seguro?

—Completamente seguro —dijo Klopp, dándole una palmada en la espalda a Alek—. ¿Y usted qué opina, conde? Le hemos proporcionado a nuestro joven Mozart la suficiente práctica en caminata nocturna. ¡Pues será mejor que lo pongamos a prueba!

Pusieron en marcha los motores tras la puesta de sol.

Los últimos rayos aún brillaban como perlas en las cumbres nevadas en la distancia. Sin embargo, unas largas sombras se extendían desde las montañas, envolviendo el paso montañoso en la oscuridad.

Las manos de Alek se movieron hacia las palancas que controlaban los andadores. De pronto, un par de reflectores se encendieron en la fragata. Barrieron con su luz la oscura extensión de terreno, como si se tratase de brillantes cuchillos despedazando la noche. Sus manos abandonaron los controles.

—¡Saben que estamos aquí!

—Tonterías, joven señor —dijo Klopp—. Seguro que ya se han dado cuenta de que nos movemos de noche. No obstante, dos focos no pueden cubrir toda la frontera.

Alek dudó. Siempre había rumores de que Alemania tenía armas secretas: aparatos de escucha o máquinas que podían ver a través de la niebla y la oscuridad con ondas de radio.

—¿Y si tienen algo más que luces?

—Pues entonces improvisaremos —Klopp sonrió.

Alek observó los reflectores cuidadosamente. El recorrido de las luces barriendo el valle no parecía guardar una pauta en concreto. Que lograsen permanecer ocultos dependería de la pura suerte, algo que no parecía suficiente. Aquel plan había sido idea suya, por lo tanto, la culpa de cualquier desastre que pudiera ocurrir recaería solo sobre la cabeza de Alek.

Se obligó a apartar aquella idea de su mente y a recordar la frase favorita de su padre, de un poema de Goethe: «Los peligros de la vida son infinitos, y entre ellos se encuentra la seguridad».

En realidad, el riesgo real era permanecer ocultos en Austria. Si intentaban evitar todos los riesgos, tarde o temprano, acabarían encontrándolos. Volvió a posar las manos en los mandos.

—¿Preparados? —preguntó.

—Cuando queráis, Alek —el conde Volger se impulsó hacia la escotilla superior, apoyando los pies en la parte trasera de la silla del piloto.

Las puntas de sus botas golpearon los hombros de Alek, ambas a la vez: aquella era la señal de avanzar.

Alek sujetó con fuerza el control de los andadores y dio el primer paso.

La bota de Volger presionó su hombro izquierdo con suavidad y Alek inclinó el caminante hacia la izquierda. Era enojoso sentirse controlado como una marioneta, pero, desde lo alto, el conde tenía mejor visión.

—Ahora despacio —dijo Klopp cuando el caminante se inclinó hacia delante. El camino bajaba de forma pronunciada por la colina e iba a parar al valle largo y estrecho que guardaba el *Hérkules*—. Pasos cortos.

Alek asintió y apretó los dientes cuando el caminante resbaló un poco al bajar por la pendiente.

—Suelte el ancla trasera, Hoffman —dijo Klopp por el intercomunicador.

Se escuchó el repiqueteo de una cadena al desenrollarse por

detrás de ellos. Alek sintió el tirón del ancla cuando se clavó en las raíces y el subsuelo, arrastrándola como el juguete de un niño.

—Sé que es molesto —dijo Klopp—. Pero es la única forma que tenemos de no bajar rodando si caemos.

—No voy a caer —dijo Alek, con las manos tensas sobre los controles.

Con los motores a un cuarto de su potencia, los enormes pies se movían lentamente, como si estuviesen caminando en un suelo pegajoso.

La luna estaba empezando a alzarse en aquellos instantes y por el visor Alek solamente veía una oscura confusión de ramas. Las botas de Volger le dieron un toque a la izquierda y a la derecha sin ninguna pauta aparente, y los pies del caminante seguían enganchándose en las raíces y la maleza. Era como ser conducido con los ojos vendados y descalzo por una habitación sembrada de ratoneras.

Finalmente, llegaron al suelo del valle y Klopp enrolló el ancla. Alek aún no podía ver más que las ramas que azotaban el visor abierto, esparciendo hojas por el panel de control. No sabía si estaban agitando las copas de los árboles por encima de sus cabezas, como un pez moviéndose bajo la superficie de un estanque.

Su mente empezó a zumbar llena de dudas. Tal vez hubiese sido mejor elegir una noche ventosa para intentar aquello. ¿O por qué no esperar a que lloviese? ¿O a la oscuridad de la luna nueva?

Con un repentino «clanc» de botas sobre metal, Volger se dejó caer en la cabina del piloto.

—¡Agachaos!

Alek alargó el brazo hacia el panel de control, pero las manos de Klopp fueron más rápidas y un siseo llenó la cabina cuando el caminante se agachó entre los árboles. Momentos después un rayo de luz cegador hizo un barrido por donde estaban ellos. Los reflectores se pasearon por allí unos segundos y luego cambiaron hacia el bosque que tenían delante, continuando su perezoso recorrido entre los árboles.

—Movámonos de nuevo. Ahora están mirando hacia otra parte —dijo Volger.

—Lo siento pero tal vez tardaremos un poco —dijo Klopp con la vista puesta en los manómetros.

—Nuestros motores apenas funcionan —explicó Alek—. Volver a recuperar la presión de nuestras rodillas llevará su tiempo.

Se inclinó hacia atrás y estiró los dedos, contento de poder hacer una pausa. Estaba empezando a desear que la fragata los viera y les diese caza. Una buena carrera sería mejor que arrastrarse entre la oscuridad a un cuarto de su velocidad.

La escotilla del tronco se abrió y Hoffman asomó la cabeza.

—Perdonen, señores. Pero ¿ustedes han oído eso?

Todos se quedaron escuchando un momento y los oídos de Alek captaron un sonido precipitado por debajo del fragor del motor.

—¿Un arroyo? —preguntó.

Hoffman sonrió.

—Uno muy ruidoso, señor. Al parecer, más ruidoso que nosotros.

—Excelente —dijo Alek, sentándose erguido—. ¿A media velocidad, profesor Klopp?

Klopp escuchó otro momento y después asintió.

Pronto, el caminante ya estaba chapoteando río abajo, con el ruido de su motor mezclándose con el ruido del agua. Ahora la luna estaba más alta y el sendero brillaba delante de ellos. Volger continuaba en lo alto, atento a los reflectores, pero por lo menos ya no estaba sobre los hombros de Alek.

Las salpicaduras del agua estaban heladas. Al parecer la nieve debía de estar derritiéndose en las montañas, incluso a principios de agosto. Alek se preguntaba durante cuánto tiempo deberían permanecer en los Alpes. Esperaba que los misteriosos preparativos de Volger incluyeran un refugio de montaña con una cálida hoguera.

El suelo empezó a empinarse. Ya casi se estaban acercando a la parte más alta cuando la fragata terrestre se puso en guardia. Alek redujo los motores a cuarta velocidad y el Caminante de Asalto volvió a caminar exasperantemente con pies de plomo. No se escuchaba otro sonido excepto las llamadas de las aves nocturnas, el chapoteo de los gigantescos pies de metal y el murmullo del agua del riachuelo.

Entonces, una bota golpeó la parte trasera de su silla con un «pam».

—¡Volger! ¿Qué está...?

Algo destelló en la oscuridad delante de ellos. Alek se quedó inmóvil con el caminante quieto en mitad de un paso. El muchacho intentó ver algo entre la oscuridad.

—¿Qué hago? ¿Paro los motores? —susurró.

—¡No! —dijo Klopp—. Si nos ven, necesitaremos toda la potencia.

Volger bajó balanceándose de la escotilla.

—¡Alemanes! A pie, a unos cien metros delante de nosotros. No nos han visto. No todavía, al menos.

Alek soltó un juramento por lo bajo y flexionó las manos sobre los controles. No sabía qué era peor, que los vieran o quedarse allí inmóviles, como un conejo esperando a que le cayese en picado un halcón. Se inclinó para acercarse más al dispositivo óptico, haciendo visera con la mano sobre los ojos. Algo de metal destelló en la oscuridad y después escuchó un grito.

—Creo que... —empezó a decir.

Las salpicaduras del agua brillaron blancas bajo la luz de la luna: una patrulla de soldados de infantería atravesaban el arroyo, gritando. Uno de ellos se arrodilló en la orilla y levantó su rifle.

—... nos han visto —terminó Alek cuando resonó un «crac».

La bala golpeó el metal en alguna parte del cuerpo del caminante.

—Prepárense para disparar —gritó Klopp por el intercomunicador.

—¡No! —dijo Alek mientras sus manos toqueteaban los controles.

—Alek tiene razón —dijo el conde Volger—. Estos rifles puede que pongan en alerta los oídos de la fragata, pero si disparamos un cañón, entonces saldrán de toda duda. Tenemos que pasar entre ellos.

Los motores empezaron a rugir bajo ellos y Alek empujó las palancas de los andadores hacia delante. Los inmensos pies del Caminante de Asalto dieron grandes zancadas, salpicados por el agua poco profunda.

Cargaron hacia el arroyo, dispersando a los alemanes como si fuesen bolos. Algunas balas rebotaron por la armadura cuando pasaron, pero Alek no se molestó en ordenar que cerrasen el visor. Tener visión era mucho más valioso que la seguridad en aquellos momentos.

No se podían permitir ningún tropiezo, ni cometer errores, o los capturarían.

La luz de la luna dejaba ver los árboles, y el agua brillaba en su curso. Alek mostró una creciente sonrisa en su rostro cuando hizo correr al *Cíklope*. A ver si la fragata era capaz de atraparlos ahora.

Nadie podía caminar de noche como él.

● DIECIOCHO ●

Primero vieron las bengalas.

Silbaron al cruzar el cielo, quemando un fósforo que derramaba una luz de un frío azulado en la oscuridad. Las heladas partículas de agua que levantaban los pasos del caminante brillaban como diamantes dispersos en el aire.

Sobre sus cabezas volaron encendidas más bengalas, hasta que el cielo se iluminó con una docena de soles.

Bengalas y fuegos artificiales, al fin y al cabo aquello no eran armas secretas.

—¡Entremos en el bosque! —gritó Klopp.

Alek retorció los controles con fuerza y el caminante escaló la ribera del riachuelo con un solo paso. Entre los árboles, la oscuridad aún era más profunda, las sombras eran cambiantes y parecían bailar a medida que las bengalas se encendían sobre sus cabezas.

Sin embargo, no se produjeron más disparos de rifle ni tampoco se escuchó el ruido sordo de un disparo de cañón.

—¿Qué está sucediendo, conde? —gritó Klopp.

—La fragata está dando la vuelta —respondió también gritando Volger—. Parece que lo hace con parsimonia.

—¡Perfecto! Los hemos sorprendido con los motores fríos —dijo Klopp.

—Pero ¿por qué no nos está disparando? —preguntó Alek, haciendo virar al caminante para que rodease un montículo de rocas peladas.

—Buena pregunta, joven señor. Tal vez intentan capturaros vivo.

Alek alzó una ceja.

—Bueno, por lo menos resulta tranquilizador.

El suelo cada vez se inclinaba con más pendiente bajo ellos y estaba poniendo a prueba los motores del caminante. A medida que la cuesta se hacía más pronunciada se abrían más espacios entre los árboles y cada vez más amplios. Aquello hacía que caminar fuese más fácil, pero Alek se sentía expuesto bajo la nerviosa luz de las bengalas.

—¿Hacia dónde estaremos más a cubierto? —preguntó Klopp.

Volger bajó a la cabina.

—Da igual.

—¿Por qué?

—La fragata no es nuestro problema más inminente —Volger se agachó para situarse junto a Alek—. Haznos dar la vuelta. Tienes que verlos. ¡Y cargad ese cañón! —gritó por la escotilla del abdomen.

Alek condujo al caminante de tal forma que le hizo dar una ajustada vuelta. Desde lo alto de aquella pendiente sin protección, pudo ver a la fragata en su colina con sus ocho patas flexionándose lentamente en su despertar. Sus torretas ya habían dado la vuelta sobre sí mismas, pero Alek pudo ver entonces por qué aún no habían disparado.

Escalando por la ladera, tras ellos, subía una media docena de caminantes diferentes que Alek jamás había visto. Estaban construidos sobre cuatro patas y avanzaban con un paso al galope como caballos de metal. En cada uno de ellos montaba un solo tripulante con la cabeza y los hombros emergiendo al igual que los de un centauro. Los focos reflectores de cada caminante individual danzaban entre los árboles como luciérnagas.

Sus únicas armas eran unos pequeños tubos de mortero montados en la parte trasera de las máquinas. Cuando Alek miró hacia allí, uno de ellos floreció con una nube de humo, disparando otra bengala al cielo radiante.

—Debe de ser un nuevo tipo de explorador —murmuró Klopp.

—Y perfecto para rastrear a los caminantes como nosotros —dijo Volger.

Alek frunció el ceño.

—Pero ¡los morteros que llevan no conseguirían ni hacernos un rasguño!

—No les hace falta —dijo Klopp—, mientras sigan teniéndonos a la vista. La fragata conseguirá moverse tarde o temprano.

—Y entonces, ¿qué hacemos? —dijo Alek, sujetando las palancas de los andadores con las manos—. ¿Nos enfrentamos a ellos ahora mientras aún están calentando motores?

Klopp lo pensó un momento.

—No, es mejor que nos sigamos moviendo. Tal vez consigáis llevarnos a la frontera más rápidamente de lo que ellos esperan.

Alek hizo dar media vuelta al caminante y empezó a subir la cuesta otra vez. Escuchó que Volger estaba preparando las *Spandaus*. Los pilotos de la patrulla de exploración estaban blindados solo hasta la mitad. Si les disparaban unas ráfagas de metralleta se lo pensarían dos veces antes de seguirles demasiado cerca.

Un repentino destello rojo inundó la cabina del caminante, junto con una asfixiante nube de humo. Alek intentó ver a través de aquella humareda.

Una bengala aún ardiendo se movía erráticamente por el suelo. Se cubrió la boca con el puño y tosió.

—¿Nos están disparando *bengalas* ahora? ¿Es que se han vuelto locos?

—*Es* un poco patético —consideró Klopp—. Pero esto nos obligará a cerrar el visor.

Alek asintió con la cabeza. La posibilidad de que les entrase en la cabina fósforo ardiendo le ponía nervioso. Apenas necesitaba tener el visor abierto, puesto que el exterior estaba tan iluminado como si fuese de día.

Pero había algo en todo aquello que les resultaba extraño. El cielo seguía iluminado de un frío color azul y no obstante la bengala que no había conseguido darles se había encendido en un rojo intenso.

Cuando el visor se cerró con un chasquido, otra bengala pasó por su lado como un cohete, esta también de color rojo, errando

el blanco del *Cíklope* por los pelos. Volger empezó a disparar con una de las metralletas, llenando la cabina con el rugido de sus disparos y de más humo. Los casquillos de las balas resonaban por la cubierta de metal, rodando de un lado a otro por sus pies mientras el caminante avanzaba tambaleándose.

Otra bengala roja pasó zumbando por su lado, escupiendo humo y chispas. A Alek le estaban empezando a escocer los ojos y se le nublaba la vista por las lágrimas.

—¡Otto, asuma el control!

Klopp sujetó los mandos y Alek buscó a ciegas su cantimplora. Se echó agua por la cara, lavando el humo de sus ojos.

Un ruido metálico resonó por toda la cabina.

—¿Ha chocado con algo? —preguntó Alek, parpadeando para expulsar el agua.

Klopp negó con la cabeza.

—No creo. ¡Ahí afuera está lo bastante iluminado!

El gesto de Alek era de preocupación, puesto que sintió que la máquina rugía bajo él. Los pasos del caminante eran firmes mientras subía por la pendiente, y todos los indicadores y manómetros parpadeaban en sus niveles normales.

Excepto uno de ellos: la temperatura del tubo de escape posterior se había disparado de golpe.

Se puso de pie y abrió la escotilla superior.

—Alek —dijo Volger, dándose la vuelta un momento en su metralleta—. ¿Qué estáis haciendo?

—Algo va mal —se impulsó hacia arriba.

El aire fresco sopló en su rostro y el rugido sin amortiguar de los motores llenó sus oídos. Manteniendo la cabeza baja, miró atentamente el bosque. Solamente había árboles y maleza. ¿Adónde había ido la patrulla de exploración?

Entonces Alek vio a uno en la distancia, alejándose a toda velocidad.

—Pero ¿qué...? —empezó a decir y enseguida vio un destello rojizo que provenía de los tubos de escape posteriores del caminante.

Se impulsó hacia arriba un poco más para ver de qué se trataba.

Un pegote siseante de fósforo había quedado encallado en el revestimiento del motor. Aún ardiendo, lanzaba oleadas de nubes de humo al aire. Alek levantó la vista y vio la columna roja alzándose hacia el brillante cielo.

—Esto es demasiado si desean capturarme vivo —murmuró y se dejó caer de nuevo por la escotilla.

El conde Volger se lo quedó mirando.

—Me alegra ver que habéis recuperado vuestra...

—¡Klopp! —gritó Alek—. ¡Avance en zigzag!

El profesor de *mekánica* dudó y luego empezó a mover el *Cíklope* en zigzag a través de los árboles.

—¡Gire con más intensidad, señor! La última bengala *nos ha alcanzado*. ¡Está pegada al blindaje como una bola de barro y nos está llenando de humo! —los demás solo le miraron y Alek exclamó—: ¡Aquellos exploradores se están alejando lo más rápido que pueden!

Finalmente el rostro de Klopp mostró que comprendía lo que sucedía. Hizo mover al caminante hacia la izquierda durante unas largas zancadas y después hizo lo mismo hacia la derecha.

Aquella era la razón de por qué la fragata aún no había disparado. Sus cañoneros esperaban a tener el blanco marcado y que sus exploradores se alejasen lo suficiente. Y ahora el Caminante de Asalto ya estaba listo para ser machacado.

Alek miró el indicador del tubo de escape trasero: aún estaba caliente. Aquella columna de humo rojo continuaba alzándose sobre los árboles.

Se giró hacia Klopp.

—¿Hay alguna manera de quitarlo?

—¿El fósforo? El agua no funciona y seguirá ardiendo con cualquier cosa que intentemos para apagarlo. Tendremos que esperar a que se apague él solo.

—¿Y cuánto tarda eso? —preguntó Volger.

—Podría ser perfectamente una media hora —dijo Klopp—. Es tiempo más que suficiente para que ellos...

Un estruendo resonó en la distancia.

Alek gritó una advertencia, pero Klopp ya estaba retorciendo los andadores, maniobrando el caminante para que girase bruscamente. La máquina se arrastró por un grupo de árboles jóvenes y Alek se sujetó a las tiras de mano del techo, al resbalar sobre los casquillos de bala que rodaban por la cubierta de metal.

Entonces un soberano «bouuum» rodó por el *Cíklope*. El sonido sacudió a Alek hasta la médula de sus huesos y el mundo de pronto se inclinó de un lado a otro. Se colgó de las tiras de mano, con los pies balanceándose en el aire.

Las manos de Klopp nunca abandonaron los controles y, de alguna forma, aunque el caminante se tambaleó, consiguió al momento recuperar el equilibrio de nuevo. Hizo un viraje, por poco choca contra una haya. Unas gruesas ramas les azotaron, enviando una explosión de hojas a través del visor medio cerrado.

—¿Cuánto tardarán en enviarnos la siguiente descarga? —la voz de Volger era seca.

—Unos cuarenta segundos —dijo Klopp.

—¡Tenemos que librarnos de esa bengala! —gritó Alek—. ¡Denme algo para poder golpearla!

Volger negó con la cabeza.

—Es demasiado peligroso, Su Alteza.

Alek tuvo que reprimir una risa histérica mientras abría de par en par la taquilla del piloto.

—¿*Peligroso,* Volger? ¿Comparado con dejar que nos vuelen en pedazos?

—Pues entonces lo haré yo —dijo Volger.

La mano de Alek se cerró en una espada que nunca antes había visto. La sacó de la taquilla: era un antiguo sable de caballería, mucho más pesado que las espadas con las que practicaban esgrima, era perfecto para el trabajo.

—He montado en caminantes desde los diez años, Volger —dijo el príncipe, atándose la funda a su cinturón.

Volger apoyó su mano en el hombro de Alek.

—¡Esta espada tiene dos siglos! Vuesto padre...

—Puede ayudarnos —dijo Alek—. Recarguen las metralletas por si los exploradores vuelven.

Sin esperar una respuesta se impulsó hacia el techo y salió al exterior.

Una vez encaramado arriba, las ramas de los árboles azotaron su rostro y la máquina se balanceó bajo él como un caballo desbocado. Klopp estaba haciendo su mejor zigzag. El metal caliente de la carcasa del motor quemaba los dedos de Alek incluso a través de sus guantes de piloto.

La bengala de señalización estaba pegada entre los tubos de escape del caminante, que silbaban y escupían cada vez con más intensidad debido a la velocidad de la máquina. Salía humo rojo, que se extendía a medida que se alzaba hacia el cielo brillante. Alek sacó el sable y lo agarró con una mano, sosteniendo la vaina con la otra. Alzó la espada en alto y, a continuación, dejó caer la hoja con todas sus fuerzas.

La bengala se partió y se abrió bajo su sablazo, pero lo único que consiguió es que reluciera con más intensidad, como un leño ardiendo al ser removido con un atizador. Alek alzó la espada de nuevo y vio que las llamas recorrían su hoja: ¡el fuego estaba pegado al metal! El muchacho tragó saliva al pensar en lo que sucedería si aquella sustancia infernal se pegaba a la piel de alguien.

Unas luces parpadearon entre los árboles. Alek alzó la vista y atisbó la fragata en la distancia, con el humo saliendo de sus ca-

«UNA RELIQUIA FAMILIAR SALVA AL HEREDERO».

ñones. Cuando se arrodilló para tener mejor sujeción, el rugir del cañón las siguió con la tardía velocidad del sonido.

Unos prolongados segundos después, las balas dieron en el blanco. La onda expansiva golpeó sus oídos, rociándole de tierra el rostro y elevando al caminante bajo él.

Alek sintió cómo los enormes pies de la máquina chocaban contra el suelo otra vez, y el caminante se tambaleaba igual que un potro recién nacido. Abrió los ojos, justo a tiempo para agacharse y esquivar una rama de un árbol que iba a azotarle en la cabeza.

Ahora ya no se escuchaba ningún sonido excepto el silbido que resonaba en sus oídos y sus ojos le escocían llenos de escombros y humo. Pero pudo sentir cómo Klopp enderezaba al caminante y retomaba el control.

Ahora estarían al alcance de la fragata. Cada vez que disparasen, los proyectiles aterrizarían más cerca. Alek se encorvó de nuevo y alzó el sable para cortar en tajadas la pegajosa bengala, enviando chispas y furiosas nubes de humo al aire. De la hoja del arma caían brasas sobre su uniforme, quemando la chaqueta de piloto de piel como si fuesen carbones ardiendo. Olía su propio pelo chamuscándose con el calor.

Los exploradores que se retiraban dispararon por última vez al Caminante de Asalto una descarga de llamaradas. Alek no hizo caso de los disparos, que casi le alcanzaron, y siguió golpeando la llama.

Finalmente, consiguió soltar un gran trozo, que se pegó a su sable como la miel a un palo. Agitó la hoja de un lado a otro contra el viento, pero aquello no hizo más que avivar la llama.

Alek lanzó un juramento. Los cañones de la fragata estarían cargados otra vez en pocos segundos. Solo le quedaba una cosa por hacer. Se agachó sujetándose con un brazo envuelto alrededor de un tubo de escape.

—Lo siento, Padre —susurró y lanzó el antiguo sable con tanta fuerza como pudo hacia el bosque.

Dio varios puntapiés a los últimos trozos que quedaban ardiendo y colgaban aún del blindaje del caminante, y después se arrastró hacia la escotilla abierta.

—¡Klopp! —gritó hacia abajo—. ¡Siga recto tan rápido como pueda!

Alek miró hacia atrás antes de entrar en el caminante. La antigua reliquia seguía quemándose allí detrás entre los árboles, enviando al aire humo rojo. Los artilleros de la fragata pensarían que el caminante se habría detenido tambaleándose o habría caído después de la última andanada. Con un poco de suerte, dispararían hacia aquel lugar unas cuantas veces antes de enviar a los exploradores para reconocer el terreno.

Y cuando esto sucediese, el caminante ya estaría a quilómetros de distancia.

Cuando la adrenalina desapareció de su cuerpo, Alek empezó a notar el dolor. Tenía las manos y las rodillas rozadas y quemadas, y la piel de su uniforme olía como a carne chamuscada. Esperaba que Volger tuviese algo para las quemaduras entre sus provisiones de reliquias familiares y secretos inútiles.

Alek descendió por la escotilla y, al verlo, Volger abrió mucho los ojos, al reparar en que tenía el pelo chamuscado y su uniforme estaba ardiendo.

—¿Os encontráis bien?

—Estoy bien —dijo él, dejándose caer en la silla del comandante—. Debemos seguir avanzando.

Las montañas cada vez se veían más altas por el visor. La frontera ya no podía estar lejos y el cielo que tenían ante ellos estaba despejado de bengalas. Muy pronto estarían rodeados por la agradable oscuridad.

Los cañones de la fragata retumbaron de nuevo, pero sus proyectiles estallaron muy lejos tras ellos, sin apenas entorpecer el paso del Caminante de Asalto. Los alemanes aún estaban disparando a la espada de su padre.

Alek sonrió: aquella reliquia era demasiado para sus armas secretas.

Permitió que sus ojos se cerrasen. Después de un mes de correr, finalmente podía descansar. Tal vez su vida empezaría a tener sentido otra vez, cuando el *Cíklope* hubiese alcanzado un lugar seguro.

Ya no quería más sorpresas por un buen rato.

· DIECINUEVE ·

—Me gustaría ver sus abejas, señor Sharp.

Deryn alzó la vista del cuaderno de dibujo con aire cansado y apartó el lápiz. Acababa de terminar la última guardia del día, cuatro nerviosas horas de vigilar atentamente por si aparecía alguna nave alemana, pero la doctora Barlow parecía no dormir nunca. Tenía un aspecto bien acicalado, con su abrigo de viaje y su bombín, y Tazza daba saltos junto a la científica, siempre feliz de explorar el barco.

—¿*Mis* abejas, señora?

—No sea pesado, señor Sharp. Me refiero, por supuesto, a las colonias de abejas del *Leviathan.* ¿Siempre dibuja mientras se afeita?

Deryn miró la empuñadura de la navaja metida en su jarra, recordando que la mitad de su rostro estaba cubierto de espuma. Temía que en algún momento alguien pasase por la puerta de su camarote abierto y sospechase el engaño. Pero al cabo de pocos minutos se había cansado de fingir delante del espejo. Incluso copiar esbozos del capítulo sobre inversiones térmicas del *Manual de Aeronáutica* era más interesante que fingir que se estaba afeitando.

Se limpió la cara con una toalla.

—Esta es la vida de un cadete, señora. Y siempre estudiando... y llevar de paseo a los científicos visitantes, por supuesto.

—Por supuesto —dijo la doctora Barlow dulcemente.

Durante los dos días que llevaba a bordo había recorrido cada pulgada de la aeronave, arrastrando a Newkirk y Deryn de cubierta en cubierta, a la parte superior e incluso por las colonias de Huxleys en las tripas de la ballena. No es que le estuviesen enchufando todo el trabajo a ella, lo que sucedía es que solo permanecían a bordo dos cadetes, por culpa del peso del tilacino, la mascota de la doctora Barlow, de su numeroso equipaje y la misteriosa carga asegurada en la sala de máquinas.

Deryn echaba de menos tener a los demás cadetes por allí, por lo menos para compartir el trabajo de las lecturas de altitud y de alimentar a los murciélagos *fléchette*. La única cosa genial, aparte de que se había marchado aquel caraculo de Fitzroy, era que Deryn y Newkirk tenían un camarote privado cada uno. No obstante, por lo que parecía, los estudios de la doctora Barlow no incluían la asignatura de la privacidad.

—Vamos, Tazza —murmuró Deryn, cogiendo la correa de la bestia mientras entraba en el corredor.

Condujo a la doctora Barlow a las escaleras de popa que subían a la cubierta superior de la barquilla. Los aparejadores y los veleros dormían allí arriba, aunque Deryn no lograba entender cómo lo conseguían. El canal gástrico de la aerobestia llenaba el aire con un hedor parecido a cebollas podridas y pedos de vaca.

Los vigías que no estaban de guardia descansaban en las hamacas colgadas a ambos lados del pasillo, algunos de ellos enroscados con sus rastreadores de hidrógeno para encontrar calor. La aerobestia viajaba a una altura de más de dos mil cuatrocientos metros, por suerte a demasiada altitud para los aeroplanos alemanes que les habían estado acosando todo el día, y el aire allí arriba era tan frío como el trasero de un mono de latón.

Ninguno de los aparejadores miró a la doctora Barlow ni al tilacino cuando pasaron junto a ellos. Los oficiales de la nave habían anunciado que cualquiera que hiciese algún comentario o se quejase sobre la pasajera sería denunciado. Al fin y al cabo, no era momento para supersticiones navales. El día antes, Alemania había declarado la guerra a Francia y hoy había invadido Bélgica. El rumor era que Gran Bretaña entraría en guerra al día siguiente a menos que el Káiser detuviera todo aquel lío a medianoche. Y, en realidad, nadie creía que aquello fuese a suceder.

En la escotilla para entrar en las entrañas del *Leviathan,* Deryn alzó a Tazza entre sus brazos para subir. En el frío y estrecho espacio que había entre la aerobestia y la barquilla, las células ventrales de camuflaje brillaban con una tonalidad de un color plateado apagado, camuflándose entre el color de los picos nevados iluminados por la luz de la luna. Los Alpes Suizos se alzaban bajo ellos. Deryn calculaba que el *Leviathan* estaba a un tercio del camino de su destino, en el Imperio otomano.

Tazza saltó de sus brazos y subió curioso a explorar aquella extraña mezcla de olores: excrementos del canal gástrico, el olor a almendras amargas de las fugas de hidrógeno y la esencia de la piel de la aerobestia.

Deryn siguió al animal, subió a la tripa y una vez dentro se arrodilló para tender una mano a la doctora Barlow. Se detuvieron un momento en la cálida oscuridad y sus ojos se ajustaron a la verde penumbra de la luz de las luciérnagas.

—Aprovecharé esta oportunidad para recordarle que no fume, doctora.

—Muy divertido, señor Sharp.

Deryn sonrió y rascó la cabeza de Tazza. En el *Leviathan* no se les permitía encender ni una llama en ninguna parte. Las cerillas y las armas de fuego se mantenían encerradas bajo llave, y las botas de los aviadores eran de suelas de goma para evitar chispas de estática. Pero según las normativas, a los pasajeros se les debía recordar las reglas sobre fumar cada vez que la tripulación así lo considerase necesario. Incluso si estos eran científicos elegantes y aunque resultase que recordarles lo rematadamente obvio les molestase.

Al avanzar, Tazza caminó aún más pegado al suelo, siempre un poco nervioso en el interior de la ballena. Caminaban sobre una pasarela de aluminio, no obstante las paredes del canal gástrico estaban vivas, eran cálidas y palpitantes mientras hacía la digestión, iluminadas por gusanos. Las vejigas de hidrógeno que tenían encima estaban tensas y eran traslúcidas, toda la nave estaba hinchada en el aire pobre de las grandes alturas.

«EN LAS ENTRAÑAS DE LA NAVE».

A medida que se aproximaban a la proa, se escuchaba un zumbido cada vez más intenso: eran millones de minúsculas alas removiendo el aire, extrayendo el néctar recogido aquel día sobre Francia. Al avanzar un poco más, las paredes estaban cubiertas con una agitada masa de abejas, con sus cuerpecillos redondos zumbando sobre la cabeza de Deryn, rebotando con suavidad en sus manos y su rostro. Tazza soltó un leve siseo y se presionó con más fuerza contra sus piernas.

Deryn podía comprender el nerviosismo del tilacino. Cuando vio las colmenas por primera vez, pensó que eran armas, como los halcones bombarderos o los murciélagos *fléchette*. No obstante, las abejas del *Leviathan* ni siquiera tenían aguijones. Como al jefe científico le gustaba decir a menudo, eran sencillamente un método para extraer combustible de la naturaleza.

En verano, los campos que la aeronave sobrevolaba estaban llenos de flores y cada una contenía una minúscula partícula de néctar. Las abejas recopilaban aquel néctar y lo convertían en miel. Después, las bacterias de la tripa de la aerobestia la engullían y expelían ventosidades de hidrógeno. Era una estrategia de los cerebritos: no tenía sentido crear un nuevo sistema cuando podías tomarlo prestado de uno que la evolución ya había perfeccionado.

Una abeja se detuvo inquisitivamente en el aire delante de la cara de Deryn. Tenía el cuerpo velloso y amarillo, con sus regiones dorsales tan brillantes y negras como unas botas de gala, y sus alas se veían borrosas. Se la quedó mirando para memorizar su forma y dibujarla después.

—Hola, animalillo.

—¿Decía algo, señor Sharp?

Deryn apartó con la mano la abeja curiosa y se dio la vuelta.

—¿Desea ver alguna cosa en particular, señora?

La doctora Barlow se estaba poniendo bien un velo negro bajo su bombín, como un científico en un funeral.

—Mi abuelo fabricó una de estas especies. Quería probar su obra.

«¿Su *abuelo*?». La doctora Barlow debía de ser entonces mucho más joven de lo que parecía.

—Parece sorprendido, señor Sharp. La miel es comestible, ¿verdad?

—Sí, señora. El señor Rigby nos obligó a todos los cadetes a probar un poco. Fitzroy montó un espectáculo haciendo muecas con la cara y Newkirk estuvo a punto de escupirla. Pero lo cierto es que su sabor es tan bueno como el de la miel natural.

Deryn sacó su navaja y la clavó en el gran panal hexagonal, cogiendo un poco de miel con la hoja. Ofreció el cuchillo a la doctora Barlow, que lo cogió con un dedo y luego se lo pasó bajo el velo para llevárselo a la boca.

—Mmm… Sabe a miel.

—Es agua, principalmente —dijo Deryn—. Con una pizca de carbono para darle sabor.

La doctora Barlow asintió con la cabeza.

—Un análisis muy astuto, señor Sharp. Pero está frunciendo el ceño.

—Disculpe, señora. Pero ¿ha dicho que su abuelo era darwinista? Debió de ser uno de los primeros.

La doctora Barlow sonrió.

—Sí, lo fue. Y las abejas le fascinaban mucho, especialmente estaba interesado en saber cómo estaban conectadas con los gatos y los tréboles.

—¿Con los *gatos*, señora?

—Y los tréboles, sí. Se dio cuenta de que las flores de trébol rojo abundan cerca de las ciudades y escasean en el campo —la doctora Barlow, pasó el dedo por el cuchillo para probar un poco más de miel—. Verá, en Inglaterra la mayoría de los gatos vive en las ciudades, y los gatos comen ratones. Estos mismos ratones, señor Sharp, atacan las colmenas de abejas por su miel. Y los tréboles rojos no pueden crecer sin las abejas que los polinicen. ¿Me sigue?

Deryn alzó una ceja.

—Humm , no estoy del todo seguro, señora.

—Pero es muy simple. Cerca de las ciudades hay más gatos, menos ratones y de este modo más abejas, con lo cual hay más tréboles rojos. Mi abuelo tenía mucho talento para darse cuenta de estas relaciones en forma de red. Está frunciendo el ceño de nuevo, señor Sharp.

—Es solo que parece que fue un caballero bastante excéntrico.

—Algunos lo creen —la doctora Barlow se echó a reír—. Pero, a veces, los excéntricos se dan cuenta de cosas que las demás personas no perciben. Por ejemplo, usted debe de afilar la cuchilla de su navaja de afeitar muy bien.

Deryn tragó saliva.

—¿Mi cuchilla, señora?

La científica alargó la mano y sujetó a Deryn por la barbilla.

—Tiene ambos lados de la cara igualmente suaves. Pero ¿acaso no le interrumpí yo a medio afeitar?

Mientras la doctora Barlow esperaba una respuesta, el zumbido de las colmenas rugía en la cabeza de Deryn y la pasarela parecía inclinarse bajo sus pies. Había sido una boba haciendo el tonto con las navajas de afeitar. Así es como siempre la habían pillado con las mentiras: haciendo que las cosas fuesen demasiado *complicadas*.

—Yo... yo no estoy segura de lo que quiere decir, señora.

—¿Cuántos años tiene, señor Sharp?

Deryn parpadeó. No le salían las palabras.

—Con una piel así de fina, ni dieciséis —dijo la doctora Barlow—. ¿Tal vez catorce? ¿O es usted más joven?

Deryn entrevió una chispa de esperanza. ¿Y si la científica había adivinado el *secreto equivocado*? Decidió decirle la verdad:

—Casi quince, señora.

La doctora Barlow soltó su barbilla, encogiéndose de hombros.

—Bueno, estoy segura de que no es el primer muchacho que entra en las Fuerzas Armadas un poco joven. Su secreto está a salvo conmigo —le devolvió el cuchillo—. Verá, el gran logro de mi abuelo fue el siguiente: si eliminas un elemento, los gatos, los ratones, las abejas, las flores: toda la red se altera. Un archiduque y su mujer son asesinados y toda Europa va a la guerra. Si falta una pieza esto perjudica al puzle, tanto si es en el mundo natural o en la política o aquí en las tripas de una aeronave. Parece un tripulante inteligente, señor Sharp. Odiaría tener que perderle.

Deryn asintió lentamente, intentando asimilar todo aquello.

—Estoy de acuerdo con usted, señora.

—Además —una leve sonrisa apareció juguetona en los labios de la doctora Barlow—, saber su pequeño secreto hace que sea más fácil, ojalá pudiese contarle algo del mío.

Antes de que Deryn tuviese la oportunidad de preguntarse qué quería decir ella con aquellas palabras, reparó en que resonaba un lejano tañido por encima del rugir de las colmenas.

—¿Ha oído usted eso, señora? —dijo ella.

—¿La alarma general? —la doctora Barlow asintió tristemente—. Eso me temo. Seguramente será que Gran Bretaña y Alemania finalmente están en guerra.

· VEINTE ·

La alarma sonaba en una secuencia de tres tonos: era la señal de un ataque aéreo.

—Debo darme prisa, señora. ¿Podrá volver sola a su camarote? —dijo Deryn rápidamente.

—Me temo que no, señor Sharp. Debo vigilar mi cargamento.

—Pero… pero... estamos en alerta —balbuceó Deryn—. ¡No puede ir a la sala de máquinas!

La doctora Barlow le quitó la correa de Tazza de las manos.

—Este cargamento es más importante que sus normas, jovencito.

—Pero los pasajeros deben quedarse…

—Y los cadetes *deben* tener dieciséis años —la doctora Barlow hizo un gesto de despedida con la mano—. ¿No tenía que ir a una especie de estación de combate?

Deryn refunfuñó, pero decidió darse por vencida y se dio la vuelta. Había hecho lo que había podido: por ella, la científica podía colgarse de una ventana si quería.

Deryn corrió hacia la barquilla principal por la pasarela metálica que temblaba bajo sus pies. Los pasillos del dirigible se llenaron de miembros de la tripulación que corrían en todas las direcciones. Esquivó un escuadrón de hombres con uniformes gástricos y llegó hasta la escotilla que salía de las entrañas, por la que se escurrió hasta la mitad para echar un vistazo al exterior.

En el viento helado, entre la barquilla y la bestia aérea, retumbaba un sonido desconocido. No era el zumbido de los motores de impulsión, sino el desagradable rugido de la tecnología clánker. Un rayo de luna se reflejó en la distancia en una forma alada, con una cruz de hierro pintada en la cola. Después de todo, los aviones alemanes podían alcanzar esa altitud.

Deryn acabó de bajar con un salto y aterrizó con tanta fuerza que sus dientes chasquearon. La estación de combate de los cadetes estaba en la parte alta, con los murciélagos, por lo que necesitaba un uniforme de vuelo si no quería congelarse. Deryn tenía el uniforme en el camarote, pero entre las literas de los aparejadores siempre había alguno de recambio. Avanzó entre la multitud de hombres y rastreadores de hidrógeno buscando un uniforme con un par de guantes en los bolsillos. No tenía tiempo de buscar unas gafas; la testarudez de la doctora Barlow ya le había hecho perder demasiado tiempo.

Por un instante, mientras se abrochaba el mono hasta el cuello, Deryn sintió vértigo. La agitación por el combate inminente se sumaba a la angustia de saber que la doctora Barlow había estado a punto de descubrir su secreto. La científica había prometido no contárselo a nadie, pero todavía no conocía toda la historia, al menos por el momento. Con aquella mirada tan aguda, tarde o temprano *descubriría* la verdad.

Deryn respiró profundamente y sacudió la cabeza para aclararse las ideas. No era el momento de pensar en secretos. La guerra finalmente había estallado.

Tiró de la cuerda de seguridad para comprobar su resistencia y luego se dirigió a las escotillas que conducían a los flechastes.

Al menos media docena de máquinas voladoras perseguían al *Leviathan*. Resultaba difícil contarlas ya que se mantenían a cierta distancia para protegerse de los halcones bombarderos y de sus redes antiaéreas.

Deryn ya se encontraba a medio camino de la parte alta, escalando veloz entre el viento gélido. Hombres y animales fabricados se apiñaban en los flechastes y las cuerdas oprimían la membrana con su peso.

Oyó cómo los motores de impulsión cambiaban de sentido y el mundo empezó a inclinarse. Cuando el dirigible dio la vuelta, Deryn se encontró de nuevo debajo, colgada y aferrada a los flechastes con ambas manos. Los tripulantes que tenía a su alrededor se balanceaban cogidos por sus arneses de seguridad, pero el mosquetón de Deryn estaba libre de su cinturón.

—¡Maldita sea! —exclamó, mientras se miraba las manos doloridas. Seguramente el señor Rigby tenía razón cuando recomendaba el uso de mosquetones de seguridad en la batalla. Balanceó los pies y atrapó las cuerdas con una pierna para liberarse de una mano. El dirigible viró bruscamente y, encima de ella, un lagarto mensajero perdió su agarre. Pasó rozando por su lado mientras caía y oyó cómo soltaba palabras al azar con una espantosa mezcla de voces humanas.

Deryn apartó la mirada de la pobre bestia: sus dedos habían encontrado el gancho de seguridad. Lo aseguró a una cuerda y se dejó colgar del arnés, con lo que pudo descansar los músculos doloridos de las manos.

Un estruendo llenaba el aire cada vez con más intensidad.

A una distancia de medio kilómetro, una máquina clánker se acercaba a gran velocidad. En cada una de sus alas rugía un motor y el aparato dejaba tras de sí dos estelas gemelas de humo. Sus anchas alas de murciélago se extendían y giraban sobre sí mismas mientras el avión se acercaba

La ametralladora empezó a disparar, rozando el flanco del *Leviathan*.

Hombres y bestias corrían por todas partes para esquivar las balas. Deryn vio que alcanzaban a un rastreador de hidrógeno que se debatía agonizante contra los flechastes y finalmente caía al vacío agitándose violentamente. Los gusanos luminosos despedazados bajo la piel por los proyectiles desprendían destellos verdes y brillantes.

El avión seguía acercándose a la aeronave con un gran estruendo. Deryn se soltó el arnés y se deslizó hacia abajo tan rápido como pudo. Las balas hicieron ondular la membrana justo encima

de su cabeza, como si fueran piedras que impactan en el agua. Las cuerdas se estremecían entre sus manos y temblaban con el dolor de la aeronave.

Por fin la ametralladora dejó de disparar y el avión se alejó. No obstante, en la oscuridad se encendió una chispa luminosa: el artillero había encendido un bote de fósforo. Alzó el artefacto, del que salían chispas y humo, mientras el avión viraba para volver hacia el *Leviathan*.

Deryn se aferró a las cuerdas, pero no podía subir hacia ninguna parte. El olor a almendra amarga del hidrógeno llenó sus pulmones. Todo el dirigible estaba a punto de explotar.

Entonces el haz de un reflector iluminó la oscuridad. Una bandada de halcones bombarderos que llevaban redes antiaéreas seguía el arco de su trayectoria. Los cabos brillantes colgaban de los arneses de los pájaros, que volaban como si transportaran una telaraña. Los halcones giraron y volaron en formación, extendiendo la trama luminosa en la trayectoria del avión

La máquina se estrelló contra la red, que la envolvió derramando ácido de araña fabricado por sus cabos. En pocos segundos, el ácido quemó las alas, las estructuras metálicas y la carne. Las piezas del avión salieron disparadas con violencia mientras las alas se plegaban como tijeras en el aire.

Los tripulantes del avión clánker, el bote de fósforo mortal y un centenar de piezas metálicas se precipitaron sobre los picos nevados.

Del flanco del dirigible se oyó un profundo estallido de alegría y todos levantaron el puño mientras la máquina se precipitaba al vacío. Los aparejadores se pusieron a trabajar enseguida para reparar la membrana, pero algunos hombres todavía colgaban inmóviles de sus arneses, ya sin vida o gravemente heridos.

Aunque Deryn no era médico, y en aquel momento ya debería estar en la parte alta, le costó mucho tiempo empezar a subir de nuevo y dejar atrás aquellos cuerpos ensangrentados.

Allí fuera había más aviones, se recordó a sí misma, y los murciélagos *fléchette* debían ser alimentados.

◆ ◆ ◆

La parte superior estaba llena de tripulantes, ametralladoras y rastreadores enloquecidos con el olor del hidrógeno vertido.

Deryn se mantuvo a cierta distancia de la concurrida zona dorsal y empezó a correr a lo largo de la blanda membrana lateral hacia un lado. Pensó que, después de recibir aquella lluvia de balas, la bestia aérea no notaría las pisadas de un pequeño cadete.

La tripulación del *Leviathan* contraatacaba en aquel momento: las ametralladoras vibraban ancladas en la espina dorsal y en las cápsulas de los motores, mientras los reflectores guiaban a los halcones bombarderos en la oscuridad. Pero lo que el dirigible realmente necesitaba era más murciélagos *fléchette* en el aire.

Cuando llegó a proa, Newkirk y Rigby ya estaban allí lanzando puñados de comida a los murciélagos a toda prisa. Algunos aparejadores se habían unido a ellos para reemplazar a los cadetes que faltaban.

El contramaestre la miró enfurecido y Deryn exclamó:

—¡Estaba con la científica, señor!

—Me lo figuraba —le lanzó una bolsa de comida—. Nos han cogido desprevenidos, ¿eh? ¡Quién se iba a imaginar que estos malditos clánkers serían capaces de volar a esta altura!

Deryn empezó a arrojar grano y *fléchette* tan rápido como podía. La mayoría de los murciélagos ya estaba en el aire en medio de aquel tumulto.

—¡Al suelo, muchachos! —gritó alguien—. ¡Se acerca uno!

Un avión avanzaba hacia la proa con gran estruendo. Deryn se tiró al suelo y cayó bruscamente sobre un *fléchette* que se había desviado. La ametralladora principal disparó una ráfaga y los proyectiles pasaron silbando por encima de su cabeza. Una bandada de murciélagos asustados alzó el vuelo entre la estela de los proyectiles.

Deryn alzó la vista. La ametralladora había dado en el blanco. El avión dio un bandazo y el motor carraspeó. Después giró sobre sí mismo y empezó a dar vueltas fuera de control, arrugándose como un trozo de papel entre las manos de un gigante.

En la parte alta del dirigible se oyeron gritos de júbilo, pero el señor Rigby no se detuvo a celebrarlo. Se levantó, corrió hacia Newkirk y ató su cuerda de seguridad a la del cadete.

—¡Venga, Sharp! —gritó—. ¡Engánchese! Tenemos que ir hacia delante.

Deryn se puso en pie de un salto, corrió tras ellos y enganchó su cuerda de seguridad a la de Newkirk. El contramaestre los alejó de la zona dorsal y los condujo a la empinada pendiente de proa. Todavía quedaba un centenar de murciélagos que fingían estar enfermos en sus nidos, pero esa noche el *Leviathan* necesitaba a todas sus bestias en el aire.

La piel de la proa era más dura que la del flanco ya que había sido diseñada para hacer frente a tormentas y ráfagas de viento. Las botas de Deryn resbalaban en aquella superficie compacta y el peso del saco de comida le hacía perder el equilibrio. Tragó saliva: en la parte frontal de la bestia aérea escaseaban las cuerdas y los flechastes y además estaban muy separados unos de otros.

La pendiente era cada vez más pronunciada. Pronto Deryn pudo ver todo el recorrido hasta las anteojeras en los ojos de la ballena, que impedían que se distrajera y la protegían de las balas.

Otro avión rugía detrás de ellos y su ametralladora disparaba contra la cápsula del motor a babor. El ruido de los engranajes chirriaba en el aire gélido y, en respuesta, los haces de luz de dos reflectores siguieron al avión en un cielo oscuro y lleno de sombras.

Deryn se dio cuenta horrorizada de que los encargados de los reflectores se habían olvidado de cambiar el color del haz luminoso a rojo para indicar a los murciélagos que era el momento de lanzar sus *fléchette*. Guiaban a la bandada directamente hacia la trayectoria del avión clánker. Los murciélagos por sí solos no pesaban demasiado, pero las puntas metálicas que tenían en el estómago podían derribar el avión. Los gritos escalofriantes de las pobres criaturas se oían más que el ruido de los motores averiados y de las alas que se partían.

Mientras Deryn observaba cómo se precipitaba el avión, resbaló. El suelo se movía bajo sus pies.

—¡Caemos en picado, muchachos! —gritó el señor Rigby—. ¡Agarraos a lo que podáis!

De repente las montañas nevadas aparecieron delante de ellos y el estómago de Deryn dio un vuelco. ¡El dirigible nunca había descendido tan rápido! Deryn se tiró al suelo y buscó con los dedos algo a lo que agarrarse. El saco de comida resbaló y esparció higos y *fléchette* en el cielo nocturno.

Seguía resbalando..., *cayendo*.

Entonces la cuerda de seguridad se tensó y detuvo bruscamente a Deryn. Alzó la mirada y vio a Newkirk y Rigby acurrucados en la cavidad de un nido, mientras los murciélagos volaban por encima de sus cabezas.

Se refugió al calor de la cavidad. Estaba llena de estiércol de murciélago y de *fléchette* viejos, pero al menos había donde agarrarse.

—Encantado de que se una a nosotros, señor Sharp —dijo Newkirk sonriendo como un loco—. Fantástico, ¿verdad?

Deryn frunció el ceño.

—¿Desde cuándo es tan valiente?

Antes de que pudiera contestar, el mundo volvió a dar vueltas bajo sus pies.

—Hemos perdido un motor —dijo el señor Rigby.

Deryn cerró los ojos para escuchar el latido de la aeronave. Parecía débil. Volaba en un ángulo muy extraño y el flujo de aire que los rodeaba era turbulento.

Aún se oía el rugido de los aviones clánker en la oscuridad (y por el ruido, probablemente, eran dos) y en los haces luminosos de los reflectores del *Leviathan* se veían pocos murciélagos. Las bestias revoloteaban inútilmente en el cielo nocturno, demasiado asustadas por los disparos y los enfrentamientos como para volver a volar en formación.

—¡Necesitamos más murciélagos ahí arriba! —gritó el señor Rigby mientras desenrollaba rápidamente una cuerda de su cinturón para reemplazar el cabo que unía a Deryn y Newkirk por otro de unos quince metros de largo—. Hay una gran cavidad debajo de nosotros, Sharp. Baje y mire a ver si consigue alzar a alguna maldita criatura más —puso en las manos de Deryn su saco de comida—. Asegúrese de que hayan comido antes de que salgan.

—¿Y yo, qué hago? —se quejó Newkirk.

Parecía que la batalla le sentaba de maravilla, mientras que Deryn estaba a punto de vomitar.

—Tendrá que esperar a que encontremos una cuerda más larga —dijo Rigby, que seguía ocupado con las cuerdas—. No quiero perder a mis dos últimos cadetes.

Deryn se encaramó al borde de la cavidad, intentando no pensar en los picos de las montañas que cada vez estaban más cerca. ¿Había perdido demasiado hidrógeno el dirigible como para mantenerse en vuelo?

Se quitó esa idea de la cabeza y descendió con cautela hacia una grieta oscura en la piel de la bestia. El rugido de un motor clánker parecía cada vez más cercano, pero Deryn no se atrevía a apartar la mirada de sus pies y sus manos.

Quedaban pocos metros…

Detrás de ella, una ametralladora abrió fuego y Deryn se apretó contra el *Leviathan*, susurrando con los ojos cerrados:

—No te preocupes, bestezuela. Te quitaré de encima a esos caraculos.

El destello de los reflectores atravesó sus párpados cerrados y la máquina se alejó rugiendo, dejando tras de sí una estela de humo maloliente que se mezcló con el hidrógeno que salía del dirigible.

En el último tramo, Deryn se dejó caer y sus botas se aferraron a duras penas al borde de la cavidad. Cogió con fuerza la cuerda, se balanceó hacia el interior y aterrizó de rodillas.

La cavidad estaba vacía. No quedaba ningún murciélago.

—Diablos —maldijo Deryn en voz baja.

El suelo se movió bajo sus pies. Se dio la vuelta y miró a su alrededor. El horizonte estaba inclinado. Las montañas habían desaparecido y en su lugar se podía ver un cielo frío y estrellado… ¡El *Leviathan* volvía a ganar altura!

Salió de la cavidad. Ahora que el dirigible subía de nuevo, la pendiente por la que había descendido estaba prácticamente en horizontal. Rigby y Newkirk habían salido al exterior con sus arneses unidos por una larga cuerda.

—No ha habido suerte, señor —gritó Deryn—. ¡Creo que se han ido todos!

—Entonces, vayámonos, muchachos —el señor Rigby se dio

«MASACRE EN LA ZONA DORSAL».

la vuelta y empezó a subir hacia la zona dorsal—. Abandonemos la
proa antes de que vuelva a caer en picado.

Los tres desenrollaron las cuerdas de seguridad en toda su longitud y mientras subían iban despertando a los últimos murciélagos que quedaban. Deryn ascendió tan rápido como le fue posible.
Si el dirigible seguía virando de aquel modo, estar en la parte alta
ya no era una buena idea.

Los dos últimos aviones merodeaban a cierta distancia y Deryn
se preguntaba a qué estaban esperando. Aún se veían algunos halcones bombarderos en el aire, pero sus redes estaban rotas. Solo
había un reflector encendido: los tripulantes intentaban agrupar a
los murciélagos *fléchette* en una única bandada.

En la zona dorsal, la situación era peor. Un equipo de mecánicos desmontaba la ametralladora delantera. Había hombres heridos por todas partes y se había vertido tanto hidrógeno que los
rastreadores estaban frenéticos. Las balas habían acribillado el
enorme arnés de la ballena.

Deryn se arrodilló al lado de un hombre herido, que aún agarra-
ba la correa de un rastreador de hidrógeno. El animal aulló apartando la mirada del rostro pálido de su amo. Deryn se fijó mejor.
El hombre estaba muerto.

Deryn empezó a temblar, pero no sabía si era por el frío o por
el horror de la batalla. Solo llevaba un mes a bordo, pero se sentía
como si hubieran matado a su familia y hubieran quemado su casa
delante de sus ojos.

Entonces se volvió a oír el inconfundible rugido de los motores clánker y todas las miradas se dirigieron al cielo oscuro. Los dos últimos aviones se acercaban juntos para arremeter una vez más contra la aeronave.

Deryn se preguntó qué deberían de estar pensando los tripulantes de aquellas dos máquinas. Habían visto caer a sus compañeros. Seguro que sabían que iban a morir. ¿Qué tipo de locura les hacía pensar que matar al *Leviathan* a toda costa era tan importante?

El único reflector iluminó su trayectoria y uno de los aviones vibró en el aire. Las pequeñas sombras negras de los murciélagos se lanzaron contra las alas del avión, que se inclinó bruscamente. Una parte impasible del cerebro de Deryn observaba el cambio del flujo de aire alrededor de las alas: en poco tiempo el avión se retorcería y se precipitaría...

Se dio la vuelta cuando el avión estalló en llamas.

Pero el rugido del otro motor cada vez era más cercano.

—¡Maldita sea! ¡Pretende estrellarse contra nosotros! —gritó el señor Rigby mientras corría hacia delante para verlo mejor.

Alguien soltó un juramento en la ametralladora delantera. Sus compresores volvían a fallar, pero había otras ametralladoras que disparaban desde más lejos, en la popa. De pronto, todos los reflectores volvieron a encenderse e iluminaron la noche, y el avión que se acercaba brilló como una bola de fuego en el cielo.

Diminutas alas negras revolotearon en los haces luminosos de los reflectores y el avión vibró y dio un bandazo al colisionar contra los murciélagos. Pero de algún modo consiguió seguir adelante.

Finalmente, a unos treinta metros de distancia, la máquina empezó a girar sobre sí misma en el aire. Las alas se plegaron y sus piezas salieron disparadas en todas direcciones. La cabina del artillero se desprendió, pero el arma seguía disparando. La hélice se soltó del motor y dibujó espirales en el cielo como un insecto enloquecido.

Deryn notó un temblor bajo sus pies; se quitó un guante y se arrodilló para tocar las gélidas escamas dorsales con la palma de la mano. La aerobestia emitía un gemido ahogado. Los cascotes del avión desintegrado habían colisionado contra el *Leviathan* y habían roto la membrana. Deryn cerró los ojos.

Una pequeña chispa y se convertirían todos en una bola de fuego.

Oyó un grito. El señor Rigby se tambaleaba en el flanco en pendiente, con las manos en el estómago.

—¡Le han dado! —gritó Newkirk.

Rigby dio algunos pasos tambaleantes y cayó de rodillas, rebotando ligeramente sobre la membrana. Newkirk corrió detrás de él, pero el instinto hizo que Deryn no se moviera de donde estaba.

Toda la nave se inclinó hacia delante y volvió a caer en picado, y todo a su alrededor se impregnó de olor a hidrógeno.

El señor Rigby resbaló a lo largo del flanco, arrastrado por la fuerza de la gravedad y después empezó a rodar.

Deryn dio un paso adelante y vio en el suelo la cuerda que le unía a los demás.

—¡Maldita sea!

Si el contramaestre caía al vacío, arrastraría a Newkirk con él y tirarían de Deryn como una mosca en la lengua de una rana. Buscó a su alrededor algo a lo que agarrarse, pero los flechastes que tenía en los pies estaban desgastados y dados de sí.

—Newkirk, *¡vuelve aquí!*

El chico se detuvo un momento mientras veía cómo el señor Rigby se deslizaba. Entonces entendió lo que pasaba y se dio la vuelta, pero ya era demasiado tarde: la cuerda que lo unía a Rigby se había tensado.

Desesperado, Newkirk miró a Deryn mientras alargaba la mano hacia el cuchillo que llevaba en el cinturón.

—¡No! —gritó Deryn.

Entonces se dio cuenta de lo que tenía que hacer.

Se dio la vuelta y empezó a correr en dirección *contraria,* descendiendo a toda velocidad por el flanco opuesto del dirigible. Tras sortear a hombres y rastreadores mientras la membrana caía, Deryn saltó con todas sus fuerzas al cielo nocturno

La *sacudida* de la cuerda la golpeó como un puñetazo en el estómago y el arnés de seguridad le segó los hombros. Se encogió como una pelota mientras su cuerpo golpeaba la membrana del flanco y se quedaba sin aliento.

Deryn rebotó hasta que se detuvo y entonces empezó a deslizarse hacia arriba a lo largo del flanco de la bestia aérea. ¡Rigby debía de haber tirado de Newkirk y el peso de los dos hombres la estaba arrastrando nuevamente hacia la zona dorsal!

Intentó agarrarse a varias cuerdas hasta que finalmente consiguió aferrarse a una y se detuvo. Pero la cuerda de seguridad tiraba con fuerza y el arnés le cortaba la respiración.

Entonces la cuerda se aflojó y Deryn miró hacia arriba aterrorizada. ¿Se había roto? ¿La había cortado Newkirk?

En la zona dorsal, había un escuadrón de aparejadores que sujetaban su cuerda y tiraban con todas sus fuerzas de algo que había al otro lado de la nave. Estaban subiendo a Newkirk y al contramaestre herido.

Deryn respiró aliviada con los ojos cerrados. Se sujetó con fuerza a los flechastes, confiando en que sus manos aguantarían y no se precipitaría al oscuro vacío. Pero cuando el dirigible volvió a escorarse, miró hacia abajo y se dio cuenta de que con dos manos no bastaba.

Todos se precipitaban al vacío.

Los Alpes se alzaban ante ellos acercándose a una velocidad vertiginosa: los picos más altos estaban a pocos metros de ellos. Un manto de nieve lo cubría todo salvo algunos peñascos, oscuros y afilados como dientes que esperan pacientes a su presa.

El *Leviathan* herido se precipitaba lentamente hacia el suelo.

· VEINTIUNO ·

El viejo castillo se erigía sobre una pendiente rocosa; contra sus muros medio derruidos, el viento había acumulado montones de nieve bajo sus enormes y sombrías ventanas que ahora iluminaba la luna. El hielo que cubría las almenas resplandecía en el aire frío y cristalino, y sus contornos abruptos se confundían con las rocas que se alzaban detrás.

Alek se apartó del visor.

—¿Qué es este lugar?

—¿Recordáis el viaje de vuestro padre a Italia? —preguntó el conde Volger—. ¿Cuando buscaba un nuevo pabellón de caza?

—Claro que lo recuerdo —dijo Alek—. Usted le acompañó y fueron cuatro semanas espléndidas sin clases de esgrima.

—Un sacrificio indispensable. Nuestro verdadero objetivo era comprar este montón de piedras viejas.

Aleksandar examinó el castillo con una mirada crítica: un montón de piedras viejas era la definición exacta. Más que una fortaleza parecía un desprendimiento.

—Pero de eso hace dos veranos, Volger. ¿Cuándo empezaron a planificar mi fuga?

—El día que su padre se casó con una plebeya.

Alek no tuvo en cuenta la ofensa hacia su madre; discutir sobre su linaje ahora no tenía ningún sentido.

—¿Y nadie conoce este lugar?

—Mire a su alrededor —el conde Volger se subió el cuello de su abrigo de piel—. Este castillo fue abandonado en la época de la Gran Hambruna.

—Hace seis siglos —murmuró Alek, mientras su aliento se condensaba en espiral a la luz de la luna.

—En aquella época los Alpes eran más cálidos. En otro tiempo hubo una próspera ciudad allí arriba —el conde Volger señaló el paso que había entre las montañas que tenían delante, una gran extensión que resplandecía bajo una luna casi llena—. Pero hace algunos siglos, aquel glaciar se tragó todo el valle. Ahora es una tierra desolada.

—Prefiero una tierra desolada que otra noche en esta máquina —dijo Klopp, que tiritaba dentro de su abrigo de piel—. Me encantan mis caminantes, pero nunca me ha gustado vivir en su interior.

Volger sonrió.

—Este castillo ofrece comodidades inesperadas, ya veréis.

—Me basta con que tenga chimenea —dijo Alek, mientras apoyaba sus manos frías y cansadas sobre los mandos.

Desde el interior, el pequeño castillo no parecía estar tan mal.

Los techos, bajo el manto de nieve, habían sido reparados recientemente. Los muros exteriores estaban medio derruidos, pero las piedras del patio eran sólidas y podían soportar perfectamente el peso del Caminante de Asalto que atravesaba la verja con su andar pesado. Contra las paredes interiores se habían amontonado grandes cantidades de leña, y las cuadras estaban llenas de provisiones: carne ahumada, barriles de cereales y víveres militares cuidadosamente ordenados.

Alek se fijó en las hileras interminables de latas.

—¿Cuánto tiempo vamos a estar aquí?

—Hasta que acabe esta locura —dijo Volger.

Por «locura» se refería, obviamente, a la guerra. Y las guerras pueden durar años…, incluso décadas. Copos de nieve serpenteaban a través de las puertas abiertas de los establos y por el suelo, y acababa de empezar agosto. ¿Cómo sería aquello en pleno invierno?

—Su padre y yo pensamos en todo —dijo Volger, obviamente complacido consigo mismo—. Tenemos medicamentos, pieles, una sala llena de armas y una excelente bodega. No nos faltará de nada.

—Una bañera hubiera estado bien —dijo Alek.

—Creo que hay una.

Alek parpadeó.

—Eso sí que es una buena noticia. ¿Y qué tal unos sirvientes que calienten el agua?

Volger señaló a Bauer, que ya estaba cortando leña.

—Nos tiene a nosotros, Su Alteza.

—Vosotros sois más familia que sirvientes —dijo Alek encogiéndose de hombros—. De hecho, mi única familia.

—Todavía sois un Hausburgo. No lo olvidéis.

Alek miró al Caminante de Asalto que se encontraba agachado en el patio. Llevaba en el pecho una placa con el escudo de su familia: un águila de dos cabezas hecha de piezas *mecánikas*. Durante su infancia, Alek siempre había estado rodeado de ese símbolo: en las banderas, en los muebles, incluso en los bolsillos de su batín, reafirmándole quién era. Pero aquel símbolo que tiempo atrás ratificaba su identidad, ahora era fuente de desesperación.

—Sí, una buena familia —dijo con amargura—. Me han repudiado desde que nací. Y hace cinco semanas mi tío abuelo ordenó asesinar a mis padres.

—No podemos asegurar que el emperador esté detrás del homicidio. Y en cuanto a vos... —el conde hizo una pausa.

—¿Qué sucede, Volger? —Alek no estaba de humor para misterios—. Me prometió que cuando llegáramos a Suiza me contaría todos sus secretos.

—Sí, pero pensaba que no llegaríamos —admitió Volger en voz baja—. Supongo que ha llegado el momento de que sepa la verdad. Venga conmigo.

Alek echó un vistazo a los otros hombres, que ya estaban descargando el caminante en la oscuridad. Por lo visto, era un secreto que no podía desvelarse a nadie más.

Siguió a Volger por una escalera de piedra que subía por la parte interior del muro y que conducía a la única torre del castillo: un modesto pretil circular que sobresalía encima de las rocas, más bajo que los techos de las cuadras pero con una vista magnífica del valle.

Alek entendió por qué Volger y su padre habían escogido ese lugar. Cinco hombres y un caminante podían defenderlo del ataque de un pequeño ejército, si llegaban a descubrirlos. El viento gélido ya estaba cubriendo de nieve las huellas gigantes del caminante e iba borrando cualquier indicio de su paso.

Volger, con las manos hundidas en los bolsillos, observaba el glaciar.

—¿Me permitís que os sea franco?

Alek sonrió.

—Le ruego que deje a un lado su tacto habitual.

—Lo haré —dijo Volger—. Cuando su padre decidió casarse con Sofía, yo fui uno de los que intentó disuadirlo.

—Así que tengo que darle las gracias, ya que debo mi existencia a su poca capacidad de persuasión.

—No hay de qué —Volger se inclinó cortésmente—. Tenéis que entenderlo, Alek, solo intentábamos evitar que se rompiera la relación entre su padre y su tío. El heredero de un imperio no puede casarse con quien le plazca. Obviamente su padre no escuchó a nadie y lo único que nos concedió fue un compromiso: un matrimonio de la mano izquierda.

—Una manera educada de decirlo —el término oficial era matrimonio morganático, palabra que a Alek le sonaba a enfermedad.

—Pero hay varios modos de regular este tipo de contratos —añadió Volger.

Alek asintió lentamente mientras recordaba las promesas de sus padres.

—Mi padre siempre decía que tarde o temprano Francisco José acabaría cediendo. No era consciente de lo mucho que el emperador odiaba a mi madre.

—No, no lo era. Pero su padre era consciente de algo más importante: que un simple emperador no es quien tiene la última palabra en estos temas.

Alek miró a Volger.

—¿Qué quiere decir?

—Durante un viaje que hicimos hace dos veranos, no solo visitamos viejos castillos. Fuimos a Roma.

—¿Está intentando ser poco claro intencionadamente, conde?

—¿Y vos habéis olvidado la historia de vuestra familia, Alek? Antes de que existiera el Imperio austrohúngaro, ¿quiénes eran los Hausburgo?

—Gobernantes del Sacro Imperio Romano Germánico —recitó Alek diligentemente—. Desde 1452 hasta 1806. ¿Y eso qué tiene que ver con mis padres?

—¿Quién coronaba a los emperadores del Sacro Imperio Romano Germánico? ¿Quién pronunciaba la fórmula que les atribuía sus poderes?

Alek entornó los ojos.

—¿Me está diciendo, conde, que se reunieron con el *Papa*?

—Solo su padre —Volger sacó un estuche de piel del bolsillo de su abrigo—. El resultado de la entrevista es que obtuvo una dispensa, una modificación del acuerdo de matrimonio de vuestros padres. Con una condición: que su padre lo mantuviera en secreto hasta la muerte del viejo emperador.

Alek miró fijamente el estuche. La piel estaba bellamente labrada y decorada con unas llaves en forma de cruz del sello papal. Pero aun así era un objeto demasiado pequeño como para cambiar tantas cosas.

—Está bromeando.

—Está firmada, atestiguada y sellada con plomo. En virtud del poder de Dios, le nombra heredero de su padre —Volger sonrió—. Algo más impresionante que unos lingotes de oro, ¿no?

—¿Un solo documento basta para darme un imperio? No le creo.

—Si queréis podéis leerlo. De hecho, vuestro latín es mucho mejor que el mío.

Alek se dio la vuelta, agarrándose al pretil. El borde afilado de una piedra rota le hizo un corte en los dedos. De pronto, se quedó sin aliento.

—Pero... ¿todo esto sucedió hace dos años? ¿Por qué no me lo contó?

Volger resopló.

—Aleksandar, no se confía a un chiquillo el secreto más grande del Imperio.

«Un chiquillo»... De repente, el reflejo de la luna en la nieve se hizo más brillante, Alek cerró los ojos y recorrió toda su vida con el pensamiento. Siempre había sido un impostor en su propia casa: un hijo a quien su padre no podía dejar nada, un heredero cuyos parientes lejanos deseaban que no hubiera nacido. Incluso su madre: ella era la *causa* de todo. A Alek su madre le había costado un imperio, y en lo más profundo de su mente aquel hecho siempre los había separado.

¿Cómo era posible que el abismo que siempre había definido su vida desapareciera de golpe?

La respuesta era que, de hecho, no había desaparecido. El vacío seguía estando allí.

—Es demasiado tarde —dijo Alek—. Mis padres han muerto.

—Y eso le convierte en el heredero legítimo al trono —el conde se encogió de hombros—. Es posible que vuestro tío abuelo no sepa nada de esta carta, pero eso no cambia la ley.

—¡*Nadie* sabe nada! —exclamó Alek.

—Ojalá fuera cierto. Pero usted mismo ha visto con qué obstinación nos han perseguido. Es posible que los alemanes lo hayan descubierto —el conde Volger sacudió la cabeza lentamente—. Me imagino que Roma está llena de espías.

Alek cogió el estuche y lo apretó fuerte con el puño.

—Así pues, por *esto* es por lo que mis padres... —por un instante, deseó arrojarlo desde las almenas.

—No, Alek. Asesinaron a vuestro padre porque era un hombre de paz y los alemanes querían la guerra. Vos no sois más que una posdata.

Alek respiró profundamente, intentando habituarse a la nueva realidad. Tenía que volver a pensar en todo lo que había sucedido en los dos últimos años: todos los planes que había hecho su padre, sabiendo *esto*.

Extrañamente, lo que más le preocupaba era un pequeño detalle.

—Todo este tiempo me ha tratado como...

—¿El hijo de una dama de compañía? —Volger sonrió —. Era necesario fingir.

—Le felicito —dijo Alek lentamente y con calma—. Su desprecio no podía ser más convincente.

—Soy vuestro servidor —Volger cogió una mano de Alek entre las suyas y se inclinó—. Y os habéis demostrado a vos mismo que sois digno del nombre de vuestro padre.

Alek retiró la mano.

—Y entonces, qué hacemos con este… ¿trozo de papel? ¿Cómo lo damos a conocer a la gente?

—De ningún modo —dijo Volger—. Mantendremos la promesa de vuestro padre y no diremos nada hasta que fallezca el emperador. Ya es viejo, Alek.

—Pero mientras nos escondemos, la guerra continúa.

—Me temo que sí.

Alek se dio la vuelta. El viento gélido seguía golpeándole la cara, pero apenas lo notaba. Toda su vida había deseado un imperio, pero nunca se había imaginado que el precio sería tan alto. No solo la vida de sus padres, sino también una guerra.

Se acordó del soldado que había matado. En los próximos años habría miles de muertos, *decenas* de miles de muertos. Y no podía hacer nada más que esconderse en la nieve, con un trozo de papel en sus manos.

Aquella tierra gélida y desolada ahora era su reino.

—Alek —murmuró Volger mientras le cogía un brazo—. Escuchad…

—Creo que por hoy ya he escuchado suficiente, conde.

—No, no, *escuchad*. ¿Lo oís?

Alek lo miró, suspiró y volvió a cerrar los ojos. Oía a Bauer cortar madera, el soplido del viento y el crujido de las piezas metálicas del Caminante *Cíklope* que se enfriaban. Y desde algún lugar, casi imperceptible…, un ruido de motores.

Abrió los ojos de golpe.

—¿Aviones?

Volger negó con la cabeza.

—No a esta altitud —se asomó al pretil e inspeccionó la hondonada mientras murmuraba—. No puede ser que nos hayan seguido. No *puede* ser.

Pero Alek estaba seguro de que aquel ruido venía del aire. Entrecerró los ojos intentando ver entre el viento gélido hasta que distinguió una silueta que iba tomando forma en el cielo iluminado por la luna. Pero lo que vio no tenía ningún sentido.

Era algo *gigantesco,* como un acorazado que surcaba el cielo.

• VEINTIDÓS •

—¡Es un zepelín! —gritó Alek—. ¡Nos han encontrado!

El conde alzó la mirada.

—Es una aeronave, seguro. Pero ese ruido no es el de un zepelín.

Alek frunció el ceño y escuchó con más atención. Además del zumbido distante de los motores, se oían otros ruidos, trémulos y absurdos: graznidos, silbidos y chillidos, como una colección de animales sueltos.

La aeronave no tenía la simetría de un zepelín: la proa era más larga que la popa y la superficie tenía manchas y era irregular. A su alrededor, volaban nubes de minúsculas formas con alas y su piel emanaba un resplandor verde sobrenatural.

Entonces Alek vio aquellos ojos gigantescos...

—¡Dios santo! —exclamó.

No era una máquina, ¡sino una creación darwinista!

Había visto monstruos, naturalmente, lagartos que hablaban en los salones de moda de Praga, un animal de tiro expuesto en un circo itinerante; pero nada tan gigantesco como aquello. Era como si uno de sus muñecos de guerra hubiera cobrado vida, mil veces más grande y más increíble.

—¿Qué *hacen* aquí los darwinistas? —murmuró.

Volger señaló con el dedo.

—Parece que escapan de algún peligro.

Los ojos de Alek siguieron la dirección que indicaba Volger y vio las estelas dentadas de agujeros de proyectiles en el flanco de la criatura, iluminadas de un verde intenso. Las jarcias que colgaban de sus laterales estaban llenas de hombres: algunos heridos, otros reparaban los daños. Y a su lado, trepaban cosas que *no eran* hombres.

Cuando el dirigible pasó a poca distancia de sus cabezas, Alek hizo ademán de esconderse tras el pretil. Pero la tripulación parecía demasiado ocupada como para darse cuenta de lo que tenían debajo. El dirigible viró lentamente mientras penetraba en el valle y descendía por debajo del nivel de las montañas que lo rodeaban.

—¿Esa cosa impía está *descendiendo?* —preguntó Alek.

—Parece que no tienen elección.

La inmensa criatura planeó hacia la blanca extensión del glaciar, el único lugar lo suficientemente grande para aterrizar. Aunque estaba herida, caía lenta como una pluma. Alek contuvo la respiración durante los largos segundos en los que permaneció suspendida encima de la nieve.

El impacto fue gradual. Tras la estela de la aeronave que patinaba sobre la nieve se levantaron nubes blancas y su piel se onduló como una bandera en el viento. Alek vio caer a algunos hombres a tierra, desde la popa, pero a aquella distancia era imposible oírles gritar, aunque el aire era frío y cristalino. El dirigible siguió patinando, a más y más distancia, hasta que su silueta oscura desapareció detrás de una capa blanca.

—Nos encontramos en las montañas más altas de Europa y la guerra nos alcanza también aquí —señaló el conde Volger moviendo la cabeza—. ¡En qué mundo vivimos!

—¿Cree que nos han visto?

—¿En medio de aquel caos? No lo creo. Y estas ruinas no son visibles a cierta distancia, ni cuando luce el sol —el conde suspiró —. Aunque, por si acaso, será mejor no encender ningún fuego. Y organizaremos turnos de guardia hasta que se vayan.

—¿Y si no se van? —dijo Alek—. ¿Qué pasará si *no pueden* irse?

—En ese caso no sobrevivirán durante mucho tiempo —dijo Volger rotundamente—. No hay comida en el glaciar, ni cobijo ni combustible para encender fuego. Solo hielo.

Alek se dio la vuelta y miró a Volger.

—¡No podemos dejar morir a esos náufragos!

—Me permito recordarle que son nuestros *enemigos*, Alek. El hecho de que los alemanes nos estén persiguiendo no significa que los darwinistas sean nuestros amigos. ¡Podría haber un centenar de hombres a bordo de aquel dirigible! Suficientes para tomar el castillo, tal vez —la voz de Volger se suavizó mientras sus ojos escrutaban el cielo—. Esperemos que no vengan a rescatarlos. Si un avión nos sobrevolara a plena luz del día sería un desastre.

Alek miró una vez más hacia el glaciar. La nieve que había

levantado el impacto se estaba posando de nuevo alrededor de la aeronave, que yacía escorada sobre un lado, como un pez varado en la arena. Se preguntó si las criaturas darwinistas morían tan rápido de frío como las bestias naturales. O como los hombres.

Un *centenar* de ellos allí fuera.

Bajó la mirada hacia las cuadras: había víveres suficientes para un pequeño ejército. Y medicinas para los heridos, y pieles y leña para mantenerlos calientes.

—No podemos quedarnos aquí y verlos morir, conde. Sean enemigos o no.

—¿Acaso no me habéis escuchado? —gritó Volger—. Sois el heredero al trono del Imperio austrohúngaro. Os debéis al Imperio, no a esos hombres de allí fuera...

Alek hizo un gesto con la cabeza.

—Por el momento no puedo hacer gran cosa por el Imperio.

—Aún no. Pero si permanecéis con vida, pronto tendréis el poder de detener esta locura. No lo olvidéis: el emperador tiene ochenta y tres años y la guerra es despiadada con los viejos.

Al pronunciar estas últimas palabras, la voz de Volger se quebró y, de repente, incluso él se vio más viejo, como si las últimas cinco semanas le hubieran caído encima de golpe. Alek se tragó su respuesta al recordar lo que Volger había sacrificado: su casa, su rango, para ser perseguido y acosado, para pasar noches en vela escuchando señales en la radio. Y ahora que estaban a salvo, aquella obscena criatura caía del cielo y amenazaba con echar por tierra un plan pensado durante años.

No era de extrañar que Volger prefiriera ignorar la bestia aérea que moría sobre la nieve a pocos quilómetros de ellos.

—Tiene razón, Volger —Alek le cogió por un brazo y lo alejó del frío y ventoso pretil—. Vigilaremos y esperaremos.

—Probablemente conseguirán reparar esa bestia impía —dijo Volger mientras bajaban por las escaleras—. Y se irán sin mirar atrás. No lo dudéis.

En mitad del patio, Volger detuvo de repente a Alek y lo miró con una expresión profundamente afligida.

—Si pudiéramos, les ayudaríamos. Pero esta guerra podría dejar en ruinas a todo el continente. ¿Lo entendéis, verdad?

Alek asintió y acompañó al conde al gran vestíbulo del castillo, donde Bauer apilaba la leña dentro de la chimenea. Cuando vio que ya iban a preparar la comida, Volger dejó escapar un suspiro cansado e informó a los demás sobre el dirigible accidentado: otra semana sin fuego y largas y frías guardias nocturnas.

Pero comer en un castillo, aunque hiciera frío, era un placer tras todas aquellas comidas hacinados dentro de la barriga de hierro del Caminante *Cíklope*. Las despensas contenían lujos que ninguno de ellos había disfrutado desde hacía semanas: pescado ahumado de primero, y frutos secos y melocotón en almíbar de postre. El vino era excelente y, cuando Alek se ofreció para el primer turno de guardia, los demás brindaron a su salud.

Nadie dijo nada de rescatar a la tripulación del dirigible. Tal vez los otros tres pensaban que la monstruosa criatura alzaría nuevamente el vuelo. Ellos no habían visto los agujeros de los proyectiles en sus flancos ni los hombres que colgaban heridos y sin vida de las jarcias. Por el contrario, hablaban como soldados sobre cómo defender el castillo de un ataque aéreo. Bauer y Klopp discutían sobre si el cañón del Caminante de Asalto podía elevarse lo suficiente para alcanzar un dirigible.

Alek escuchaba y observaba. Había dormido la mayor parte del día y tomado el control al atardecer, cuando los viejos ojos de Klopp se habían cerrado como de costumbre. Era casi medianoche y hasta antes del amanecer no tendría sueño. Sin embargo, los demás estaban exhaustos por el largo viaje y el frío intenso.

Cuando se durmieron, Alek se dirigió tranquilo hacia el pretil.

La aeronave era un bulto oscuro sobre el blanco uniforme del hielo. Ahora parecía más pequeño, como si se estuviera deshinchando lentamente. No se veían fuegos ni luces, solo el extraño resplandor que había percibido antes. Minúsculos puntos de luz se movían entre los restos, como luciérnagas verdes que sobrevolaban las heridas de la gigante criatura.

Alek se estremeció. Había oído historias terribles sobre las creaciones de los darwinistas: criaturas mitad tigre, mitad lobo, monstruos mitológicos traídos a la vida, animales que hablaban e incluso razonaban como seres humanos, pero sin alma. Le habían dicho que hasta habían creado bestias impías que eran poseídas por espíritus malignos y se convertían en la encarnación del mal.

Pero también le habían dicho que el emperador era un hombre sabio y bueno, que los austriacos lo amaban y que los alemanes eran sus aliados.

Alek bajó por las escaleras de la torre y pasó sigilosamente en medio de los que dormían, en dirección a la despensa. No le costó encontrar los botiquines: ocho bolsas con cruces rojas. Cogió tres de ellas, y en cambio no se llevó víveres. Pensaría en ello más tarde, en caso de que el dirigible no pudiera volver a volar.

Tenía que disfrazarse de plebeyo, por lo que Alek descartó las pieles y se puso el abrigo más andrajoso que encontró. De la sala de armas, cogió una pistola automática *Steyr* y dos cargadores de ocho disparos. No era ni mucho menos el tipo de arma que llevaría un aldeano suizo, pero Volger tenía razón en una cosa: esto no dejaba de ser una guerra y los darwinistas eran el enemigo.

Finalmente cogió un par de raquetas de nieve. Alek no estaba seguro de si aquel artilugio lo ayudaría a andar, pero al verlas, Klopp se había entusiasmado porque le recordaban sus campañas en las montañas durante la guerra de los Balcanes.

El cerrojo de hierro de la verja del castillo se deslizó silenciosamente hacia un lado y la enorme puerta se abrió con un simple empujón. Era muy fácil salir al exterior y lanzar al viento gélido la seguridad que tanto les había costado conquistar. Pero, desde luego, se sentía mucho más noble haciéndolo que permaneciendo allí escondido, a la espera de heredar un imperio.

Tras andar medio kilómetro sobre la nieve, Alek se dio cuenta de que finalmente había conseguido escabullirse de su viejo maestro de esgrima.

◈ ◈ ◈

Las raquetas de nieve tenían un aspecto ridículo: parecían raquetas de tenis atadas a sus botas. Pero funcionaban: evitaban que sus pies rompieran la frágil superficie del hielo y se hundieran en la nieve harinosa. Deslizándose con pasos largos siguió las huellas del Caminante de Asalto, hasta que estuvo a la distancia suficiente para que su rastro no fuera visible desde los muros del castillo.

La superficie lisa y casi uniforme del glaciar era fácil de atravesar y, al cabo de una hora, ya podía oír los gritos de los darwinistas que trabajaban en el dirigible herido. Trepó por un lateral del valle hasta que llegó a un saliente con vistas a la gran silueta.

Alek se asomó al borde y lo que vio le dejó atónito.

Los restos del dirigible parecían un trozo de infierno que bullía en medio de la nieve. Bandadas de criaturas aladas se amontonaban alrededor de las cavidades de la bolsa de gas que se deshinchaba. La tripulación recorría la piel de la gran bestia, acompañados de extraños perros de dos hocicos y seis patas que rastreaban y escarbaban en cada agujero de bala. Las luces verdes que había visto desde el castillo cubrían toda la criatura. Se *arrastraban*, como gusanos luminosos sobre carne muerta.

¡Y aquel hedor! A col y huevos podridos, y un inquietante olor salobre muy parecido al olor del pescado que había tomado para cenar. Alek se preguntó por un instante si los alemanes tenían razón al fin y al cabo. Aquellas bestias impías eran un insulto a la propia naturaleza. Tal vez valía la pena que se desatara una guerra para deshacerse de ellas.

«UNA GRAN SILUETA SOBRE LA NIEVE».

Y, sin embargo, Alek no conseguía apartar la mirada de aquella criatura. Incluso tendida y herida parecía poderosa, más un ser legendario que una creación del hombre.

Se encendieron cuatro reflectores que iluminaron uno de los flancos de la bestia. Entonces, Alek entendió por qué se había escorado sobre un flanco durante el impacto: las barquillas que colgaban de la parte inferior se habían soltado al aplastarse contra la nieve.

Armándose de valor, descendió el glaciar y se dirigió hacia el lado no iluminado de la criatura. En esa zona había pocos hombres trabajando, si bien los daños no parecían menos graves. Alek avanzó lentamente en la oscuridad, intentando hacer el menor ruido posible.

Mientras se movía sigilosamente a lo largo del flanco de la nave, el resplandor verde parecía derramarse sobre el hielo. Seguramente la bestia se estaba muriendo.

Había sido una locura pensar que podía ayudar. Tal vez debería dejar las medicinas en cualquier lugar y regresar...

Entonces, entre las sombras, escuchó un débil lamento.

Alek se acercó con cautela al sonido y sintió que el aire que le rodeaba se volvía más caliente. Se le revolvió el estómago. ¡Era el calor que emanaba el cuerpo de la criatura aún con vida! Luchando contra las náuseas, avanzó algunos pasos intentando no mirar las luces verdes que estaban bajo la piel de la bestia.

Un joven aviador yacía en la oscuridad, acurrucado contra el flanco de la criatura. Tenía los ojos cerrados y le sangraba la nariz.

Alek se agachó a su lado.

Era solo un muchacho, de finos rasgos y pelo rubio rojizo. Tenía el cuello del uniforme de vuelo manchado de sangre y, bajo aquella tenue luz verde, su rostro se veía pálido como el de un muerto. Probablemente había permanecido sobre el hielo durante horas, desde el momento del impacto, y el calor de la gigantesca criatura le había mantenido con vida.

Alek abrió uno de los botiquines y, entre todas las botellas, buscó las sales para inhalar y el alcohol para friegas.

Acercó las sales a la nariz del chico.

—¡Arañas chaladas! —exclamó el muchacho con una voz quebrada y aguda mientras abría los ojos de par en par.

Alek frunció el ceño, preguntándose si lo había oído bien.

—¿Te encuentras bien? —se aventuró a decir en inglés.

—Tengo la azotea un poco confusa —dijo el muchacho mientras se frotaba la cabeza. Se sentó despacio, miró a su alrededor y sus ojos vidriosos se abrieron aún más—. ¡Demonios! Hemos bajado de golpe, ¿no? La pobre bestia parece un náufrago ensangrentado.

—Tú también estás lleno de sangre —dijo Alek mientras abría la botella de alcohol.

Humedeció una venda y la acercó al rostro del muchacho.

—¡Ay! ¡Basta! —el muchacho apartó la venda y se sentó con la espalda erguida; ahora su mirada parecía más nítida. Miró con recelo las raquetas de nieve de Alek—. Por cierto, ¿tú quién eres?

—He venido a ayudar. Vivo cerca de aquí.

—¿Cerca de *aquí*? ¿En medio de esta maldita nieve?

—Sí —Alek carraspeó, mientras pensaba qué podía decir. Las mentiras no habían sido nunca su fuerte—. En un pueblo, si se le puede llamar así.

El muchacho entrecerró los ojos.

—Espera un momento… ¡hablas como un clánker!

—Bueno…, supongo que sí. En esta parte de Suiza hablamos un dialecto alemán.

El muchacho volvió a mirarle un instante, suspiró y se frotó la cabeza.

—Claro, eres suizo. La caída debe de haberme atontado. Por un momento, pensé que eras uno de esos caraculos que nos han abatido.

Alek arqueó una ceja.

—Y he aterrizado aquí para curarte esa nariz que no deja de sangrar, ¿no?

—Ya te he *dicho* que estoy un poco atontado —dijo el muchacho y le arrebató la venda empapada en alcohol que Alek tenía en las manos. La oprimió contra su nariz e hizo una mueca de dolor—. Pero gracias por preocuparte. Suerte que has venido, si no, se me hubiera congelado el culo.

Alek lo miró sorprendido preguntándose si aquel chico hablaba siempre de aquel modo o es que estaba aturdido por el impacto. Incluso ensangrentado y magullado, se comportaba con una extraña *chulería*, como si fuese normal para él estrellarse con una aeronave gigante cada día.

—Sí —dijo Alek—. Congelarse el culo es un auténtico fastidio.

El muchacho sonrió.

—¿Me ayudas a levantarme?

Alek le echó una mano y le ayudó a levantarse. Cuando el chico, aún inseguro, se puso en pie, se inclinó triunfante, se quitó un guante y le tendió la mano.

—Cadete Dylan Sharp, a su servicio.

• VEINTITRÉS •

Deryn esperó a que aquel extraño muchacho suizo le estrechase la mano. Tras vacilar un momento, finalmente se la dio.

—Me llamo Alek —dijo—. Mucho gusto.

A pesar del dolor de cabeza, Deryn sonrió. El muchacho tenía más o menos su edad, el pelo castaño rojizo y rasgos muy marcados pero agradables. Llevaba un abrigo de piel que seguro que en algún momento había sido elegante, pero ahora se veía desgastado. Sus ojos de color verde oscuro se movían inquietos, como si estuviera a punto de salir corriendo con aquellas ridículas botas.

«Todo es muy extraño», pensó Deryn.

—¿Seguro que estás bien? —le preguntó Alek.

Su inglés era impecable, a pesar del acento clánker.

—Sí, creo que sí —dijo Deryn.

Dio una patada en el suelo para recuperar la estabilidad, preguntándose cuándo desaparecería aquella sensación de mareo. Tenía la cabeza aturdida, eso era cierto. Era incapaz de recordar el momento exacto del impacto, solo la caída: la nieve cada vez más cerca, el dirigible que se escoraba sobre un lado y que la hubiera aplastado si no hubiera trepado tan rápido.

Deryn bajó la mirada hacia su cuerda de seguridad: estaba distendida y deshilachada, pero seguía unida a los flechastes. Seguramente había sido arrastrada por la nieve mientras la aerobestia patinaba. Si el dirigible se hubiera escorado un poco más, habría quedado aplastada como un manchón grasiento bajo la ballena.

—Estoy un poco mareado, eso es todo —añadió, y observó la membrana agujereada por las balas. El olor a almendra amarga del hidrógeno que se vertía le confundía aún más las ideas—. Pero no estoy ni la mitad de mal que está la pobre bestia.

—Sí, tu nave tiene un aspecto horrible —dijo Alek. La observaba con los ojos bien abiertos, como si nunca antes hubiera visto una criatura fabricada. Tal vez eso explicaba la inquietud de su mirada—. ¿Creés que podréis arreglarla?

Deryn retrocedió unos pasos para poder observar mejor los restos del naufragio. No había prácticamente nadie trabajando en el flanco de estribor. Pero en la zona dorsal, las siluetas de los hombres se recortaban contra los haces de luz de los reflectores proyectados hacia el cielo. Las barquillas debían de haber ido a parar al otro lado del naufragio, por lo que los trabajos de reparación habrían empezado allí.

Deryn sabía que debía ir a toda prisa a ayudar e intentar averiguar qué les había sucedido a Newkirk y al señor Rigby, pero tenía las manos demasiado débiles para trepar. Mientras yacía inconsciente, el frío le había penetrado en los huesos.

—Costará, pero creo que sí —sus ojos inspeccionaron aquella tierra desolada—. ¡Aunque no creo que sea bueno permanecer aquí mucho tiempo! Quizás tu gente podría ayudarnos.

El muchacho puso cara de circunstancias.

—Mi pueblo está bastante lejos de aquí. Y no sabemos nada de dirigibles.

—No, claro, me lo imagino. Pero aquí hay bastante trabajo. Necesitaremos muchas cuerdas y tal vez piezas de recambio. Los motores de este lado deben de estar hechos pedazos. Los suizos sabéis de engranajes, ¿verdad?

—Lo siento pero no podemos ayudaros —Alek se descolgó de la espalda algunas de las bolsas con los botiquines—. Aunque puedo darte esto. Para los heridos.

Ofreció las bolsas a Deryn. Abrió una de ellas y miró en su interior: vendas, tijeras, un termómetro en un estuche de piel y una docena de botellitas. Quienesquiera que fueran los habitantes del pueblo de Alek, sabían cómo proveerse en la montaña.

—Gracias —dijo—. ¿De dónde lo has sacado?

—Lo siento, debo irme —el muchacho retrocedió un paso —. Me esperan en casa.

—¡Espera, Alek! —gritó y le sobresaltó. Si vivía en aquel paraje, seguramente no estaba muy acostumbrado a los forasteros. Pero no podía dejarle marchar de ese modo—. Dime solo dónde está tu pueblo.

—Al otro lado del glaciar —Alek señaló al horizonte, hacia ninguna dirección concreta—. Bastante lejos de aquí.

A Deryn le pareció que escondía algo. Era evidente que para vivir en una tierra gélida y desolada como aquella por fuerza se tenía que estar un poco mal de la chaveta. ¿O se trataba tal vez de forajidos?

—Me parece un lugar extraño para levantar un pueblo —dijo con cautela.

—Bueno, digamos que no es un *gran* pueblo. Solo somos yo y... mi familia.

Deryn asintió lentamente sin dejar de sonreír. Ahora Alek cambiaba la historia. Ese pueblo... ¿existía o no?

Alek retrocedió otro paso.

—Escucha, en realidad no debería haberme alejado tanto de casa. Había salido de excursión cuando vi cómo se precipitaba la nave.

—¿De excursión? —dijo Deryn—. ¿Con toda esta condenada nieve? ¿De *noche*?

—Sí. Suelo salir de excursión por el glaciar de noche.

—¿Con *medicamentos*?

Alek parpadeó.

—Los llevo porque... —hizo una larga pausa—. Esto..., lo siento pero no sé cómo se dice en inglés.

—¿Cómo se dice qué?

—Te lo acabo de decir: ¡*no lo sé!* —se dio la vuelta y empezó a deslizarse sobre sus divertidas y grandes botas—. Tengo que irme.

Era evidente que la historia de Alek era una sarta de mentiras. Y seguro que los oficiales de la nave querrían saber de dónde había salido. Deryn empezó a seguirle, pero sus pies rompieron la frágil superficie del hielo y las botas se le llenaron de nieve.

—¡Diantre! —exclamó y entonces entendió el porqué de aquellas enormes botas—. ¡No te vayas, Alek! ¡Te necesitamos!

El muchacho se detuvo reacio.

—Escucha. Te traeré lo que pueda, ¿de acuerdo? Pero no le digas a nadie que me has visto. No vengáis a buscar a mi familia, no es buena idea. No nos gustan los extraños, podemos ser peligrosos.

—¿Peligrosos? —preguntó Deryn.

Seguro que eran fugitivos, o peor. Se metió una mano en el bolsillo y buscó su silbato de mando.

—Extremadamente peligrosos —dijo Alek—. ¡Tienes que prometerme que no le dirás a nadie que me has visto! ¿De acuerdo?

Permaneció allí de pie, con sus ojos verdes clavados en los de ella. Deryn contuvo la respiración, intentando aguantar la intensidad de aquella mirada. Le entró un cosquilleo en el estómago, como cuando miraba a su adversario antes de una pelea.

—¿Me lo prometes? —volvió a preguntar Alek.

—No puedo dejar que te vayas, Alek —dijo en voz baja.

—¿Que no puedes qué?

—Debo notificar tu presencia a los oficiales de la nave. Querrán hacerte algunas preguntas.

Alek abrió los ojos como platos.

—¿Me vais a *interrogar?*

—Lo siento, Alek. Pero si hay tipos peligrosos alrededor, mi deber es comunicarlo a los oficiales —levantó los botiquines—. Sois contrabandistas o algo parecido, ¿verdad?

—¡Contrabandistas! ¡Qué tontería! —dijo Alek—. ¡Somos gente muy decente!

—Si sois tan decentes —dijo Deryn—, ¿por qué me estás contando esta trola?

—¡Solo intentaba ayudar! ¡Y no sé lo que es una *trola*! —exclamó el muchacho y soltó algo desagradable en alemán.

Se dio la vuelta con sus enormes botas y se dirigió hacia la oscuridad.

Deryn sacó el silbato de mando de su bolsillo. El metal helado le quemó los labios mientras hacía sonar en el aire frío una rápida secuencia de notas que alertaban de la presencia de un intruso.

Volvió a meterse el silbato en el bolsillo y corrió con dificultad detrás de él, sin prestar atención a la nieve que se le acumulaba dentro de las botas.

—¡Espera, Alek! ¡Nadie te va a hacer daño!

Alek no respondió y siguió patinando. Pero Deryn oyó unos gritos a sus espaldas y el ruido de los rastreadores de hidrógeno en los flechastes. Cuando oían la alarma de intruso, las bestias saltaban como conejos que huyen de un incendio.

—¡Detente, Alek! ¡Solo quiero hablar contigo!

El muchacho miró por encima del hombro y el miedo se reflejó en sus ojos cuando vio a los rastreadores. Soltó un grito de pánico y disminuyó la velocidad hasta detenerse. Se volvió de nuevo hacia Deryn.

Deryn corrió con todas sus fuerzas para llegar antes que los rastreadores. No era necesario que las bestias le dieran un susto de muerte al pobre Alek.

—¡Espera! —gritó—. No hay ningún motivo para…

Su voz se quebró cuando vio lo que Alek sostenía en la mano: una pistola de metal negro que resplandecía a la luz de la luna.

—¿Estás *chalado*? —gritó mientras respiraba el olor amargo del hidrógeno.

La simple chispa de un disparo bastaba para incendiar el aire y hacer que el dirigible se convirtiera en una enorme bola de fuego.

—¡No te acerques más! —gritó Alek—. ¡Y haz que se alejen esas… *cosas*!

Deryn se detuvo y observó a los rastreadores que saltaban hacia ellos en la nieve.

—Lo haría si pudiera. ¡Pero no creo que me *escuchen!*

La pistola dejó de apuntarla a ella para apuntar a los rastreadores, y Alek apretó la mandíbula.

—¡No lo hagas! —gritó Deryn—. ¡Arderemos todos!

Pero Alek ya había levantado un brazo y apuntaba a la bestia más cercana...

Deryn se lanzó hacia delante y apretó su cuerpo contra la pistola. Una bala no era nada en comparación con morir quemada. Agarró a Alek por los hombros y lo arrastró con ella al suelo, sobre la nieve.

Deryn se golpeó la cabeza contra el hielo, con un *golpe seco,* que le hizo ver las estrellas. Alek cayó encima de ella y el cañón

«LUCHA EN EL HIELO».

de la pistola se clavó entre sus costillas. Deryn cerró los ojos esperando la deflagración y el dolor.

Alek intentaba liberar la pistola y Deryn la apretaba cada vez
más contra su cuerpo. La lucha los iba hundiendo en la nieve y
Deryn se cortó la mejilla con el hielo.

—¡Suéltame! —gritó Alek.

Deryn abrió los ojos y le clavó la mirada a Alek, que se quedó
inmóvil por un instante. Entonces, Deryn habló con voz lenta y
clara.

—No dispares. ¡El aire está lleno de *hidrógeno!*

—*No quiero* disparar a nadie. ¡Solo quiero irme!

Empezó a luchar de nuevo y la pistola se hundió cada vez más
entre las costillas de Deryn, que soltó un grito de dolor. Puso una
mano en la pistola con la intención de apartar el cañón.

Se oyó un gruñido ronco y un rastreador plantó su largo hocico
en la cara de Alek. El muchacho se quedó de nuevo inmóvil y el
miedo hizo palidecer su rostro. De pronto, ya estaban rodeados por
aquellos animales, que exhalaban un humeante aliento al jadear.

—Todo bien, bestezuelas —dijo Deryn con calma—. ¿Podéis
apartaros un poco, por favor? Estáis asustando a nuestro amigo y
no queremos que apriete el condenado *gatillo*, ¿verdad?

El rastreador que estaba más cerca ladeó la cabeza y soltó un
pequeño aullido. Deryn oyó gritos: la tripulación llamaba a las
bestias. Las sombras verdes de los gusanos luminosos danzaban
a su alrededor.

Alek suspiró y sintió que se aflojaban sus músculos.

—Suelta el arma —dijo Deryn—. Por favor.

—*No puedo* —dijo Alek—. Me estás apretando los dedos.

—Oh —Deryn se dio cuenta de que todavía tenía su mano aferrada a la de Alek—. Bueno, si te suelto, no me dispararás, ¿verdad?

—No seas idiota —dijo Alek—. Si hubiera querido, ya te hubiera disparado.

—¿*Me* has llamado idiota? ¡Maldito mocoso! ¡Casi nos haces
volar por los aires! ¿Acaso no sabes cómo huele el hidrógeno?

—Por supuesto que no —dijo mirándola indignado—. Qué
pregunta más tonta.

Deryn le devolvió la mirada pero soltó la mano. El muchacho
dejó caer la pistola y se levantó, mirando con recelo a los hombres
que tenía alrededor. Deryn se puso en pie y se sacudió la nieve de
su uniforme de vuelo.

—¿Qué sucede aquí? —se oyó una voz en la oscuridad.

Era el señor Roland, jefe de los aparejadores.

Deryn saludó.

—Cadete Sharp informando, señor. Perdí el conocimiento en el
impacto y, cuando me desperté, este muchacho estaba a mi lado.
Me dio estas bolsas, creo que están llenas de medicamentos. Vive
por los alrededores, pero no quiere decir dónde. Intentaba detener-
lo para interrogarlo y ha sacado una pistola, ¡señor!

Deryn se arrodilló, cogió la pistola y, toda orgullosa, se la dio
al señor Roland.

—Pero he conseguido desarmarlo.

—No me has desarmado —murmuró Alek y se giró hacia el señor Roland. De pronto, su mirada había dejado de temblar—. ¡Te pedí que me soltaras!

—¿Ah, sí? —el señor Roland examinó a Alek detenidamente y, a continuación, observó la pistola—. Austriaca, ¿verdad?

Alek asintió.

—Creo que sí.

Deryn miró fijamente a Alek. ¿Era un clánker después de todo?

—¿De dónde la has sacado? —preguntó el señor Roland.

Alek suspiró y cruzó los brazos.

—De Austria. Os comportáis de una manera ridícula. He venido a traeros medicamentos y me tratáis como a un *enemigo*.

Cuando pronunció la última palabra, uno de los rastreadores ladró. Alek retrocedió y miró al animal aterrorizado.

El señor Roland se rio.

—Bien, si únicamente has venido a ayudar, imagino que no tienes nada de qué preocuparte. Sígueme, joven, llegaremos hasta el fondo de la cuestión.

—¿Y qué pasa conmigo, señor? —preguntó Deryn—. ¡He sido yo quien lo ha capturado!

El señor Roland la miró como todos los oficiales técnicos miraban a los simples cadetes: como a una porquería pegada en la suela del zapato.

—Bien, ¿por qué no lleva todas esas bolsas a los científicos? A ver qué pueden hacer con ellas.

Deryn abrió la boca para protestar, pero la palabra «científico» le recordó a la doctora Barlow. Poco antes del impacto, se había dirigido a la sala de máquinas. Llena de trastos y piezas sueltas, no era el lugar ideal en el que estar durante la caída.

—A la orden, señor —dijo Deryn y salió corriendo hacia la nave.

Pidiendo disculpas rápidamente a la bestia aérea medio deshinchada, se aferró a los flechastes y empezó a subir. Notaba las manos débiles y temblorosas, pero dar toda la vuelta a la inmensa criatura le hubiera costado una eternidad con lo inclinada que estaba.

Trepó hacia arriba mientras trataba de sacar de su cabeza las dudas que le despertaba aquel extraño muchacho.

· VEINTICUATRO ·

Cuando llegó al lomo, Deryn pudo ver mucho mejor el desastre.

En aquel lado, había hombres y bestias por todas partes, y cuatro reflectores proyectaban sus sombras en proporciones monstruosas. La barquilla principal yacía inclinada: una mitad suspendida del arnés y la otra mitad apoyada en la nieve. Descendió velozmente por los flechastes y aterrizó corriendo.

En el interior de la góndola, las cubiertas y los mamparos estaban inclinados a estribor, como en un túnel del terror lleno de muebles patas arriba. Por todas partes olía a hidrógeno y las lámparas de aceite se habían apagado: solo iluminaba aquel caos el débil resplandor verdoso enfermizo de los gusanos luminosos. Los hombres se movían de un lado a otro empujándose por los pasillos inclinados y llenaban el aire de insultos y órdenes.

Deryn se abrió camino entre ellos, esperando ver a Newkirk o al señor Rigby. Estaban colgados del lado del dirigible que ahora miraba al cielo, por lo que *no podían* haber sido aplastados…

Pero el contramaestre parecía gravemente herido. ¿Y si había muerto antes de que el dirigible impactara contra la nieve?

Deryn sepultó ese pensamiento y siguió corriendo. Su primer deber era localizar a la científica y ya iba tarde.

Se detuvo de golpe delante de la sala de máquinas y abrió la puerta de par en par. Aquel lugar era un caos. Con el impacto, se habían caído gran cantidad de cajas de piezas de recambio y el suelo estaba cubierto de fragmentos y pedazos de metal. Brillaban a la luz de una lámpara gusano que colgaba del techo.

—Ah, señor Sharp —dijo una voz—. Por fin aparece.

Deryn suspiró, en parte aliviada y en parte al recordar lo pesada que podía llegar a ser la doctora Barlow. Estaba en una esquina de la sala, inclinada sobre la caja que contenía su misterioso cargamento.

Tazza salió de las sombras y saltó alegremente sobre sus patas traseras hasta alcanzar a Deryn, que la saludó acariciándole las orejas.

—Lamento haberla hecho esperar, señora —Deryn se señaló el cuello manchado de sangre de su uniforme de vuelo—. He tenido un pequeño accidente.

—*Todos* hemos tenido un accidente, señor Sharp. Pensaba que eso era obvio. Y ahora, ¿me echa una mano, por favor?

Deryn le mostró las bolsas con los botiquines.

—Disculpe, señora, pero he venido a preguntarle…

—El factor tiempo es *esencial*, señor Sharp. Lo siento pero su pregunta tendrá que esperar.

Deryn empezó a discutir, aunque entonces se dio cuenta de que la caja de la doctora Barlow se había abierto por arriba. Del interior salía calor, que se dispersaba en el aire gélido formando pequeñas nubes de vapor. Había paja de embalaje por todas partes: la finalidad de aquel misterioso viaje a Constantinopla estaba a punto de desvelarse.

—Bueno, supongo que sí —dijo Deryn.

Avanzó por el suelo inclinado, con cuidado de no resbalar con la paja y los trozos de metal. Tazza brincaba a su lado como si hubiera nacido en la pendiente de una montaña.

Le costó un rato distinguir en la sombra el contenido de la caja. Pero en cuanto sus ojos se acostumbraron a la oscuridad, doce formas redondas se materializaron a la débil luz de la lámpara gusano.

—Señora..., ¿son *huevos?*

—Pues sí, y les falta poco para eclosionar —la doctora Barlow acarició la cabeza de Tazza y dejó escapar un suspiro—. O por lo menos lo estaban. Se han roto casi todos. El viaje no ha sido tan tranquilo como me prometió, señor Sharp.

Deryn los observó más de cerca y vio que de las cáscaras agrietadas salía un líquido amarillento—. No, no lo ha sido. Pero ¿de *qué* son estos huevos?

—A pesar de la desagradable situación en la que nos encontramos, esto sigue siendo un secreto militar —la doctora Barlow señaló los cuatro huevos que tenía más cerca—. Parece que estos aún están vivos. Y si queremos que sigan estándolo, tendremos que mantenerlos calientes.

Deryn levantó una ceja.

—¿Quiere que me siente encima de ellos, señora?

—Una imagen encantadora, pero no —la doctora Barlow hundió sus manos en la paja y sacó dos pequeños botes que emanaban una luz rosada.

Parecían las botellas de algas fosforescentes que los cadetes lanzaban para medir la altitud.

Cuando la doctora Barlow agitó los botes, su luz se hizo más intensa y emanaron vapor al aire gélido. Entonces, volvió a ponerlos entre la paja.

—El radiador eléctrico se ha roto debido al impacto, pero estos calefactores bacteriológicos deberían bastar para mantener los huevos con vida, al menos por el momento. El truco es mantenerlos siempre a la temperatura exacta, lo que no es fácil —señaló un revoltijo en una de las esquinas de la caja en la que habían gotitas rojas temblorosas entre trozos de cristal roto—. Tendrá que recoger los restos de aquel termómetro. Tenga cuidado con el mercurio; es bastante venenoso.

—¿Le sirve uno nuevo, señora? —Deryn rebuscó dentro de una de las bolsas que le había dado Alek—. Resulta que llevo algunos.

—¿Lleva termómetros? —la científica parpadeó—. Es usted realmente *útil*, señor Sharp.

—Encantado de poder ayudarla, señora —Deryn le dio uno y abrió otra de las bolsas—. Creo que tengo dos más.

Cuando Deryn alzó la mirada, la doctora Barlow seguía mirando el termómetro.

—¿Es normal que las Fuerzas Aéreas utilicen material clánker, señor Sharp?

Deryn abrió los ojos de par en par. ¿Acaso la cerebrín podía leer el pensamiento?

—Pero cómo sabe…

—Una vez más subestima mi atención por los detalles —le devolvió el termómetro.

Deryn lo cogió y lo examinó por ambos lados. Parecía todo normal.

—Observe la línea roja a 36,8 grados —dijo la doctora Bar-

low—. Corresponde a la temperatura corporal en grados Celsius.
Y que yo sepa, las Fuerzas Áereas no han utilizado nunca el sistema métrico.

Deryn se aclaró la voz.

—Bueno, nosotros no somos clánkers, ¿no?

—Ni científicos —la doctora Barlow le quitó el termómetro de
la mano—. Y entonces ¿por qué la línea roja no está en 98,6? No
parece un espía clánker, señor Sharp, a menos que sea un espía
especialmente incompetente.

Deryn intentó no poner los ojos en blanco.

—Se lo iba a explicar, señora, pero no me ha dejado. Me he
encontrado con un muchacho muy extraño… fuera, en la nieve. Y
me ha dado estos botiquines.

—¿Un muchacho? E imagino que ha aparecido de la nada con
unos termómetros.

—Sí, más o menos. Cuando volví en mí después del impacto
estaba a mi lado.

—Una historia poco creíble, señor Sharp —la doctora Barlow
puso la palma de su fría mano sobre el ojo magullado de Deryn—.
Se ha dado un buen golpe en la cabeza, ¿no?

—No es mi cabeza, señora. Es toda esta montaña que es extraña. ¡Ha aparecido un chico de la nada! Se llama Alek.

La doctora Barlow y Tazza intercambiaron una mirada perpleja.

—Señor Sharp, los dos sabemos que es aficionado a las mentirijillas.

Deryn miró con la boca abierta a la científica, profundamente ofendida.

—Puede que engañara al ejercito sobre mis... *datos personales* cuando me alisté, aunque ¡eso no significa que esté acostumbrado a mentir sin motivo!

—Bien, entonces, si dice la verdad, ese «Alek» podría ser bastante interesante —la doctora Barlow volvió a coger el termómetro, lo agitó y lo metió en la paja—. ¿Le ha dicho dónde vive?

—No exactamente —Deryn frunció el ceño intentado recordar las palabras exactas de Alek—. Primero ha mencionado un pueblo, pero más bien me ha hablado de su familia. Imagino que son fugitivos, o tal vez espías. Se le veía nervioso todo el rato y daba unos saltos como los de Tazza. Entonces me ha apuntado con una pistola y ¡ha estado a punto de hacernos volar a todos por los aires! Pero he conseguido desarmarlo.

—Por suerte —dijo la doctora Barlow distraída, como si para ella fuera normal que la salvaran de una muerte atroz. Cogió una de las bolsas y dispuso su contenido sobre el suelo: vendas, un torniquete—. No, Tazza, esto no se huele —incluso un bisturí.

—Bastante extraño para un pueblo perdido en la cima de la montaña —dijo Deryn—. ¿No le parece?

La doctora Barlow levantó una caja para leer la etiqueta.

—Y lleva el símbolo del águila de dos cabezas: es cosa del ejército austriaco.

Deryn abrió los ojos.

—No estamos demasiado lejos de Austria, señora. Pero Suiza debería ser neutral.

—Técnicamente, señor Sharp, *nosotros* estamos violando esa neutralidad —la doctora Barlow hizo girar el bisturí en su mano y la cuchilla brilló—. La situación se está volviendo alarmante. Pero me imagino que pronto podremos despegar, ¿no?

—Lo dudo, señora. La aerobestia está hecha un desastre.

—O por lo menos podremos salir en cuanto cosan la piel y dirigirnos a algún lugar más cálido para reparar el resto, ¿no? Mis huevos no resistirán mucho tiempo con este frío.

Deryn empezó a decirle que no estaba segura, ya que había estado inconsciente desde el impacto hasta hacía poco. Pero parecía que la doctora Barlow no estaba de humor para charlas. Y por lo que Deryn había visto desde lo alto del dirigible, la respuesta era obvia.

—Nos costará algunos días, señora. Hemos perdido al menos la mitad del hidrógeno.

—Entiendo —dijo la científica mientras se agachaba al lado de la caja. Tiró de Tazza para que se acercara. A la luz verde de la lámpara gusano su rostro se veía muy pálido—. Entonces me temo que nunca llegaremos a irnos.

—No sea boba, señora —Deryn recordó lo que decía siempre el señor Rigby—. Este dirigible no es un mecanismo inanimado como las máquinas clánker. Es una criatura viva. Y puede producir todo el hidrógeno que quiera. Me preocupan más los motores.

—Me temo que no es tan sencillo, señor Sharp —la doctora

Barlow señaló la portilla al otro lado de la sala—. ¿Ha mirado fuera?

—Sí, ¡me he pasado media noche allí fuera! —Deryn recordó la extraña palabra que había dicho aquel muchacho—. Es lo que llaman un *glaciar*, señora.

—Sí, conozco el concepto —dijo la doctora Barlow—. Una gran masa de hielo y nada más, como en los polos. ¿A qué altitud debemos de estar?

—Cuando los clánkers nos abatieron estábamos a unos dos mil quinientos metros. Y antes de aterrizar en la nieve habremos perdido de tres a seiscientos metros…

—Es decir, nos encontramos por encima del límite de la vegetación arbórea —dijo la doctora Barlow en voz baja—. Las abejas de mi abuelo no encontrarían demasiado néctar aquí, ¿no le parece?

Deryn frunció el ceño. No había visto ni una sola criatura viva en aquel paraje desolado y lleno de nieve. Lo que significaba que no había flores para las abejas, ni insectos para los murciélagos.

—Pero ¿y los halcones y las otras aves rapaces, señora? Pueden recorrer una gran distancia cuando salen a cazar.

La doctora Barlow asintió.

—Podrían encontrar alguna presa en un valle cercano. Pero para curarse, al *Leviathan* no le basta con algunos ratones y cuatro liebres. Este lugar es un desierto biológico: aquí no hay nada de lo que necesita para sobrevivir.

Deryn hubiera querido replicarle, pero era innegable que el dirigible necesitaba comer para recuperarse, como cualquier criatura natural. Y en aquel manto de nieve desolado no había ni pizca de comida.

—¿Me está diciendo que no podemos hacer nada?

—Yo *no* he dicho eso, señor Sharp —la doctora Barlow se levantó y señaló un montón de botes que había en el suelo inclinado—. En primer lugar, pongamos estos huevos a la temperatura apropiada. Agite esos calefactores.

—¡De acuerdo, señora!

—Y después quiero ver a ese misterioso muchacho.

· VEINTICINCO ·

Alek se sentía triste, humillado y cansado. Pero tenía demasiado frío para dormirse.

La aerobestia herida estaba llena de cristales de ventana rotos y agujeros de proyectiles, y el viento helado soplaba a lo largo de los pasillos inclinados. Incluso el camarote en el que se encontraba era gélido, a pesar de que la puerta estaba cerrada con llave y la portilla estaba atrancada. En lugar de una lámpara de aceite en la que poder calentarse las manos, la cabina estaba iluminada con los mismos gusanos verdes que recubrían la piel de la nave. Había docenas de ellos que se retorcían como piojos luminosos en el interior de un farol que colgaba del techo.

Los restos del dirigible siniestrado estaban infectados de alimañas impías. Los horrendos perros de seis patas batían la bolsa de gas medio deshinchada y el aire estaba lleno de criaturas voladoras. Incluso en el interior de la barquilla, reptiles de todo tipo se escabullían por las paredes. Mientras los oficiales le interrogaban, un lagarto parlante había recorrido el techo inclinado de un lado a otro con sus patas pegajosas repitiendo trozos de la conversación al azar.

No es que Alek les hubiese contado demasiado. Sus respuestas a las preguntas de los oficiales —de dónde venía, por qué estaba allí— hubieran sido incomprensibles para ellos. No tenía sentido revelar a los darwinistas su auténtico nombre; nunca hubieran creído que era hijo de un archiduque. Y cuando había intentado explicarles lo peligroso que era que lo retuvieran allí, sus advertencias se habían convertido en amenazas vacías y presuntuosas.

Había sido un idiota: aquella vasta criatura y aquella gente eran muy distintos a él. Había sido una locura intentar cruzar el abismo que existía entre los dos mundos.

Encerrado en aquel camarote frío y oscuro, Alek se preguntaba si sus nobles intenciones habían sido un capricho desde el principio. Como si alguien pudiera llevar víveres a un centenar de hombres a través de un glaciar, cada noche y en *secreto*. Tal vez solo le había movido la curiosidad morbosa, como a un niño que ve un pajarito muerto en el suelo.

A través de la pequeña portilla de la cabina vio cómo el horizonte se teñía lentamente de gris. El tiempo se agotaba.

Pronto Otto Klopp se levantaría para iniciar el segundo turno de guardia. Rápidamente se darían cuenta de que Alek no estaba en el castillo y muy pronto se imaginarían adónde había ido. En pocas horas, el conde Volger estaría vigilando el dirigible estrellado, tramando un plan y reflexionando sobre el hecho de que el heredero al trono del Imperio austrohúngaro era un perfecto idiota.

«UNA CONVERSACIÓN INCLINADA».

Alek apretó la mandíbula. Al menos, había hecho algo *bueno*.

Aquel joven aviador, Dylan, hubiera muerto congelado si hubiera permanecido toda la noche en la nieve. No obstante, Alek le había salvado de la congelación. Tal vez esa era la manera de seguir cuerdo en tiempos de guerra: un puñado de gestos nobles en medio del caos.

Obviamente, cinco minutos después, Dylan lo había traicionado.

¿Qué había de cordura en todo aquello?

Se escuchó el tintineo de unas llaves en el pasillo y Alek se alejó de la portilla. La puerta inclinada se abrió y entró...

—*Tú* —gruñó Alek.

Deryn le sonrió.

—Sí, soy yo. Espero que estés bien.

—De hecho, no. Y te lo debo a ti, cerdo ingrato.

—¡Bueno, eso es ser un poco descortés! Yo en cambio te he traído un poco de compañía —Deryn se inclinó y con el brazo hizo un gesto hacia la puerta—. Te presento a la doctora Nora Barlow.

Otra persona entró en la habitación y Alek se quedó con los ojos muy abiertos. En lugar de un uniforme de aviador, llevaba un vestido vistoso y un pequeño sombrero negro y sostenía la correa de una insólita criatura que parecía un perro. ¿Qué hacía una *mujer* en aquella nave?

—Un placer conocerte. Alek, ¿verdad? —dijo ella.

—A su servicio —mientras Alek se inclinaba, la extraña criatura le empujó la mano con el hocico y el muchacho intentó no estremecerse—. ¿Es usted la doctora de a bordo? Sí es así, estoy bien.

La mujer se echó a reír.

—Ya veo que estás bien. Pero no soy doctora en *medicina*.

Alek frunció el ceño y entonces se dio cuenta de que el sombrero negro que llevaba era un bombín. Era uno de los científicos darwinistas, ¡una artífice de aquella ciencia impía!

Miró aterrorizado a la criatura que le estaba oliendo una pernera del pantalón.

—¿Qué es esto? ¿Por qué ha traído esta bestia aquí?

—Oh, no tengas miedo de Tazza —dijo la mujer—. Es totalmente inofensivo.

—No le voy a contar nada —dijo Alek intentando que no se notara el miedo en sus palabras—. No me importa lo que me pueda hacer este animal impío.

—¿Quién, *Tazza*? —Deryn soltó una carcajada—. Tal vez podría darte lametones hasta morir. Y, por cierto, es perfectamente natural. Es lo que llaman un tilacino.

Alek fulminó al muchacho con la mirada.

—Entonces, sé tan amable de *llevártelo* de aquí.

La científica darwinista se acomodó en una silla en la parte más alta de la cabina inclinada y miró a Alek de manera autoritaria.

—Siento que Tazza le ponga nervioso, pero no tiene adónde ir. Sus amigos alemanes han convertido este dirigible en un caos.

—No soy alemán.

—Cierto, es austriaco. Pero los alemanes son sus aliados, ¿no?

Alek no respondió. La mujer solo estaba haciendo conjeturas.

—¿Y qué hace un joven austriaco en estas cumbres? —insistió—. ¿Especialmente, en tiempo de guerra?

Alek miró a la doctora Barlow y se preguntó si valía la pena intentar razonar con ella. Aunque era una mujer, también era una científica y los darwinistas veneraban la ciencia. Tal vez era una persona importante a bordo de aquella nave.

—No importa por qué estoy aquí —dijo intentando imitar el tono autoritario de su padre—. Lo que importa es que tienen que soltarme.

—¿Y eso por qué?

—Porque de lo contrario, mi familia vendrá a buscarme. Y créanme, ¡no les gustará!

La doctora Barlow entornó los ojos. Los oficiales de a bordo se habían reído de sus amenazas. Pero ella le estaba escuchando.

—Así que su familia sabe dónde está... ¿Han sido ellos quienes le han mandado aquí? —preguntó.

Él negó con la cabeza.

—No. Pero pronto descubrirán dónde estoy. No les queda demasiado tiempo para soltarme.

—Ah..., por lo visto el tiempo es esencial —la mujer sonrió—. ¿Así que su familia vive cerca?

Alek frunció el ceño. No tenía ninguna intención de revelarlo.

—Entonces imagino que deberemos encontrarlos, y rápido —miró a Deryn—. ¿Qué sugiere, señor Sharp?

La joven aviadora se encogió de hombros.

—Supongo que podríamos seguir su rastro en la nieve. Y tal vez podríamos llevarle un regalo a su mamá, para que no haya malos entendidos.

Alek fulminó al muchacho con una fría mirada. Una cosa era que lo traicionaran, y otra que le tomaran el pelo.

—Tuve cuidado de no dejar rastro, y si logran encontrar a mi familia, lo único que conseguirán es que les peguen un tiro. Odian a los forasteros.

—Qué gente tan poco sociable —dijo la doctora Barlow—. Y, sin embargo, le han procurado los mejores tutores de inglés.

Alek se dirigió hacia la portilla y respiró profundamente. Una vez más su manera de hablar y sus modales le habían traicionado. Era *exasperante.*

La mujer prosiguió, divertida al verle preocupado.

—Supongo que tendremos que recurrir a otros métodos, señor Sharp. ¿Presentamos a Alek a los jóvenes Huxley?

—¿A los Huxley? —en el rostro de Deryn apareció una sonrisa—. Una idea brillante, señora.

Alek se puso tenso.

—¿Quiénes son?

—Un Huxley no es un *quién*, bobo. Es más bien un *qué*, teniendo en cuenta que está hecho básicamente de medusa —dijo Deryn.

Alek miró al muchacho, seguro de que le estaba tomando el pelo otra vez.

Lo condujeron por el dirigible, una madriguera atestada de pasillos inclinados y olores extraños. Los demás tripulantes apenas miraban a Alek y sus únicos vigilantes eran la doctora Barlow y Deryn, que estaba como un fideo. Le pareció casi un insulto. Quizás aquella criatura llamada Tazza era más peligrosa de lo que le habían dicho.

Obviamente, salir corriendo era impensable. Aunque lograra encontrar la salida, sus captores le habían quitado las raquetas de nieve y ya estaba medio congelado. No duraría ni una hora en el glaciar.

Subieron por una escalera de caracol que, como el resto de la nave, estaba inclinada en un ángulo precario. A medida que iban subiendo, los olores se hacían más extraños. Tazza empezó a oler el aire y a saltar sobre sus patas traseras. Deryn se detuvo debajo de una escotilla que se abría en el techo y se agachó para coger en brazos a la bestia. Subió por la escotilla y desapareció en la oscuridad encima de sus cabezas.

Alek lo siguió y notó que a su alrededor se abría un espacio inmenso.

Poco a poco, sus ojos se acostumbraron a la luz. Las paredes altas y arqueadas eran de un color rosa traslúcido y moteado; sobre ellos se alzaba un arco blanco y segmentado, y el aire estaba cargado de olores desconocidos. Alek se dio cuenta de que hacía mucho calor y, en aquel momento, lo entendió.

—Dios santo —murmuró.

—Genial, ¿no? —dijo Deryn.

—¿*Genial?* —la garganta de Alek se cerró en aquella palabra; notaba en la boca un sabor áspero. Los arcos segmentados que lo rodeaban eran una gigantesca espina dorsal—. Esto es... repugnante. ¡Estamos *dentro* de un animal!

De repente, la pasarela inclinada que tenían bajo los pies se hizo resbaladiza e inestable.

Deryn sonrió y se giró para ayudar a la doctora Barlow a subir por la escotilla.

—Sí, pero vuestros zepelines están revestidos de intestinos de ganado. Eso es como estar dentro de un animal, ¿no? ¡Por no hablar de las chaquetas de piel!

—¡Pero este está vivo! —balbuceó Alek.

—Cierto —dijo Deryn mientras se encaminaba a lo largo de la pasarela con Tazza—, pero estar dentro de un animal muerto es mucho más asqueroso, si lo piensas. Los clánkers sois gente muy extraña.

Alek no se molestó en contestar a esa tontería. Estaba demasiado ocupado mirando dónde ponía los pies y procurando mantenerse en el centro exacto de la pasarela. Estaba más inclinada que el resto del dirigible y la idea de resbalar y tocar las entrañas rosadas de aquel monstruo impío le resultaba del todo insoportable.

—Lamento el mal olor —dijo Deryn—, pero es que estamos en el aparato digestivo de la bestia.

—¿En el aparato digestivo? ¿Me habéis traído aquí para que me *coman?*

Deryn se echó a reír.

—¡Quizás tu hidrógeno nos sería útil!

—Vamos, vamos, señor Sharp. No me dé ideas —dijo la doctora Barlow—. Solo quiero mostrar a Alek lo fácil que será encontrar a su familia.

—De acuerdo —dijo Deryn—. ¡Aquí hay un Huxley!

Alek entrecerró los ojos para poder ver en aquella penumbra. Delante de ellos había una maraña de cuerdas que ondeaba lentamente, como ramas de sauce en la brisa.

—Mira más arriba, imbécil —dijo Deryn.

Alek forzó la vista para seguir las cuerdas oscilantes que se encaramaban por las horrendas paredes rosas. Entonces vio una silueta que flotaba en la penumbra, bulbosa e indistinta.

—Eh, *bestezuela* —gritó Deryn, y una de las cuerdas pareció que se movía en respuesta y se encrespaba como la cola de un gato.

De hecho, no eran cuerdas...

Alek tragó saliva.

—¿Qué *es* eso?

—¿Es que no nos has escuchado? —dijo Deryn—. Es un Huxley: una especie de medusa llena de hidrógeno. Además, parece que ha crecido mucho. ¡Observa!

Se precipitó hacia las cuerdas que colgaban, *¿o más bien eran tentáculos?*, y se aferró a algunas de ellas. Levantó los pies y se balanceó a lo largo de la pasarela. Los otros tentáculos se encrespaban y se agitaban, pero Deryn siguió trepando, tirando hacia abajo de aquel objeto bulboso. Ahora Alek podía observar claramente su piel moteada. Estaba cubierta de protuberancias que parecían ampollas o verrugas en la piel de una rana.

Y sin embargo, a pesar de su horror, Alek quedó fascinado por la gracia extraterrestre de aquellos tentáculos. Parecía una bestia salida de las profundidades del océano, o tal vez de un sueño. Observarla le dejaba entre asqueado e hipnotizado.

Mientras Deryn se balanceaba, Tazza corría detrás de ella, ladrando e intentando mordisquear sus botas. Deryn no dejaba de reír y trepaba cada vez más alto para hacer bajar aquella criatura hinchada hasta que casi pudo tocar su horrenda piel.

Finalmente la dejó y aterrizó sobre la pasarela con un ruido metálico. Los tentáculos furiosos se deslizaron a su alrededor mientras la criatura volvía a refugiarse en la parte alta de las entrañas de la bestia.

—Se está haciendo fuerte —dijo la doctora Barlow—. Pronto estará listo.

—¿Listo para qué? —preguntó Alek en voz baja.

—Para transportarme —Deryn sonrió—. ¡Las más grandes pueden transportar a un hombre a más de una milla de altitud! También tenemos algunos Huxleys adultos, más al fondo.

Alek se quedó mirando a la criatura. *Una milla...,* más de un kilómetro y medio. Desde esa altura divisarían fácilmente la forma rectangular del castillo e incluso al Caminante de Asalto en el patio.

—Veo que lo ha entendido, Alek —dijo la doctora Barlow—.

Pronto encontraremos a su familia. Tal vez podría ahorrarnos el trabajo.

Alek respiró lentamente.

—¿Por qué debería ayudarles?

—Ya ha intentado ayudarnos —respondió—. Y, sí, soy consciente de que a cambio ha recibido un trato horrible. Pero no puede culparnos de haber sospechado de usted. No olvide que estamos en guerra.

—Y entonces, ¿por qué se ganan más enemigos de los que ya tienen?

—Porque necesitamos su ayuda, y la de su familia. De lo contrario, probablemente moriremos todos.

Alek fijó su mirada en la de la mujer. Hablaba totalmente en serio.

—¿No pueden arreglar el dirigible, verdad?

La doctora Barlow negó lentamente con la cabeza y Alek apartó la mirada.

Si realmente los darwinistas estaban bloqueados, la única manera de salvarlos era poner a su disposición el castillo y las provisiones. Era eso o dejarles morir de hambre. Pero ¿podía poner en riesgo la seguridad de sus propios hombres, y tal vez el futuro de su Imperio, por un centenar de vidas?

Debía hablar con Volger.

—Suéltenme y veré lo que puedo hacer —dijo.

—Quizás nos podría llevar hasta su casa, con una bandera blanca para evitar malentendidos —dijo la doctora Barlow.

Alek lo pensó un momento y asintió. Encontrarían el castillo de todos modos.

—De acuerdo. Pero no nos queda mucho tiempo.

—Tengo que hablar con el capitán —chasqueó los dedos para llamar a Tazza—. Señor Sharp, creo que tiene cosas que hacer en la sala de máquinas.

—Sí, señora —dijo Deryn—. ¿Y Alek? ¿Vuelvo a encerrarlo bajo llave?

—*Bella gerant alii?* —la doctora Barlow miró a Alek.

Alek asintió de nuevo.

—Hagan otros la guerra.

La científica le sonrió, se dio la vuelta y se llevó a Tazza.

—Señor Sharp, creo que podemos fiarnos de Alek, no se escapará. Lléveselo con usted a la sala de máquinas. Es un muchacho muy bien educado.

La doctora Barlow y Tazza desaparecieron en la oscuridad, mientras los tentáculos colgantes de los Huxleys se arremolinaban al despertarse a su paso.

—¿Tú has entendido lo que ha dicho? —preguntó Deryn—. Me refiero a aquellas palabras en idioma cerebrín.

Alek puso los ojos en blanco.

—Se llama latín, bobo. *Bella gerant alii* significa 'que hagan otros la guerra'. Quería decir que no debemos luchar entre nosotros.

—¿Sabes latín? —Deryn se rio—. ¿Eres un condenado noble, verdad?

Alek frunció el ceño al darse cuenta de su error.

—Lo que soy es un estúpido.

La doctora Barlow lo había vuelto a poner a prueba para intentar adivinar quién y qué era en realidad. El hijo de un contrabandista o de un montañero no hubiera entendido una frase en latín, en cambio él había respondido sin pestañear.

Lo extraño era que la frase que había pronunciado la doctora Barlow formaba parte de un viejo dicho sobre los Hausburgo, de los que se decía que habían conquistado más tierras con el matrimonio que con la guerra. Además de científica, ¿esa mujer era adivina?

Cuanto antes estuviera lejos de los darwinistas, mucho mejor.

· VEINTISÉIS ·

Mientras se dirigían hacia la escotilla, Deryn dijo:

—La científica debe de pensar que eres alguien especial.

Alek la miró.

—¿Qué quieres decir?

—En la sala de máquinas no debería entrar nadie —Deryn se acercó a él y susurró—: Ahí dentro hay algo condenadamente extraño.

Alek no respondió y se preguntó qué podía considerarse *extraño* entre aquella colección de criaturas abominables. En las últimas horas, ya había visto suficientes seres asombrosos para toda su vida.

—Me imagino que está bien —continuó Deryn—. Teniendo en cuenta que has decidido ayudarnos.

—Y no ha sido gracias a ti.

Deryn se detuvo.

—¿Qué quieres decir?

—Si solo hubieras estado tú en el glaciar, no hubiera movido un dedo.

—Vaya, ¡qué poco amable!

—¿Poco *amable*? —exclamó Alek—. Te he traído medicamentos, te he salvado de... que se te congelase el trasero y te he
salvado la vida. Y en cambio, cuando te pedí que no dijeras nada,
¡me echaste encima aquellos horribles perros!

—Sí. Es que te estabas escapando —dijo Deryn.

—¡Tenía que volver a casa!

—Bueno, y yo *tenía* que detenerte —Deryn se cruzó de brazos—. Juré a las Fuerzas Aéreas y al rey Jorge que defendería este
dirigible. No puedo hacer promesas a un intruso que acabo de conocer, ¿no te parece?

Alek apartó la mirada; su rabia se había desvanecido de golpe.

—Bueno, supongo que estabas cumpliendo con tu deber.

—Claro, yo también lo creo —Deryn se dio la vuelta enfadada
y empezó a andar de nuevo—. E *iba* a darte las gracias por no
dispararme.

—No hay de qué.

—Y gracias sobre todo por no haber prendido fuego a toda la
nave. Incluido tú, pedazo de idiota.

—No *sabía* que el aire estaba lleno de hidrógeno.

—¿No lo olías? Tus fantásticos tutores no te han enseñado nada útil, ¿verdad? —Deryn se rio.

Alek no replicó: por el contrario, entre otras cosas, sus tutores
le habían enseñado a ignorar los insultos. Le preguntó:

—¿Así pues, es hidrógeno lo que estoy oliendo ahora?

—No aquí dentro —dijo Deryn—. El aparato digestivo está

lleno de aire normal, salvo una pizca de metano de más. Por eso huele a pedo de vaca.

—Cada día se aprende algo nuevo —suspiró Alek.

Deryn señaló las paredes rosadas y curvas.

—¿Ves esas hinchazones entre las costillas? Son vejigas de hidrógeno. Toda la mitad superior de la ballena está llena de gas. Lo que estás viendo es solo la barriga, una pequeña parte. Esta bestia mide doscientos pies de arriba abajo.

Más de sesenta metros: a Alek le temblaron un poco las piernas.

—Te hace sentir como una pulga en un perro, ¿verdad? —dijo Deryn mientras abría la escotilla.

Se aferró con las botas a los bordes exteriores de la escalera, se deslizó hacia abajo y aterrizó sobre la cubierta con un golpe sordo.

—Una imagen encantadora —murmuró Alek, que sentía un escalofrío de alivio a medida que descendían a la barquilla.

Prefería andar sobre un pavimento sólido, aunque estuviera inclinado, y entre paredes robustas en lugar de membranas y vejigas.

—Lo siento, pero yo prefiero las máquinas.

—¡Máquinas! —gritó Deryn—. Rematadamente inútiles. Son mucho mejores las especies fabricadas.

—¿En serio? ¿Tus científicos pueden engendrar una bestia que sea tan veloz como un tren? —preguntó Alek.

—No, pero ¿acaso vosotros, los clánkers, habéis construido un tren que pueda cazar su propia comida, repararse él mismo o incluso *reproducirse?*

—¿Reproducirse? —Alek se rio. Por un instante, se imaginó una camada de trenecitos jugando en una estación, lo que le hizo pensar en otros aspectos del proceso reproductivo—. Obviamente no. Qué idea más repugnante.

—Además, los trenes necesitan vías para moverse —dijo Deryn, que contaba con los dedos sus objeciones—. Un elefantino puede andar sobre cualquier tipo de terreno.

—También los caminantes.

—¡Los caminantes son basura comparados con las bestias reales! ¡Son torpes como monos borrachos y, cuando se caen, no pueden levantarse!

Alek resopló, si bien la última afirmación era cierta, sobre todo en el caso de los caminantes acorazados más grandes.

—Bien, entonces, si tus «bestias» son tan fantásticas, ¿cómo os han abatido los alemanes? Con *máquinas*.

Deryn le lanzó una mirada airada y se quitó un guante. Cerró el puño de su mano desnuda.

—Diez contra uno, y ellos también cayeron todos. Además, me apuesto lo que sea a que su aterrizaje no fue tan suave como el nuestro.

Alek se dio cuenta de que había hablado demasiado. Probablemente, Deryn conocía a los tripulantes que habían resultado heridos o que habían muerto en el accidente. Por un momento, Alek pensó que el muchacho iba a darle un puñetazo.

Pero Deryn se limitó a escupir en el suelo y se giró para irse.

—Espera —dijo Alek—. Lo siento.

La muchacha se detuvo pero no se dio la vuelta.

—¿Qué es lo que sientes?

—Que vuestra nave esté tan malherida. Y haber dicho que te hubiera dejado morir de hambre.

—Venga —dijo Deryn con un tono áspero—. Tenemos que ocuparnos de los huevos.

Alek parpadeó y corrió detrás de ella. «¿Huevos?».

Se dirigieron a una pequeña sala en la segunda cubierta de la barquilla. El interior estaba hecho un desastre: había piezas de máquinas esparcidas por el suelo, cristales rotos y paja por todas partes. Allí dentro hacía una calor extraño y olía a…

—¿Eso es azufre? —preguntó Alek.

—El nombre científico es sulfuro. ¿Ves esto? —Deryn le mostró una gran caja en una de las esquinas que emanaba vapor al contraste con al aire frío—. Estos huevos contienen gran cantidad de sulfuro y la gran mayoría se ha roto, gracias a tus amigos alemanes.

Alek parpadeó en la penumbra. Esas formas redondas que tenía delante parecían exactamente… huevos gigantes.

—¿Qué clase de monstruosa criatura los ha puesto?

—No los ha puesto ninguna criatura: han sido creados en un laboratorio. Cuando se crea una nueva bestia, es necesario incubarla durante algún tiempo. Se construyen las bestias a partir de la masa del huevo. Su interior contiene filamentos, cadenas de vida que se mezclan, y de esa mezcla que hay dentro del huevo nacen las bestias.

Alek bajó la mirada asqueado.

—Todo eso parece una blasfemia.

Deryn se rio.

—Es lo mismo que cuando tu madre te llevaba en su vientre. Todos los seres vivos están hechos de filamentos vitales, cadenas de vida: en cada célula de tu cuerpo hay todo un manual de instrucciones.

Un montón de estupideces, obviamente; pero Alek no se atrevió a objetar. Lo último que quería era que le dieran más detalles repugnantes. Y, aun así, no podía apartar la mirada de aquellos huevos que humeaban.

—Pero ¿qué va a salir de aquí?

Deryn se encogió de hombros.

—La científica no lo ha dicho.

El cadete hundió la mano en la paja donde anidaban los huevos gigantes y sacó un termómetro. Entornó los ojos y se quejó en voz baja de la falta de luz. Entonces sacó de su bolsillo un silbato de metal y tocó algunas notas.

La sala se hizo más luminosa y Alek vio un racimo de gusanos luminosos que colgaba del techo, cerca de su cabeza. Se alejó de ellos.

—¿Qué son estas cosas?

Deryn alzó la mirada de lo que estaba haciendo.

—¿El qué? ¿La lámpara gusano?

Alek asintió.

—Un nombre muy adecuado. ¿Los darwinistas todavía no habéis descubierto el *fuego?*

—Vete al cuerno —dijo Deryn—. Utilizamos lámparas de aceite, pero hasta que no arreglen la nave, es demasiado peligroso. ¿Qué utilizan en los zepelines? *¿Velas?*

—No seas absurdo. Me imagino que tienen luz eléctrica.

Deryn resopló.

—Qué desperdicio de energía. Los gusanos bioluminiscentes transforman en luz todo tipo de comida. Comen incluso tierra, como los gusanos normales.

Alek volvió a mirar el racimo de gusanos con repugnancia.

—¿Y les *pitas?*

—Sí —Deryn agitó el silbato—. Con esto puedo dar órdenes a casi todas las bestias del dirigible.

—Sí, recuerdo que has pitado a aquellos… perros-araña.

Deryn se rio.

—Rastreadores de hidrógeno. Comprueban que la piel no tenga fugas y persiguen a los intrusos ocasionales. Siento que te hayan asustado.

—No me han asustado…. —empezó a decir Alek, cuando se dio cuenta de que en el suelo había un montón de bolsas.

Eran las que él había traído, con los botiquines de primeros auxilios.

Se arrodilló y abrió uno de ellos. Todavía estaba lleno.

—Oh, vale —Deryn se volvió hacia los huevos, un poco confusa—. Aún no los hemos llevado a la enfermería.

—Ya veo.

—¡Bueno, es que la doctora Barlow tenía que controlar los huevos! —Deryn carraspeó—. Y luego quiso verte inmediatamente.

Alek suspiró mientras cerraba de nuevo la bolsa.

—Me temo que traeros medicinas ha sido un gesto inútil. Seguro que vosotros, los darwinistas, curáis a la gente con… *sanguijuelas* o algo parecido.

—No, que yo sepa —Deryn se rio—. Lo que sí que utilizamos es el moho del pan para detener las infecciones.

—Espero que sea una broma.

—¡Yo nunca miento! —dijo Deryn, se levantó y dejó lo que estaba haciendo—. Escucha, Alek, estos huevos están tan calientes como el pan tostado. Vayamos a llevar los botiquines a los cirujanos. Sabrán cómo utilizarlos, estoy seguro.

Alek arqueó una ceja.

—¿Y no será que me estás siguiendo la corriente?

—Bueno, también me gustaría encontrar al contramaestre. Le dispararon justo antes del impacto y no sé si ha salido con vida. Cuando la nave se ha precipitado, él y un amigo mío colgaban de una cuerda.

—De acuerdo —Alek asintió.

—Y venir aquí no ha sido un gesto inútil —dijo Deryn—. Al fin y al cabo, me has salvado de congelarme el trasero.

Mientras se dirigían a la enfermería, Alek notó que las escaleras y los pasillos no daban tanta sensación de mareo.

—El dirigible está menos inclinado, ¿verdad? — preguntó.

—Están ajustando el arnés —dijo Deryn—. Un poco cada hora, para no molestar a la ballena. He oído que estará enderezada al amanecer.

—Al amanecer —murmuró Alek. Por aquel entonces, Volger ya estaría a punto de poner en práctica su plan, el que fuera—. ¿Cuánto queda?

Deryn sacó un reloj de su bolsillo.

—¿Media hora? Tal vez un poco más hasta que veamos el sol encima de las montañas.

—¿Solo media hora? —Alek estaba furioso —. ¿Crees que el capitán escuchará a la doctora Barlow?

Deryn se encogió de hombros.

—Aunque sea una científica, ella es la mandamás.

— ¿Y qué significa *eso*, exactamente?

—Significa que es rematadamente importante. Aterrizamos en Regent's Park únicamente para recogerla a ella. Hará que el viejo la escuche.

—Bien.

Pasaron al lado de una hilera de portillas y Alek miró fuera. Empezaba a amanecer.

—Mi familia pronto estará aquí.

Deryn puso los ojos en blanco.

—¿Eres un poco engreído, no?

—¿Disculpa?

—Que tienes una gran estima de ti mismo —explicó Deryn lentamente, como si hablara con un idiota—. Como si fueras alguien especial.

Alek miró al muchacho sin saber qué responderle. Era inútil explicarle que, de hecho, *era* alguien especial: el heredero de un imperio de cincuenta millones de almas. Dylan no lo habría entendido.

—Tal vez mi educación ha sido un tanto particular.

—Seguro que eres hijo único, ¿cierto?

—Bueno…, sí.

—¡Ajá! Lo sabía —alardeó Deryn—. ¿Y piensas que tu familia

se enfrentará a un centenar de hombres en un dirigible de guerra solo para conseguir que *vuelvas?*

Alek asintió y respondió simplemente:

—Sí.

—¡Arañas chaladas! —Deryn sacudió la cabeza y se rio—. Seguro que tus padres te miman demasiado.

Alek se dio la vuelta y retomó el camino a lo largo del pasillo.

—Sí, supongo que lo hacían.

—¿Lo *hacían?* —Deryn corrió detrás de él hasta alcanzarle—. Espera, ¿tus padres han muerto?

A Alek, la respuesta se le encalló en la garganta y se dio cuenta de algo extraño. Hacía más de un mes que su padre y su madre habían fallecido, pero esa parte (decírselo a alguien) era algo nuevo. De hecho, los tripulantes del Caminante de Asalto lo habían sabido antes que él.

No se atrevió a hablar. Después de todo aquel tiempo, tenía miedo de que, al decirlo en voz alta, su vacío interior se apoderara de él. Solo pudo asentir.

Extrañamente, Deryn le sonrió.

—¡Mi padre también murió! Es horrible, ¿verdad?

—Sí, lo es. Lo siento.

—Al menos mi madre está viva —se encogió de hombros—. Pero he tenido que escaparme. No entendía que quisiera ser soldado.

Alek arrugó la frente.

—¿Y qué madre no querría a un hijo en el Ejército?

Deryn se mordió la lengua y volvió a encogerse de hombros.

—Es una historia un poco complicada. En cambio, mi padre lo hubiera entendido…

Su voz se apagó mientras atravesaban una enorme sala con una mesa larga en el centro y una gran ventana destrozada que dejaba entrar el aire frío. Deryn se detuvo un momento y observó el cielo tiñiéndose de un rosa metálico. Aquel silencio turbó a Alek y por enésima vez deseó haber heredado el don de su padre de decir las palabras adecuadas en cada momento.

Finalmente, se aclaró la voz.

—Estoy contento de no haberte disparado, Dylan.

—Sí, yo también —dijo la muchacha y se dio la vuelta—. Venga, llevemos esos botiquines al cirujano y busquemos al señor Rigby.

Alek le siguió y deseó que el señor Rigby, quienquiera que fuera, estuviera vivo.

· VEINTISIETE ·

Treinta minutos más tarde, Deryn estaba en la
espina dorsal del Leviathan abrochándose el equipo de vuelo del
Huxley más grande que había a bordo. Estaba exhausta y medio
congelada, pero por primera vez tras el desastre parecía que la
situación estaba bajo control.

Ella y Alek habían encontrado al señor Rigby en la enfermería.
Estaba bien y daba órdenes desde su cama. Le había atravesado
una bala, pero no le había dañado ningún órgano vital. Según el
cirujano de a bordo, en una semana estaría de nuevo de servicio.

Allí los encontró un lagarto mensajero que, con la voz de la
doctora Barlow, les puso al corriente de las decisiones del capitán:
un grupo de hombres bien armados escoltarían a Alek hasta su
casa con una bandera blanca, pero primero era necesario mandar
a un Huxley para que inspeccionara el terreno. Así que a Alek le
habían encargado vigilar los huevos y Deryn había subido hasta la
espina dorsal y estaba preparada para la ascensión.

Se apretó bien el equipo de vuelo en los hombros y alzó la mirada hacia el Huxley. La bestia parecía saludable con la membrana bien tensa en el aire ligero de la montaña.

Estaba preparada para subir hasta una milla de altitud, tal vez más. Si la familia de Alek vivía en aquel valle, Deryn los divisaría rápidamente.

—¡Señor Sharp! —gritó una voz procedente del flanco de la nave. Era Newkirk, que subía hacia ella sonriendo—. Es verdad..., ¡está vivo!

—¡Por supuesto! —repuso Deryn con una gran sonrisa.

El señor Rigby le había dicho que Newkirk había salido ileso, pero se alegraba de verlo con sus propios ojos.

Newkirk corrió el último tramo de la subida; llevaba en la mano unos prismáticos.

—Son de parte del navegante, que le manda saludos. Son los mejores que tiene, así que no los rompa.

Deryn frunció el ceño cuando vio la marca en el estuche de piel: *Zeiss Optik*. Todo el mundo decía que los prismáticos clánker eran mejores, pero le fastidiaba tener que reconocerlo. Por suerte, Alek no estaba allí para hacer algún comentario engreído. Huérfano o no, ya había tenido bastante de su arrogancia clánker para todo el día, y eso que aún no había salido el sol.

—El señor Rigby y yo empezábamos a pensar que había caído antes del impacto —dijo Newkirk—. Me alegra saber que solo estaba perdiendo el tiempo.

—¡Váyase al cuerno! —dijo Deryn—. De no ser por mí, ahora

seríais dos puntitos en la nieve. Y no he estado haraganeando, he estado escoltando a un prisionero importante.

—Sí, he oído algo de un chico chiflado —Newkirk entrecerró los ojos—. ¿Es verdad que ha dicho que un ejército de abominables hombres de las nieves va a venir a rescatarlo?

Deryn se rio entre dientes.

—Sí, está un poco mal de la azotea, pero no creo que sea alguien a quien temer.

Al ver al señor Rigby con la camisa rasgada alrededor de la herida, Deryn se había dado cuenta de la suerte que había tenido. Si Alek no la hubiera despertado, habría terminado *ella* también en la camilla de la enfermería. Y aunque solo hubiera sido un principio de congelación, los cirujanos le habrían quitado el uniforme y habrían visto lo que escondía debajo.

Tenía que reconocer que estaba en deuda con aquel muchacho.

Sonó un silbato y los dos se quedaron en silencio.

Toda la tripulación se había reunido en el glaciar, resguardados por la enorme medialuna de la ballena. Con la primera luz del alba, el capitán iba a dirigirse a ellos.

Al este, el sol estaba a punto de coronar la cima de las montañas y el aire empezaba a calentarse. La membrana del *Leviathan* se estaba volviendo de color negro, se preparaba para absorber el calor del día.

—Espero que el capitán tenga buenas noticias —dijo Newkirk—. No me gustaría permanecer demasiado tiempo en este iceberg.

—Es un glaciar —dijo Deryn—. Y la científica está convencida de que estaremos bastante tiempo.

Se oyó un revuelo entre los hombres que se habían reunido abajo. Alguien ordenó que prestaran atención mientras el capitán salía fuera, en medio de la nieve.

—El último parche se ha colocado esta mañana, a las seis —anunció—. ¡El *Leviathan* ya no tiene ninguna fuga, es hermético!

Los aparejadores que había alineados en la espina dorsal vitorearon las palabras del capitán, y los dos jóvenes cadetes se unieron a ellos.

—El doctor Busk ha controlado los órganos internos y parece que la bestia se encuentra bastante bien —prosiguió el capitán—. Y, todavía más importante, nuestros amigos clánker apenas han dañado las barquillas. Hay muchos cristales rotos, pero los instrumentos están en buen estado. Únicamente los impulsores necesitan una reparación seria.

Deryn bajó la mirada a la cápsula del motor de babor. Había sido acribillada por las balas y perdía aceite negro sobre la nieve. Los motores de cola también se veían dañados. Los alemanes habían dirigido el fuego principalmente a las piezas mecánicas del dirigible, un razonamiento muy típico de los clánker. Y la cápsula de estribor se encontraba, naturalmente, debajo de la ballena, aplastada contra el glaciar.

—Para controlar el dirigible, necesitamos dos motores de impulsión que funcionen —dijo el capitán—. Por suerte, no nos fal-

«EL CAPITÁN SE DIRIGE A LA TRIPULACIÓN».

tan piezas de recambio —hizo una pausa—. Así pues, nuestro gran reto será volver a hinchar el dirigible.

«Ahora lo dirá», pensó Deryn.

—Por desgracia, no tenemos suficiente hidrógeno.

Entre los tripulantes se oyó un murmullo de incertidumbre. Al fin y al cabo, los bichitos del estómago de la ballena *producían* hidrógeno, de la misma manera que los hombres expulsan dióxido de carbono. Incluso después de un largo periodo de hibernación, el dirigible siempre volvía a sus dimensiones originales en pocos días.

En general, era un proceso tan simple que nadie había pensado en lo más obvio: el hidrógeno no surgía de la nada. Lo producían las abejas y las aves del dirigible.

El jefe de los científicos dio un paso adelante.

—Los Alpes fueron en la antigüedad el sustrato rocoso de un antiguo fondo marino —dijo—. Pero ahora estas cumbres son las más altas de Europa, un lugar inhóspito tanto para los hombres como para los animales. Si miráis a vuestro alrededor, no veréis ni insectos, ni plantas ni pequeñas presas para nuestras bandadas. Por el momento, nuestras bestias fabricadas se están nutriendo de las provisiones del dirigible. Mientras se mantengan con vida, el dirigible procesará sus excreciones y rellenará lentamente sus células de hidrógeno.

—¿Excreciones? —susurró Newkirk.

—Así llaman los científicos a la mierda —le respondió Deryn, y Newkirk soltó una carcajada.

—Pero cuando se diseñó el *Leviathan* —continuó el doctor

Busk—, ninguno de nosotros se imaginó que aterrizaría en un lugar tan desolado. Me temo que los resultados de nuestros cálculos son inequívocos: el hidrógeno que hay en las reservas del dirigible no es suficiente para volver a elevarlo.

Otro murmullo se difundió entre la tripulación. Ahora se estaban haciendo a la idea.

—Alguno de ustedes tal vez se preguntará —prosiguió el doctor Busk con media sonrisa—, por qué no nos limitamos a extraer el hidrógeno de la nieve que hay a nuestro alrededor.

Deryn arrugó la frente. Personalmente, no se lo había preguntado, pero en efecto la pregunta parecía sensata. Al fin y al cabo, la nieve era agua: hidrógeno y oxígeno. Siempre le había parecido un poco sospechoso el hecho de que dos gases mezclados generasen un líquido, pero los científicos tenían la certeza absoluta.

—Lamentablemente, separar el agua en los elementos que la componen requiere energía y la energía requiere alimentos. El ecosistema en el que vivimos puede repararse solo si encuentra sustento en la naturaleza—. El doctor Busk barrió el glaciar con la mirada—. Y en este paraje horrible, la naturaleza misma está vacía.

Cuando el capitán dio un paso al frente, Deryn no oía nada, salvo el viento en las jarcias y el jadeo de los rastreadores de hidrógeno. Entre la tripulación reinaba un silencio sepulcral.

—A primera hora de esta mañana hemos soltado dos golondrinas mensajeras para que comuniquen nuestra posición al Almirantazgo —informó el capitán—. Estoy seguro de que una de nuestras naves hermanas nos encontrará pronto, siempre y cuando la guerra no sea un obstáculo.

Se oyó una risa sofocada entre la tripulación y Deryn empezó a sentir una brizna de esperanza. Tal vez la situación no era tan desesperada como creía la doctora Barlow.

—No obstante, organizar una misión de salvamento para un centenar de hombres en tiempo de guerra podría requerir semanas —el capitán hizo una pausa; a sus espaldas, el jefe de los científicos tenía una expresión severa—. No tenemos demasiadas provisiones en las despensas y, si dividimos las raciones por la mitad, tenemos para algo más de una semana. Un poco más si utilizamos otros recursos a nuestra disposición.

Deryn arqueó una ceja. ¿De *qué* otros recursos hablaba? El jefe de los científicos acababa de decir que en el hielo no había nada.

El capitán se irguió.

—Y mi primera responsabilidad son ustedes, los hombres de mi tripulación.

Los *hombres*, no las criaturas fabricadas. ¿Significaba eso alimentarse con las provisiones de las bestias? Seguro que el capitán no quería decir…

—Para salvarnos quizás deberemos dejar morir al *Leviathan*.

—¡Diantre! —exclamó Newkirk.

—No será necesario —dijo Deryn mientras le cogía de las manos los prismáticos clánker—. Mi chico chiflado nos ayudará.

—¿Qué? —preguntó Newkirk.

—Di a los hombres del cabrestante que me den cuerda —dijo Deryn—. Estoy preparado para la ascensión.

—¿No crees que es un poco descortés —susurró Newkirk—, despegar mientras está hablando el capitán?

Deryn observó el glaciar: una extensión uniforme de nieve blanca que brillaba con los primeros rayos del sol. Pero no muy lejos había gente que sabía cómo sobrevivir en ese horrible lugar. Y el capitán le había ordenado despegar de madrugada…

—Deje de perder el tiempo, señor Newkirk.

El muchacho suspiró.

—De acuerdo, señor almirante. ¿Quiere un lagarto mensajero?

—Sí, llamaré a uno —dijo Deryn—. Pero ahora tráigame las banderas de señalización.

Mientras Newkirk iba a buscar las banderas, Deryn sacó su silbato de mando y llamó a un lagarto mensajero. Se giraron algunas cabezas de entre la multitud que había abajo, pero Deryn las ignoró.

Pronto un lagarto llegó a la cima de la bolsa de aire que languidecía y corrió hacia Deryn a través de la espina dorsal. Ella chasqueó los dedos y el lagarto subió por su uniforme de vuelo hasta situarse en su hombro como un loro.

—Ponte aquí al calor, bicho —le dijo.

El cabrestante empezó a girar y en el flanco de la aerobestia colgaba ya un trozo de cuerda floja. Newkirk le dio las banderas de señalización y permaneció de pie, preparado para desenganchar la cuerda.

Deryn le hizo una señal con el pulgar hacia arriba y él soltó el nudo.

A medida que ascendía el aire se hacía cada vez más nítido.

Abajo, cerca del suelo, el viento constante levantaba ráfagas de partículas de hielo, que se arremolinaban por el glaciar como una gélida tormenta de arena. Pero allí arriba, por encima de la bruma de la nieve levantada, todo el valle se desplegaba debajo de Deryn. Las montañas se elevaban a ambos lados, cubiertas de un manto blanco irregular. Los estratos del antiguo fondo marino sobresalían en la nieve en un paraje accidentado y abrupto.

Deryn sacó los prismáticos del estuche. ¿Por dónde empezaba?

Primero analizó el perímetro del dirigible accidentado para ver si encontraba un rastro reciente en la nieve. Había huellas largas y sutiles que se alejaban y acercaban al dirigible y que señalaban el breve trayecto de los tripulantes que salían a fumar o a hacer sus necesidades. Pero había un sendero de huellas más largo y confuso que los otros: eran las huellas de las divertidas botas de Alek.

Deryn siguió aquel rastro más allá de los restos del dirigible. Las huellas cambiaban a menudo de dirección y, siempre que era posible, se dirigían hacia tramos de roca sin nieve. Alek había sido inteligente: había intentado confundir a quien intentara seguirle. Pero no había pensado que alguien pudiera vigilarlo desde el cielo.

Antes de que las huellas se desvanecieran en la distancia, Deryn ya estaba segura de que provenían del este, de donde estaba Austria.

El sol ya había salido totalmente y hacía brillar la nieve. Pero Deryn agradecía el calor. Los ojos le lloraban a causa del frío y el lagarto mensajero se aferraba a su hombro como una lapa. Los lagartos fabricados no eran del todo de sangre fría, pero el aire gélido los ralentizaba.

—Resiste, bichito. Dentro de poco tendré una misión para ti.

Deryn exploró con los prismáticos el margen oriental del valle, en busca de algo anómalo. Y de pronto vio... las huellas de alguna cosa.

No eran humanas. Eran huellas enormes, como si un gigante hubiera llegado hasta allí arrastrando los pies. ¿Qué había dicho Newkirk sobre el abominable hombre de las nieves?

El rastro llevaba hasta un montón de rocas que sobresalían, o algo que parecían rocas. A medida que Deryn observaba, pudo ir distinguiendo unos muros derruidos y unas construcciones de piedra agrupadas alrededor de un patio abierto.

—¡Caramba! —exclamó.

Ahora entendía por qué Alek hablaba de una manera tan aristocrática: vivía en un condenado *castillo*.

Pero todavía no había encontrado el artífice de aquellas huellas. El patio estaba vacío y las cuadras eran demasiado pequeñas como para albergar algo tan grande. Deryn analizó lentamente toda la estructura hasta que descubrió la verja en los muros del castillo... Estaba abierta.

Con las manos temblorosas, volvió a seguir las huellas que se alejaban del castillo y entonces vio lo que se le había escapado la primera vez. Otra serie de huellas que se desviaban y se encaminaban hacia la nave naufragada.

Y aquellas huellas eran recientes.

Deryn se acordó de su discusión con Alek acerca de los animales y las máquinas. Había hablado de caminantes, ¿verdad? Aquellas burdas imitaciones clánker de sus bestias. Pero ¿qué tipo de familia chiflada podía tener un caminante privado?

Deryn rastreó la nieve con mayor rapidez hasta que un destello metálico la deslumbró. Parpadeó mientras seguía las huellas y...

—¡Diablos!

La máquina avanzaba saltando sobre la nieve; el calor que desprendía hacía que brillase en el hielo, como una tetera monstruosa y furiosa de dos patas. De su barriga asomaba la horrenda boca de un cañón y de la cabeza le salían dos ametralladoras a modo de orejas.

Corría directamente hacia el *Leviathan*.

Deryn sacó las banderas de señalización de su cinturón y las agitó con fuerza. En la espina dorsal del dirigible pudo apreciar el destello de una luz: Newkirk la estaba observando.

Deryn agitó las banderas y lanzó un mensaje:

«S-E-A-C-E-R-C-A-E-N-E-M-I-G-O-P-O-R-E-L-E-S-T-E».

Entrecerró los ojos a la espera de una señal de confirmación. La luz proyectó la respuesta: «¿C-O-N-Q-U-É-M-E-D-I-O?».

«C-A-M-I-N-A-N-T-E-D-E-D-O-S-P-A-T-A-S», contestó.

Obtuvo otro destello de confirmación y eso fue todo. Seguro que ya se habían puesto a trabajar a toda prisa para defenderse de un ataque armado. Pero ¿qué podía hacer la tripulación del *Leviathan* contra un caminante armado? Un dirigible en tierra era totalmente indefenso.

Necesitaban más información. Volvió a acercarse los prismáticos para intentar descifrar las marcas que había en la máquina.

—¡Alek, *caraculo!* —gritó.

En las dos chapas de acero que protegían las patas del caminante había dibujada la Cruz de Hierro. Y en la chapa del pecho había un águila de dos cabezas. ¡Alek era tan suizo como el queso roquefort!

—Bicho, despierta —exclamó Deryn. Respiró profundamente para calmarse y dijo con voz lenta y clara—: Alerta, alerta. El cadete Sharp manda saludos al *Leviathan*. El caminante que se acerca es austriaco. Dos patas, un cañón, modelo no identificado. Probablemente es la familia de Alek, el muchacho que hemos capturado. Quizás él podría hablar con ellos...

Deryn hizo una pausa para pensar qué más podía decir. Le venía a la mente una sola manera de detener a aquella máquina, pero era demasiado complicado meterlo en un minúsculo cerebro de lagarto.

—Fin del mensaje —dijo y dio un empujón a la bestia, que se deslizó hacia abajo por el cabo de anclaje.

Mientras la veía descender, Deryn dejó escapar un gemido. Lejos del calor de su cuerpo, el lagarto cada vez iba más lento. Aquel bicho tardaría algunos minutos en entregar el mensaje.

Volvió a explorar el glaciar, esta vez sin los prismáticos. Un pequeño resplandor metálico destellaba en la nieve, cada vez más cerca del dirigible. El caminante llegaría antes que el lagarto.

Alek era el único que podía detener aquella máquina, pero, con todo aquel jaleo, ¿a quién se le ocurriría pensar en él?

Lo único que podía hacer era bajar y ocuparse ella misma.

· VEINTIOCHO ·

Aquella era su primera escapada deslizante.

Había estudiado los diagramas en el *Manual de Aeronáutica*, por supuesto, y todos los cadetes del Ejército querían una excusa para probar una. Pero no se les permitía *practicar* escapadas deslizantes puesto que eran rematadamente peligrosas, ¿cierto?

Su primer problema era el ángulo del cable que se extendía bajando hacia la aeronave. En aquel momento el ángulo era demasiado inclinado y acabaría como un manchón en la nieve. El *Manual* decía que lo mejor era intentarlo con cuarenta y cinco grados. Para alcanzarlos, el Huxley necesitaba perder altitud, y deprisa.

—¡Vamos, bestezuela! —gritó ella—. ¡Creo que voy a encender una cerilla ahí abajo!

Un tentáculo se enroscó serenamente en la brisa, pero fue la única reacción que pudo apreciar en la aerobestia. Deryn soltó un gruñido de frustración. ¿Acaso había encontrado al único Huxley del Ejército que no se asustaba?

—¡Caraculo! —le insultó, balanceándose en la silla—. ¡Me he vuelto loca y me dan ganas de prenderte fuego!

Entonces se enroscaron más tentáculos y Deryn vio que las agallas de ventilación se fruncían suavemente. El Huxley estaba soltando hidrógeno, pero no lo suficientemente rápido.

Pataleó y movió las piernas para balancearse de un lado a otro, tirando de las correas que conectaban su arnés con la aerobestia.

—¡Baja de una vez, estúpida criatura!

Finalmente llegó a su nariz el olor del hidrógeno y Deryn notó que el Huxley descendía. La correa de sujeción parecía menos inclinada a cada segundo, como el cordel de una cometa al caer. Pero ahora venía la parte difícil: reconfigurar el arnés del piloto para transformarlo en un aparejo de escape.

Aún gritando a la bestia, Deryn empezó a separarse del arnés. Aflojó las tiras alrededor de sus hombros, retorciéndose para liberar un brazo y seguidamente el otro. Cuando el cinturón que rodeaba su cintura se desató, le sobrevino la primera oleada de vértigo. Ahora no la sujetaba a la silla nada más que su propio sentido del equilibrio.

Deryn consideró que hacía casi veinticuatro horas que estaba despierta, sin contar el tiempo que había estado tendida inconsciente en la nieve, algo que no se podía considerar un sueño de calidad. Probablemente no era el mejor momento para probar maniobras arriesgadas…

Se quedó mirando las tiras y las hebillas, intentando recordar cómo volvían a atarse de nuevo. ¿Cómo pretendía volver a unirlos todos mientras colgaba de su percha?

Con un suspiro, Deryn decidió usar ambas manos, aunque aquello significase que si el Huxley se movía bruscamente tendría que soportar una gran caída.

—Olvídate de lo que te he dicho antes, bestezuela —murmuró ella—. ¿Qué te parece si solo flotamos tranquilamente?

Los tentáculos seguían enroscados a su alrededor, pero por lo menos la criatura continuaba descendiendo. La correa de sujeción ya casi había alcanzado los cuarenta y cinco grados.

Tras un largo minuto manipulándolo, el aparejo de escape parecía estar dispuesto correctamente, los mosquetones formaban una especie de hebilla en el centro. Deryn dio un buen tirón al artilugio con las dos manos y lo sostuvo con firmeza. Ahora venía la parte espeluznante.

Agarró con fuerza el aparejo con los dientes y se impulsó hacia arriba con ambas manos. Cuando su trasero dejó la silla, le sobrevino una nueva oleada de vértigo. Pero enseguida Deryn ya se había incorporado y casi se había puesto en cuclillas con sus botas de suela de goma clavadas en el asiento curvo de cuero.

Alargó los brazos y sujetó las hebillas en la correa de sujeción, luego cogió un extremo de la tira en cada mano, enrollando la tira de cuero varias veces alrededor de sus muñecas.

Deryn miró hacia abajo, al glaciar.

—¡Maldita sea!

Mientras se había estado preparando, el caminante se había acercado casi a la mitad de la distancia que lo separaba de la aeronave. Y lo que era aún peor, la línea de sujeción todavía estaba más inclinada. El viento cada vez impulsaba al Huxley más alto. Con aquel ángulo, se deslizaría cuerda abajo mucho más rápido.

El *Manual* estaba lleno de historias dantescas sobre pilotos que habían cometido aquel error. Deryn se quedó allí completamente de pie, con la cabeza a unos pocos centímetros de la membrana del Huxley.

—¡*Buu!* —gritó.

La aerobestia tembló de arriba abajo, despresurizando un chorro de un olor amargo de hidrógeno justo en su rostro. La silla realizó un movimiento brusco bajo Deryn y sus botas resbalaron por el ajado cuero

Una fracción de segundo después, las tiras que estaban atadas alrededor de sus muñecas restallaron, tirando fuertemente de sus hombros y, seguidamente, se encontró deslizándose hacia abajo, bajando hacia la inmensa masa de la aeronave que tenía debajo.

Solo sentía un rugido en sus oídos, como si obedeciese a un viento en contra que le empujase por la espina dorsal. Aunque las lágrimas bañaban su rostro, congelando sus mejillas, Deryn se sorprendió dejando escapar un grito salvaje y exultante.

Aquello sí que era volar *de verdad*, mucho mejor que las aeronaves o los elevadores o los globos aerostáticos, como un águila bajando en picado lanzándose hacia su presa.

Durante unos aterradores segundos, el ángulo aumentó aún más, pero el *Manual* ya lo había previsto. Era el Huxley impulsándose hacia arriba detrás de Deryn al librarse de su peso.

Alzó la vista hacia el aparejo. Las hebillas de metal estaban profiriendo un audible siseo y desprendían una pizca de humo a causa de la fricción. Sin embargo, se estaba moviendo con demasiada rapidez como para quemarse con la cuerda. Todo estaba saliendo a la perfección.

Mientras otra ráfaga de aire no impulsara al Huxley más arriba...

La aeronave cada vez se veía más grande ante ella. La tripulación ya se estaba preparando y parecía una confusión de minúsculos puntitos, como un hormiguero en la nieve, y eso estaba bien. No tenía tiempo de hacer un informe formal. Debía llegar a la sala de máquinas y volver a salir antes de que llegase el caminante.

Pero ¿qué era *aquello*? De no sabía dónde, había aparecido una pequeña forma en la cuerda por la que bajaba deslizándose, tal vez un enredo o alguna imperfección en el cable. A aquella velocidad, intentar deshacer un nudo podía romperle las muñecas, o lo que era aún peor, cortar el cuero del aparejo.

Entonces Deryn vio lo que era: era el lagarto mensajero que aún bajaba laboriosamente hacia la nave.

—¡Quítate de ahí, lagaaaaarto! —gritó ella.

¡En el último instante la bestia la oyó y saltó directamente al aire! Deryn pasó junto a él como una centella, dándose la vuelta sobre sí misma para mirar atrás. El lagarto siguió bajando por la cuerda, envolviendo con sus dedos pegajosos el cable y gritando advertencias al azar cuando Deryn pasó como una bala junto a él.

—¡Lo siento, bicho! —gritó ella y luego volvió a mirar hacia la aeronave.

«TIROLINA DE EMERGENCIA».

Se acercaba a ella demasiado *deprisa*.

Intentó aminorar la velocidad, balanceando las piernas para frenar el aire. Por lo menos la membrana era blanda y estaba medio deshinchada. Ahora el flanco estaba a pocos segundos de distancia, los rastreadores y los aparejadores corrían a toda prisa para salir de su paso. Deryn dejó que las tiras que llevaba enroscadas en sus muñecas se desenroscasen

Cuando hubo desenroscado la segunda se dejó caer.

La membrana se arrugó a su alrededor con un «bump». Por unos instantes se vio sepultada entre el abrazo cálido y sofocante de la piel de la bestia, sin aliento y aturdida.

Rodó sobre sí misma para ponerse boca arriba. Los oídos aún le silbaban por el impacto y se encontró nariz contra nariz contra un rastreador de hidrógeno curioso.

—¡Au! —le dijo Deryn—. ¡Eso *duele*!

La bestia la olisqueó y soltó un ladrido de preocupación, puesto que, al parecer, el impacto había abierto una fuga.

Unas manos bajaron y tiraron de ella hacia arriba, dejando a Deryn de pie.

—¿Te encuentras bien, muchacho?

—Sí, gracias —dijo ella, mirando a su alrededor en busca de un oficial.

Pero no apareció nadie para pedir un informe. Todos los aparejadores iban de un lado a otro a su alrededor y la tripulación estaba dispersa abajo.

—¿Aún no está a la vista?

—¿Se refiere a aquel artefacto? —el aparejador se giró y miró por la nieve.

En el horizonte se veía un leve reflejo destellando con una pauta constante, acorde con el ritmo del paso del caminante.

—Dicen que es uno grande.

—Sí, sí que lo es —dijo Deryn y se dirigió hacia abajo.

❖ ❖ ❖

Corriendo por la membrana con sus temblorosas piernas, esperaba que Alek estuviese aún con los huevos. ¿Adivinaría lo que significaba la llamada de la sirena de batalla e intentaría escapar? ¿O podría ser que con el enemigo acercándose, algún oficial idiota decidiera encerrarlo de nuevo?

Cuanto más rápido lo encontrase, mejor.

Al ver una maraña de flechastes envueltos alrededor de la barquilla principal, Deryn no se molestó en usar una rampa de abordaje. Descendió por la cuerda, entrando en la barquilla con un balanceo por una ventana rota. Sintió cómo las esquirlas de los cristales rotos tiraban de su traje de vuelo, pero la gruesa piel del traje las arrancó del marco y sus botas resbalaron cuando aterrizó.

En su interior no reinaba el caos, sino una urgencia controlada. Una tropa de hombres pasó corriendo por su lado, transportando armas pequeñas. Resonó un coro de silbatos de mando, llamando a reunión a los encargados de los halcones.

¿Acaso iban a combatir contra un caminante acorazado con armas aéreas y redes antiaéreas? No tendrían ni una sola oportunidad.

La sala de máquinas estaba justo al fondo del corredor. Se dirigió hacia allí y después atravesó la puerta corriendo a toda prisa.

—¡Señor Sharp! —exclamó la doctora Barlow desde la oscuridad—. ¿Qué es ese alboroto que hay ahí fuera?

Poco después, los ojos de Deryn se acostumbraron a la oscuridad. Allí estaba él, arrodillado junto a la caja de cargamento.

—¡Alek! —gritó—. ¡Es tu familia!

El muchacho se puso de pie, dejando escapar un suspiro.

—Tal como esperaba.

—¿Han enviado a un emisario?—preguntó la doctora Barlow.

—¡Han enviado una maldita máquina de guerra! —pasando por alto la expresión de la científica, Deryn agarró el brazo de Alek y tiró de él para que saliera por la puerta.

Después de arrastrarlo hacia el corredor, el chico empezó a correr por voluntad propia. Ella le condujo hacia la cubierta inferior.

—Estaba seguro de que Volger intentaría una aproximación directa —dijo él mientras bajaba corriendo las escaleras.

—Hablando de directo, ¿cómo es que nunca mencionaste que tu familia tenía un maldito caminante?

—¿Acaso me hubieses creído?

—¡*Aún* no estoy segura de creérmelo!

Cuando llegó a la cubierta inferior, Deryn corrió hacia la puerta principal de la barquilla, pero cuando llegaron a la rampa de abordaje, ya estaba ocupada por una hilera de tripulantes transportando pesadas cajas. Las palabras que llevaban impresas: «Explosivos de gran potencia», hicieron que Deryn se detuviera en seco.

—No quiero tropezarme con estos tipos. Esto son bombas aéreas.

Alek abrió mucho los ojos.

—¿Desde dónde van a lanzarlas?

—¿Tal vez desde un Huxley? ¡Es justo lo que necesitamos para que tu caminante empiece a dispararnos! —tiró de él para alejarlo de allí—. ¡Vamos, saltaremos por una ventana!

La ventana rota de la cantina de los cadetes por la que habían pasado aquella mañana aún no había sido reparada. Deryn saltó a la repisa de la ventana, pero se detuvo. Con la barquilla en aquel ángulo, la caída sería un poco más alta de lo que había esperado.

Alek se subió junto a ella, mirando hacia abajo con un gesto dubitativo.

—La nieve está muy blanda —dijo Deryn intentando convencerse a sí misma—. ¡Es un salto fácil!

—Pues entonces, voy detrás de ti —dijo Alek.

—Ni hablar —Deryn cogió el brazo del muchacho y saltaron a la vez.

—No ha estado tan mal.

La nieve se compactó bajo ellos con un ruido apagado, como si les hubiesen aporreado con una gran almohada congelada.

Alek se puso de pie, con una mirada furiosa.

—¡Me has empujado!

—En realidad ha sido algo más que un *empujón* —señaló hacia la nieve—. No podíamos perder tiempo. El caminante ya casi está aquí.

A medida que corrían, Deryn ya sentía los pasos de la máquina retumbando por el suelo bajo ella y el rugido de sus motores que hacía temblar el aire. Sus inmensos pies se arrastraban con dificultad por la nieve, alzando nubes blancas en su estela.

—Por lo menos aún no nos han disparado.

—Pues nos tienen perfectamente a su alcance —dijo Alek—. Lo que sucede es que no quieren herirme a mí. Por lo menos es lo que creo.

La muchacha tiró de él por la nieve y pasó junto a la tripulación que ya estaba en formación para defender la nave.

Entonces Deryn vio lo que el capitán planeaba. Había un segundo elevador en el aire, con Newkirk a bordo, sujetando una bomba aérea en sus brazos. Más adelante había más bombas dispuestas, medio enterradas en la nieve, con cables extendidos hacia ellos. Si el caminante tropezaba demasiado cerca de alguno de ellos, tal vez estallarían bajo sus pies.

Cuando ella y Alek atravesaron corriendo las defensas, alguien los llamó. Pero Deryn fingió que no le había oído. Tenía que lograr que Alek estuviese en el frente antes de que empezasen los disparos.

—¿Piensas que aún no nos pueden ver? —preguntó ella.

—Es mejor que nos aseguremos —Alek aminoró el paso, agitando los brazos.

El caminante avanzó retumbando hacia ellos durante unos pocos segundos más; a continuación, de pronto se inclinó hacia atrás. Por un instante, Deryn pensó que iba a caer. Pero entonces, una

«NEGOCIACIONES Y EFECTOS COLATERALES».

pata de acero se estiró hacia delante, clavándose en la nieve, y la máquina se detuvo deslizándose, provocando que una nube helada se alzase a su alrededor.

—¡Bien hecho, Klopp! —murmuró Alek, y se giró hacia Deryn—. Nos han visto.

—¡Genial! Oh, y lo siento por esto —Deryn sujetó el brazo de Alek, sacó su navaja y la presionó contra el cuello del muchacho.

—Pero ¿qué...? —empezó él, pero sus palabras se desvanecieron cuando el frío metal tocó su piel.

—¡No te resistas, bobo! —susurró—. ¿No querrás que te corte el cuello? Solo me estoy asegurando de que nadie resulte herido.

—No consigo entender tu *lógica* —protestó Alek, pero dejó de resistirse.

Cuando alzó la vista hacia la gigantesca máquina, Deryn puso una mueca desafiante en su rostro. El caminante se alzaba allí, finalmente inmóvil, como si se hubiese transformado en una enorme estatua de acero.

—¡Eh, los de dentro! ¡No os mováis o le abriré la tripa a vuestro amigo! —gritó.

—Si lo hicieses, sencillamente te harían estallar en pedazos —apunto Alek.

—No seas idiota —susurró ella—. De *verdad* no voy a...

Su voz se perdió en el aire cuando la cabeza de la máquina empezó a moverse. Dos hileras de dientes de acero empezaron a abrirse lentamente, dejando ver un par de rostros en su interior.

—¡Ajá! —exclamó Deryn—. Ahora sí que es seguro que nos pueden ver.

—Sí, pero ahora ¿qué crees que harán? ¿Rendirse a la fuerza superior de tu *cuchillo*? —suspiró Alek.

—Bueno... —Deryn frunció el ceño—. En realidad, no he pensado en nada más allá de este momento.

Alek la miró.

—De verdad que eres idiota, ¿no?

—¿Yo idiota? —exclamó Deryn—. ¡Pero si acabo de salvaros a todos de que nos vuelen por los aires!

—No irás a creer que ellos habrían... —empezó Alek, y después soltó un suspiro asqueado—. Solo tienes que gritar a Volger que baje con una bandera blanca. Él sabrá qué hacer.

Deryn pensó que aquello parecía razonable, quienquiera que fuese ese Volger. Inspiró profundamente y gritó:

—¡Atención clánkers! Enviad a Volger con una bandera blanca.

Se produjo una larga espera. Deryn alzó la vista y vio a Newkirk y a su elevador flotando a la deriva inútilmente sobre la aeronave. El viento había cesado. Esperaba que tuviese bien sujeta su bomba aérea.

Tras ellos, la tripulación de la aeronave permanecía en absoluto silencio, hasta el viento estaba casi inmóvil. Los únicos sonidos que se escuchaban eran los leves crujidos que hacía la máquina de guerra al enfriarse sus motores. No sabía si los oficiales se habrían molestado por la idea que había tenido. Nadie le había ordenado que utilizase a Alek como rehén. Aunque, por supuesto, nadie tampoco le había ordenado que *no* lo hiciese.

Un leve chirrido de metal hizo que mirase otra vez hacia el caminante y sujetó más fuerte a Alek. Algún tipo de escotilla se estaba abriendo entre las piernas del aparato. De ella cayó una escalera hecha de cadenas que se balanceó con fuerza durante un momento y el sol destelló en sus peldaños de acero.

A continuación, un hombre bajó por ella, lenta y cuidadosamente. Deryn reparó en que aquel hombre llevaba una espada colgando de su abrigo de piel.

—¿Ese es Volger? —susurró ella.

Alek asintió con la cabeza.

—Solo espero que tu capitán haga honor al trato.

—Yo también —dijo Deryn.

Un disparo de aquel cañón aún podía destruir al *Leviathan*, allí donde estaba.

Aquellas negociaciones tenían que salir bien.

• VEINTINUEVE •

El conde Volger caminó hacia ellos con una
expresión indescifrable en su rostro. Alek tragó saliva. Dadas las
circunstancias, era poco probable que Volger lo riñera como merecía. Ya era suficientemente humillante estar allí como rehén de un
simple muchacho.

Volger se detuvo a pocos metros y miró con cautela alternativa-
mente a la tripulación de la aeronave, que estaba algo más alejada,
y al cuchillo que Alek tenía en la garganta.

—No se preocupe por este tontaina —dijo Alek en alemán—.
Tan solo finge amenazarme.

Volger observó a Deryn.

—Ya veo. Por desgracia, los hombres que tenéis detrás van
completamente en serio. Dudo que podamos alcanzar el caminante
sin que antes nos maten a tiros —dijo.

—Es cierto, pero quizás podamos negociar con ellos.

—¡Eh! Vosotros dos —intervino Deryn con brusquedad—.
¡Basta ya de hablar en clánker!

El conde Volger miró con gesto aburrido al muchacho y continuó hablando en alemán:

—¿Estás seguro de que no habla nuestro idioma?

—Lo dudo mucho —contestó Alek.

—De acuerdo. Entonces finjamos que yo no entiendo el inglés. Quizás podamos averiguar algo interesante si los darwinistas creen que no les comprendo —dijo Volger.

Alek sonrió. Volger se estaba haciendo con el control de la situación.

—¿Qué estáis diciendo? —inquirió Deryn, asiendo a Alek con más fuerza.

Alek se volvió para mirarle y cambió al inglés.

—Me temo que mi amigo no habla inglés. Quiere ver a tu capitán.

Deryn miró con dureza a Volger. Luego señaló la aeronave haciendo un gesto con la cabeza.

—De acuerdo, vamos. Pero nada de tonterías —dijo.

Alek tosió educadamente para llamar su atención.

—Si prometo que no cometeremos ninguna tontería, ¿podrías considerar retirar este cuchillo de mi garganta?

Deryn mostró su sorpresa abriendo más los ojos.

—Oh, sí, claro. Lo siento.

Cuando el frío acero se apartó de su piel, Alek se palpó el cuello y echó un vistazo a su mano. Ni rastro de sangre.

—He usado el filo romo, estúpido cretino —le susurró Deryn.

—Te lo agradezco. Y supongo que hacerme venir hasta aquí ha sido algo que has hecho sin pensar, ¿verdad? —dijo Alek.

—Así es —dijo Deryn con una sonrisa—. Ha sido algo rematadamente genial por mi parte. Solo espero que los oficiales no me den
una patada en el trasero por haberme atrevido a pensar por mí mismo.

Alek suspiró, preguntándose si alguna vez llegaría a entender
la forma de hablar tan peculiar de Dylan. Al menos nadie se había
puesto a disparar, por ahora. Quizás aquel chico no fuera tan estúpido, después de todo.

El capitán los recibió en un salón que ocupaba todo el ancho de la
aeronave. Con las lámparas de aceite encendidas y la barquilla casi
nivelada, la aeronave parecía menos rara e incluso lujosa. A Alek,
los arcos del techo le recordaban a una vid curvándose sobre sus
cabezas y, aunque sentía que su silla era sólida, parecía no pesar
nada. ¿Es que los darwinistas fabricaban árboles, además de animales? La mesa estaba decorada con un diseño que parecía estar
entretejido con las vetas mismas de la madera.

Volger estudió atentamente la habitación con la mirada muy
atenta. Alek cayó en la cuenta de que ellos dos eran probablemente
los primeros austriacos que habían subido a bordo de uno de aquellos grandes respiradores de hidrógeno.

Había siete personas sentadas alrededor de la mesa: Volger,
Alek, la doctora Barlow, un científico que llevaba un bombín, el
capitán y dos de sus oficiales.

—Espero que no les importe que les sirvamos café —dijo el
capitán mientras les servían—. Es algo pronto para el coñac y los
cigarrillos están estrictamente prohibidos a bordo.

—Y además hay una mujer presente —dijo la doctora Barlow con una sonrisa.

—Por supuesto —murmuró el capitán.

Se aclaró la garganta a la vez que le dedicaba una pequeña reverencia. Los dos no parecían llevarse muy bien.

—Les agradezco mucho el café puesto que no he dormido demasiado —dijo Alek.

—Ha sido una noche larga para todos —concedió el capitán.

Alek fingió traducir lo que se había dicho hasta el momento. Volger sonreía y asentía mientras escuchaba, como si estuviera oyéndolo todo por primera vez.

Entonces preguntó:

—¿Crees que alguno de ellos habla nuestro idioma?

Cuando Alek echó un vistazo alrededor de la mesa, ninguno de los darwinistas respondió.

—La dama habla un latín excelente —murmuró Alek—. Quizás sepa también algún otro idioma.

Volger miró durante unos instantes el bombín de la doctora Barlow y asintió levemente.

—Seamos cuidadosos entonces.

Alek asintió y se volvió nuevamente hacia el capitán del *Leviathan*.

—Bien, permítanme que empiece pidiéndoles disculpas por si les hemos tratado con rudeza. En tiempos de guerra debemos sospechar lo peor si encontramos a un intruso —dijo el capitán.

—Nadie ha resultado herido —dijo Alek, que meditaba lo fácil que era pedir disculpas cuando estás apuntando a alguien.

—Pero debo admitir que seguimos sin tener claro quiénes son ustedes —dijo el capitán aclarándose la garganta—. Aquello es un Caminante de Asalto austriaco, ¿verdad que sí?

—Y lleva además el escudo de los Hausburgo —dijo la doctora Barlow.

Según iba traduciendo aquello para Volger, Alek recordó los planes de Klopp para camuflar el caminante de guardia de palacio. Por alguna razón, nunca les pareció importante darle una buena mano de pintura mientras huían para salvar la vida.

—Explicadle que somos adversarios políticos del emperador y que él ha aprovechado la guerra para deshacerse de sus enemigos. No somos desertores. Nuestra única opción era la huida —dijo Volger.

Alek tradujo todo aquello al inglés, maravillado por la habilidad que tenía Volger para pensar con rapidez. La explicación no solo era creíble, sino que además se acercaba bastante a la realidad.

—Pero ¿quiénes son ustedes exactamente? —preguntó la doctora Barlow una vez que Alek hubo terminado—. ¿Sirvientes? ¿O son también miembros de la familia Hausburgo?

Alek vaciló un instante, preguntándose qué harían los darwinistas si les decía que era sobrino nieto del emperador. ¿Le llevarían a Inglaterra como un trofeo de guerra? ¿Utilizarían la historia de su huida para hacer propaganda?

Se volvió hacia Volger.

—¿Qué les decimos, conde?

—Sería recomendable que no os dirigieras a mí por mi rango —dijo el conde con un susurro.

Alek hizo una breve pausa y miró a la doctora Barlow. O bien no había oído la palabra «conde», o era demasiado inteligente como para dejarlo traslucir. O quizás fuera cierto que no hablaba alemán, después de todo.

—Decidles que preferimos no hablar de algo así con extranjeros —prosiguió Volger—. Basta con decir que en esta guerra somos neutrales y que no le guardamos ningún rencor a una tripulación naufragada.

Alek tradujo cuidadosamente las palabras de Volger, agradecido en su interior de haber estado practicando su inglés con Dylan.

—Resulta bastante misterioso —apuntó la doctora Barlow.

—Aunque también esperanzador, desde luego—dijo el científico, inclinándose hacia delante—. Tal vez ustedes puedan ayudarnos. Lo que necesitamos es bastante simple: comida. Mucha comida.

—¿Solo comida? —dijo Alek, con gesto extrañado.

—Esta no es en absoluto una máquina clánker muerta —dijo pomposamente el científico, como si repitiera el catecismo—. Si la alimentamos lo suficiente, la nave se repara sola.

Alek se volvió hacia Volger y se encogió de hombros.

—Dice que lo único que necesitan es comida.

—Bien, pues entonces les daremos comida.

—¿Se la daremos? —preguntó Alek—. Pero ayer mismo usted...

—La estupidez que cometisteis me ha dado la oportunidad de

reconsiderar mi decisión. Mientras planeábamos nuestro ataque esta mañana, enviaron aves de transporte en misión de rescate, sin duda. Y lo que es peor, los alemanes podrían estarles buscando —dijo Volger.

—Así que cuanto antes salgan de este valle, mejor —adivinó Alek, que sentía cómo el sentimiento de humillación se desvanecía un poco.

Si su temeraria excursión por la nieve había provocado que Volger decidiese ayudar a la tripulación del dirigible, quizás después de todo había hecho lo correcto.

—Además —añadió Volger—, seguro que querrán intercambiarle por algo, mi inútil y molesto joven amigo.

Alek se quedó mirando furiosamente a Volger, que en respuesta le sonrió plácidamente. Tan solo procuraba restarle importancia a Alek, claro estaba, por si se daba el caso de que la doctora Barlow pudiera entenderles. Pero tampoco era necesario que Volger se regodeara tanto.

Alek se recompuso y dijo en inglés:

—Estaremos encantados de darles comida. ¿Qué clase de comida necesita su aeronave?

—Lo mejor sería carne cruda y fruta —dijo la doctora Barlow—. Cualquier cosa que un ave pudiera comer. Para nuestras abejas necesitaríamos miel y azúcar. También podemos disolver féculas, como harina, en el canal gástrico.

—Pero ¿de cuánta comida estaríamos hablando? —preguntó.

—Seis o siete toneladas en total.

Alek alzó una ceja, intentando recordar a cuánto equivalía una tonelada inglesa. Unos mil kilogramos, si no recordaba mal. Por Dios que aquella era una bestia hambrienta.

—Me temo que... no tenemos miel. Pero sí grandes cantidades de azúcar, carne y harina. ¿Los frutos secos servirán?

La doctora Barlow asintió.

—A nuestros murciélagos les encanta la fruta seca.

—¿Murciélagos?

Alek sintió un escalofrío mientras traducía para Volger.

—Vuestra pequeña expedición resulta cada vez más cara, Alek —dijo el conde—. Pero podemos permitírnoslo. Y a cambio os sacaremos de aquí inmediatamente.

Alek se volvió hacia el capitán.

—Queremos mi libertad a cambio de la comida.

—Nos encantará poder enviarte de regreso a casa, por supuesto —dijo el capitán, frunciendo el ceño—. Eso sí, una vez que tengamos la comida en nuestro poder.

—Me parece que tendrán que liberarme ahora —Alek observó a Volger—. Mi familia no aceptará otra cosa.

La doctora Barlow sonreía.

—Es conmovedora la forma en que se preocupan por ti, Alek. Pero hay un inconveniente. Cuando ya no seas nuestro invitado, ese caminante podría destruirnos con facilidad.

—Supongo que sí —dijo Alek.

Se volvió hacia Volger y dijo en alemán:

—Quieren retenerme como garantía.

—Ofréceles un cambio. Iré yo en su lugar.

—No puedo dejar que haga eso, Volger. ¡Todo esto es culpa mía!

—Eso no os lo discutiré. Pero necesitaremos dos buenos pilotos para transportar esa enorme cantidad de comida —dijo Volger.

Alek frunció el ceño. Sospechaba que la auténtica razón era la de mantenerlo con vida para el trono austrohúngaro. Por otra parte, era cierto que el viejo Klopp no podría conducir un Caminante de Asalto cargado hasta los topes de un lado a otro en aquel entorno helado. Y, por supuesto, estaba también el motivo principal por el que Volger había estado fingiendo no hablar inglés: quería espiar a los confiados darwinistas mientras fuera su rehén.

—De acuerdo. Les diré que queremos hacer un cambio.

Volger levantó la mano.

—Tal vez debiéramos plantearles una negociación más dura. Si nos llevamos a alguno de ellos como rehén, es probable que luego estén más dispuestos a liberarme de una pieza.

Alek sonrió. Había estado recibiendo órdenes de los darwinistas durante toda la noche. Ahora era su turno.

—Volger se quedará en mi lugar y nos llevaremos a uno de ustedes como invitado a cambio. ¿Quizás usted mismo, capitán? —planteó.

—No creo que eso sea posible —dijo uno de los oficiales—. El capitán es necesario aquí.

—Al igual que ocurre con todos mis oficiales y mi tripulación

—dijo el capitán—. La aeronave ha sufrido daños. Me temo que no hay nadie de quien podamos prescindir.

Alek se cruzó de brazos.

—Entonces me temo que nosotros tampoco tenemos comida de la que podamos prescindir.

La mesa quedó en silencio por unos instantes. Los darwinistas miraban con hostilidad a Alek, mientras que Volger se limitaba a observar, fingiendo no entender nada.

—Bueno, creo que la respuesta es obvia —intervino la doctora Barlow—. Iré yo.

—¿Cómo dice? —bramó el capitán—. ¡No sea absurda!

—No suelo ser absurda, capitán —dijo la doctora Barlow, en un tono arrogante. Luego empezó a enumerar sus razones con los dedos—. Primero, no puedo ayudar a hacer ningún tipo de reparación. Segundo, sé qué clase de comida pueden comer las criaturas del *Leviathan* y cuál no.

—¡Como yo! —dijo el otro científico.

—Pero usted es el médico de la nave —dijo la doctora Barlow—, y yo ni siquiera llego a enfermera. Es evidente que soy la mejor opción.

Mientras los oficiales discutían con ella, Alek se inclinó hacia Volger.

—Se saldrá con la suya. Por alguna razón, es alguien muy importante aquí —advirtió.

—Entonces eso la convierte en el rehén ideal —apuntó el conde.

—En realidad no —murmuró Alek.

Ni Klopp ni los otros hombres hablan inglés. Tendría que tratar con la doctora Barlow él solo.

—¿Creéis que nos causará problemas? —preguntó Volger.

—Supongo que podré arreglármelas con una mujer —dijo Alek con un suspiro—. Siempre que no traiga consigo a esa condenada bestia suya.

· TREINTA ·

A Tazza parecía gustarle viajar en un Caminante de Asalto.

El animal correteaba por la cabina de mando, intentando atrapar con sus patas los cartuchos vacíos del suelo que se habían colado rodando en las rendijas y en las esquinas. Pronto se aburrió de aquello, olisqueó el armario de las raciones de emergencia y se puso a gruñir mientras observaba los pies de Alek en los pedales. Era realmente molesto.

—Esta máquina tiene una forma peculiar de caminar —dijo la doctora Barlow desde la silla del comandante. Tenía la mirada fija en las manos de Alek mientras él conducía, lo que resultaba de lo más incómodo—. ¿Está basado en algún animal en particular?

—No tengo ni idea —repuso Alek, deseando que Klopp pudiera responder a las preguntas de la dama. El profesor se había retirado al puesto de artillería, horrorizado por tener a una mujer en su Caminante *Cíklope*. O quizás porque tenía miedo de Tazza.

—Su forma de andar recuerda a la de un pájaro —dijo la doctora Barlow.

—Sí, ¡es como un enorme gallo de hierro! —añadió Deryn.

Alek suspiró, lamentando no haber negociado un intercambio de rehenes más equilibrado. Le parecía injusto que la doctora Barlow se hubiera traído a todo su séquito: una bestia, un asistente y un baúl lleno de equipaje, mientras que en la aeronave Volger ni siquiera tenía una muda de calcetines.

Alek dejó a un lado sus preguntas y se concentró en los mandos. El *Cíklope* estaba subiendo la pendiente rocosa que llevaba al castillo y no quería tropezar delante de los darwinistas.

La doctora Barlow se inclinó hacia delante cuando las derruidas paredes aparecieron a la vista.

—Qué rústico.

—Es para que pase inadvertido —murmuró Alek.

—¿Usáis el deterioro como camuflaje? Ingenioso.

Alek fue reduciendo la velocidad del caminante según se iban acercando a la puerta, pero acabó rozando los goznes de hierro con el hombro derecho de la máquina. Hizo una mueca al oír el chirrido metálico que resonó por toda la cabina y a Tazza aullando estridentemente al unísono.

—Un poco estrecha, ¿verdad? —remarcó Deryn—. Si pretendes pasearte en esta monstruosidad, deberían ponerte una puerta más grande.

Alek agarró con fuerza los mandos mientras intentaba detener al caminante, pero consiguió morderse la lengua.

—¡Debéis de ser muchos! —exclamó la doctora Barlow.

—Tan solo cinco —dijo Alek, abriendo más las puertas del establo—. Pero estamos muy bien aprovisionados.

No mencionó que aquel solo era uno de los muchos depósitos.

—Qué práctico.

La doctora Barlow desenganchó la correa del collar de Tazza y el animal se adentró trotando en la oscuridad, olisqueando cada caja y barril que encontró a su paso.

—Pero es imposible que trajerais todo esto en esa máquina.

—No lo hicimos. Ya lo habían dejado aquí antes con este propósito, por si acaso —se limitó a decir Alek.

La doctora chasqueó la lengua con tristeza.

—Las riñas familiares prolongadas pueden resultar muy agotadoras.

Alek se limitó a apretar los dientes y no respondió. Con cada palabra que salía de su boca solo conseguía revelar más información.

Se preguntaba si los darwinistas no habrían descubierto ya quién era él en realidad. El asesinato aún copaba todos los titulares, y el distanciamiento que había entre su padre y el emperador no era ningún secreto. Afortunadamente, los periódicos austriacos no habían revelado que Alek había desaparecido. Al parecer, el gobierno quería mantener su desaparición en secreto, al menos hasta que pudieran hacer que esta fuese permanente.

Deryn apareció ante la puerta del establo y silbó admirativamente.

—¿Esta es tu despensa? Lo extraño es que no estés más gordo —se echó a reír.

—No hagamos preguntas a la buena fortuna, señor Sharp —dijo la doctora Barlow.

Como si ella misma no hubiera estado haciendo un montón de preguntas tan solo unos momentos antes. Le pasó a Deryn un bloc de notas y una pluma estilográfica y empezó a moverse entre las cajas y los sacos, leyendo las etiquetas y cantando en voz alta lo que leía para que lo escribieran.

Tras observar cómo la doctora traducía las etiquetas sin esfuerzo, Alek carraspeó.

—Su alemán es muy bueno, doctora Barlow.

—Vaya, gracias.

—Me sorprende que no conversara con Volger —dijo Alek.

Ella se giró hacia él y sonrió con inocencia.

—El alemán es un idioma tan importante para el estudio de las ciencias que al final decidí aprender a leerlo. Pero mantener una conversación es otra historia.

Alek se preguntó si aquello era verdad o si por el contrario les había entendido a la perfección.

—Bueno, me alegra que piense que merece la pena leer nuestra ciencia.

Ella se encogió de hombros.

—Tomamos prestado de vuestra ingeniería tanto como vosotros tomáis de la nuestra.

—¿Nosotros, tomar prestado de los dawinistas? —Alek soltó un bufido—. ¡Qué absurdo!

—Pero es cierto —dijo Deryn desde el otro lado de la sala—. El señor Rigby dice que los clánkers nunca hubierais podido inventar las máquinas caminantes de no haber seguido nuestro ejemplo.

—¡Por supuesto que hubiéramos podido! —exclamó Alek, aunque jamás se le había ocurrido la relación entre lo uno y lo otro.

¿De qué otra manera podría desplazarse una máquina de guerra? ¿Sobre orugas, como un anticuado tractor de granja? ¡Qué idea tan ridícula!

Mientras los dos darwinistas volvían a su trabajo, el mal humor de Alek se transformó en irritación consigo mismo. Si no se le hubiese pasado por alto su descubrimiento de que la doctora Barlow hablaba alemán, quizás a Volger se le habría ocurrido algo para poder engañarla.

Suspiró deprimido al comprobar con cuánta frecuencia lo que pensaba resultaba ser engañoso. Después de todo, la doctora Barlow solo había hecho lo mismo que Volger estaba haciendo con los darwinistas: fingir que no hablaba su idioma para poder espiarles.

Resultaba realmente extraño lo mucho que se parecían el uno al otro.

Alek se estremeció ante la idea y fue a ayudar a Klopp y a los otros a preparar el Caminante de Asalto. Cuanto antes se fuesen los darwinistas, antes se acabarían todos aquellos embustes.

—¿Podrá ese armatoste cargar con todo esto? —preguntó Deryn.

Alek echó un vistazo al trineo, que estaba cargado hasta arriba con barriles, cajas y sacos. Ocho mil kilos en total, más el peso de Tazza, que estaba sentado en lo alto del montón de comida, disfrutando de los últimos rayos de sol. No sería posible empezar a transportar todo aquello antes de que oscureciera, pero estaría todo listo para el amanecer.

—El profesor Klopp dice que debería deslizarse sin problemas por la nieve. La cuestión está en no romper las cadenas.

—Bueno, la verdad es que no está nada mal —dijo Deryn que estaba haciendo un bosquejo del Caminante de Asalto, captando las líneas de la máquina con trazos rápidos y precisos—. Debo admitirlo, los clánkers tenéis buena mano con las máquinas.

—Gracias —dijo Alek.

En realidad hacer el trineo había sido bastante sencillo. Habían sacado de su quicio una de las puertas del castillo y la habían alisado para añadirle después dos barras de hierro a modo de patines. La parte complicada había sido asegurar el trineo al Caminante de Asalto. En ese momento, Klopp estaba subido en una escalera de mano reforzando la anilla de anclaje a la chisporroteante luz de un soplete de soldador.

—Pero ¿no es tomarse muchas molestias? ¿Por qué construir una máquina para hacer algo que los animales saben hacer mejor? —preguntó Deryn.

—¿Mejor? Dudo que alguna de vuestras criaturas fabricadas pudiera tirar de esta carga —dijo Alek.

—Creo que un elefantino podría arrastrar eso con facilidad —respondió Deryn, señalando a Klopp—. Y no tendrías que estar engrasando los engranajes cada pocos minutos.

—El profesor Klopp solo está siendo precavido. El metal puede quebrarse con este frío —dijo Alek.

—Eso es exactamente a lo que me refiero. ¡A los mamutinos les *encanta* el frío!

Alek recordó haber visto fotos de un mamutino (una especie de elefante siberiano enorme y greñudo, la primera criatura extinta que los darwinistas habían devuelto a la vida).

—¿No se caen y mueren si hace calor?

—¡Eso es una mentira clánker! —exclamó Deryn y se encogió de hombros—. No les pasa nada, a menos que los lleves más al sur de Glasgow.

Alek se rio, si bien nunca estaba muy seguro de cuándo Dylan bromeaba. El chico sabía hacer comentarios agudos, a pesar de su tosca manera de hablar. Había demostrado ser muy mañoso al atar la carga al trineo y también había congeniado con Bauer y Hoffman con una facilidad de la que Alek jamás habría sido capaz. Y sin hablar una palabra de alemán.

Alek podía haber sido instruido en combate y tácticas de estrategia durante toda su vida, pero Dylan era un auténtico soldado. Soltaba tacos de un modo extravagante y sin esfuerzo y durante la comida había lanzado un cuchillo y había acertado en el centro de una manzana que se encontraba a tres metros. Era más delgado que la mayoría de los chicos de su edad, pero podía trabajar junto con los demás hombres y ser tratado como igual. Incluso el ojo que continuaba negro desde el accidente le daba un aire pirata y pendenciero.

En cierto modo, Dylan era la clase de chico que Alek hubiera querido ser, si no hubiera sido hijo del archiduque.

—Bueno, no te preocupes —dijo Alek, dando a Deryn una palmada en el hombro—. El *Cíklope* puede transportar toda la comida que vuestra aerobestia necesita. Aunque me cuesta imaginar cómo una sola criatura podría comerse todo esto.

—No seas cretino. El *Leviathan* no es una sola criatura —dijo Deryn—. Es todo un entramado de bestias, lo que se llama un ecosistema.

Alek asintió despacio.

—Creo recordar que oí hablar de murciélagos a la doctora Barlow.

—Sí, murciélagos *fléchette*. Tendrías que ver a esas pequeñas bestias hacer su trabajo.

—¿*Fléchette*? Quiere decir «dardo» en francés.

—Supongo. Los murciélagos se tragan púas de metal y luego las descargan sobre el enemigo —explicó Deryn.

—¿Comen púas de metal? Y luego... ¿Las *descargan?* —preguntó despacio Alek.

Deryn contuvo una carcajada.

—Sí, de la forma habitual.

Alek parpadeó. Aquel chico no podía estar diciendo lo que Alek creía que estaba diciendo. Quizás era otra de sus peculiares bromas.

—Bueno, pues me alegro de que estemos en paz y que vuestros murciélagos no vayan a..., pues eso..., a descargar sus *fléchette* contra nosotros.

Deryn asintió con una seria mirada en su rostro.

—Yo también me alegro, Alek, todo el mundo dice que a los clánkers solo les importan sus máquinas. Pero tú no eres así.

—Por supuesto que no.

—Fue algo condenadamente valiente, cruzar todo ese hielo tú solo.

Alek carraspeó.

—Cualquiera habría hecho lo mismo.

—Tonterías. Te metiste en problemas por ayudarnos, ¿no es cierto?

—No te lo discutiré.

Deryn extendió la mano.

—Pues bueno, fue algo rematadamente decente por tu parte.

—Gracias, señor.

Alek tomó la mano del muchacho y se la estrechó.

—Y fue algo muy decente por tu parte que me salvaras de una muerte horrible.

—Eso no cuenta —dijo Deryn—. También yo habría tenido una muerte horrible.

Alek se echó a reír.

—Te lo agradezco, de todas formas, siempre que me prometas que no volverás a retenerme a punta de cuchillo.

—Lo prometo —dijo Deryn, con una expresión seria aún presente en su rostro—. Debió de ser duro, tener que huir de tu hogar.

—Lo ha sido —dijo Alek, mirando al cadete con suspicacia—. ¿Te ha pedido la doctora Barlow que trates de averiguar quién soy?

—Esa lumbrera no necesita mi ayuda —dijo Deryn con un resoplido—. Ya imagina que debes de ser alguien importante.

—¿Por este castillo? ¿Porque vinieron a buscarme en un caminante?

Deryn negó con la cabeza.

—Porque intercambiaron a un maldito *conde* por ti.

Alek maldijo en voz baja. La doctora Barlow los había entendido perfectamente cuando se había dirigido a Volger por su título. Y esa no era la única insensatez que se le había escapado.

—¿Puedo confiar en ti, Dylan? ¿Sabes mantener un secreto?

El chico le miró con recelo.

—No si ello representa un peligro para la nave.

—Por supuesto que no. Es solo que... ¿Te importaría no decirle a la doctora Barlow que soy huérfano? —Alek calló, planteándose si simplemente por preguntar se estaría delatando—. Si llega a saberlo, averiguará quién soy y podrían surgir problemas de nuevo entre nosotros.

Deryn miró fijamente a Alek unos instantes y asintió solemnemente.

—Puedo mantener ese secreto. Tu familia no es asunto nuestro.

—Gracias.

Cuando volvieron a estrecharse la mano, Alek sintió que se había quitado un peso de encima. Sabía que Dylan mantendría su palabra. Tras un mes en el que había sido traicionado varias veces: por su familia, por los aliados de su país y por su propio gobierno, era un alivio poder confiar en alguien.

Golpeó el suelo con los pies, tiritando de frío.

—¿Qué tal si tratamos de entrar en calor?

—Sí. Una taza de té bien caliente sería ideal.

—¡Podríamos encender una hoguera! —dijo Alek, cayendo en la cuenta de que ya no era necesario ocultar el humo. Otra ventaja de ayudar a los darwinistas era que podría disfrutar de un baño y una comida calientes por primera vez en semanas.

La cena fue algo extravagante, pero el baño fue incluso mejor. Bauer primero llenó la bañera con nieve y después la derritió con ollas de agua hirviendo. Como resultado, el baño resultó deliciosamente cálido y, por primera vez en un mes, Alek eliminó la grasa de motor que tenía bajo las uñas.

Como había una dama presente, Klopp, Bauer y Hoffman se afeitaron. Dylan se lamentó por no haber traído su navaja de afeitar, aunque la verdad era que el muchacho no parecía necesitarla.

La doctora Barlow, por supuesto, se mostró reticente a bañarse en un castillo lleno de hombres. Pero cuando Dylan también rehusó aprovechar la ocasión de darse un baño, Alek pensó que tal vez el agua caliente fluía en abundancia en la aeronave de los darwinistas.

Hoffman descongeló un cordero en el fuego mientras el profesor Klopp y Bauer cocinaban una abundante olla de caldo de pollo con patatas, cebollas y pimienta negra. El banquete se prolongó hasta bien entrada la noche, a pesar de lo exhaustos que estaban todos.

Resultaba estimulante tener a una dama a la mesa. Tal y como había sospechado Alek, la doctora Barlow hablaba el alemán con bastante fluidez. Y Dylan se las arregló para hacer reír a los otros hombres con las pocas palabras que había aprendido en un día.

Según avanzaba la noche, Alek empezó a preguntarse cuándo volvería a ver una cara nueva. Tras pasar cinco semanas escondiéndose, casi había olvidado ya lo que era conocer a alguien o hacer nuevos amigos. ¿Y si tuviera que quedarse en aquel castillo durante años?

A la mañana siguiente, Alek se levantó con paso torpe. Al principio, el trineo no quería moverse, como un perro que no quiere salir de paseo. Pero al final los patines rompieron la capa de hielo que se había formado durante la noche y se deslizaron con un chirrido sobre las piedras del patio.

A medida que el Caminante de Asalto se acercaba a la puerta, Alek se preguntó si el trineo que llevaban detrás iba recto.

El profesor Klopp pareció leerle el pensamiento.

—Tal vez debería echar un vistazo desde la escotilla, como hacía Volger.

—No se ofenda, Klopp, pero creo que está demasiado robusto como para subirse a mis hombros —dijo Alek.

El profesor de *mekánica* se encogió de hombros y pareció aliviado.

—Tal vez el señor Sharp pueda ayudarles —sugirió en alemán la doctora Barlow.

Estaba sentada nuevamente en la silla del comandante, con Tazza a sus pies. Alek estuvo de acuerdo y, poco después, Deryn ya se había subido sobre sus hombros para vigilar desde la escotilla lo que sucedía atrás.

—Al menos sabemos que el trineo pasará por la puerta. Ya que es la puerta —murmuró Klopp.

Tras unos cuantos golpes y rascadas, salieron afuera y empezaron a deslizarse sobre el hielo. Pero arrastrar un trineo era como caminar sobre melaza. Los motores rugían a cada paso. Deryn seguía de pie sobre Alek, dando puntapiés con las botas de forma irritante sobre sus hombros.

—Disponeos a acelerar un poco —aconsejó Klopp según llegaban a la cuesta que bajaba desde el castillo—. No querréis que la carga se deslice y nos golpee por detrás.

Alek asintió y asió con más fuerza los mandos. Al bajar la colina, el trineo cogería velocidad.

Deryn aterrizó en la cabina con un sonido metálico.

—¡Están aquí!

Todos le miraron, boquiabiertos.

—¡Vienen a rescatarnos! Dos aeronaves se aproximan desde las montañas que hay más adelante —gritó.

Alek frenó el Caminante de Asalto con rapidez y miró a Klopp.

—¡Desate la carga! ¡Hemos de recuperar a Volger!

—Pero entonces creerán que les atacamos.

—Esperen un momento, los dos —dijo la doctora Barlow—. ¡Según el capitán, las Fuerzas Aéreas no deberían llegar hasta dentro de una semana!

El profesor Klopp no respondió. Se inclinó hacia delante y se puso las gafas. Barrió el cielo con la mirada y, a continuación, fijó la vista en un solo punto con el ceño fruncido. Alek echó un vistazo desde el visor y los vio: dos puntos justo sobre la línea del horizonte. Apagó el caminante, atento al sonido de los motores de la aeronave que llegaba a través de la nieve.

—No son aerobestias —dijo sencillamente Klopp—. Son los zepelines del Káiser preparándose para atacar.

·TREINTA Y UNO·

Deryn escuchó cómo el viejo mecánico discutía con Alek.

No necesitaba hablar clánker para saber lo que decían: había oído la palabra «zepelín» de la boca de Klopp. Así que no eran rescatadores, sino condenados alemanes.

Creía que Klopp quería huir hacia el castillo y dejar que los zepelines hicieran su trabajo. Las aeronaves aún no habían detectado al Caminante de Asalto. Así que una vez que el *Leviathan* hubiera sido destruido, Alek y sus amigos podrían volver a ocultarse.

La doctora Barlow iba a intervenir en la discusión, pero Deryn hizo que guardase silencio poniéndole una mano en el hombro. Sabía exactamente qué decir.

—Tu amigo Volger está ahí fuera, Alek. ¡Se intercambió por ti!

—Lo sé. Pero al parecer Volger lo tenía todo planeado. Hizo prometer a Klopp que me mantendría oculto si los alemanes aparecían —dijo Alek.

Deryn suspiró. Aquel conde era de lo más taimado.

Alek cambió otra vez al idioma clánker y le ordenó a Klopp que desenganchara el caminante del trineo. Resultaba extraño comprobar cuántas palabras eran casi iguales en alemán y en inglés, si uno prestaba atención. Por una vez, sin embargo, Alek no se estaba saliendo con la suya. El viejo mecánico se cruzó de brazos y no dejaba de repetir las palabras *«nein»* y *«nicht»*, que cualquier idiota hubiera identificado que querían decir «no» en clánker.

Y era obvio que Bauer y Hoffman obedecerían a Klopp y no a Alek, por muy importante que fuera el muchacho allá en *Clankerlandia*. Sin su ayuda, el Caminante de Asalto quedaría allí atrapado, como un perro atado a una estaca.

Deryn sacó su cuchillo, pero pensó que ponérselo a Alek en la garganta no funcionaría una segunda vez. Además, le había prometido no volver a hacerlo. No obstante había llegado el momento de acabar con aquella disputa.

Con el mango del cuchillo golpeó a Klopp con fuerza en su yelmo puntiagudo, que se deslizó sobre sus ojos, ahogando su último argumento.

Se volvió hacia Alek.

—Dame un hacha.

Deryn bajó la escalera de cadena con rapidez. Llevaba el hacha atravesada en su arnés de seguridad. La capa de nieve que había sobre la cuesta era profunda y llenaba sus botas de un frío mortal a medida que ascendía con dificultad hacia el trineo.

Había visto a Klopp montar aquel artilugio, así que conocía sus puntos débiles. Los extremos de la cadena estaban soldados a dos barras de hierro en la parte frontal del trineo y el largo de la misma pasaba por una anilla de acero que había en la cintura del *Cíklope*. Si cortaba cualquiera de los dos extremos, la cadena se deslizaría por la anilla hasta salirse del todo, liberando así al caminante.

Pero la cadena era enorme, cada eslabón era tan grande como la mano de Deryn. Eligió el lado correcto del trineo. Parecía que la soldadura se hubiera hecho de cualquier manera en aquel lado: la madera estaba manchada con goterones de metal. Hizo una bola de nieve con sus manos enguantadas y la embutió en uno de los eslabones de la cadena. Con un poco de suerte, Alek tendría razón, y el frío haría que el metal se quebrara.

—Muy bien —dijo, alzando el hacha—. ¡Rómpete!

Su primer golpe rebotó débilmente hacia atrás. La cadena estaba demasiado floja como para absorber la fuerza del impacto.

—¡No tenemos tiempo para esto! —gritó Alek observando el horizonte.

Las dos aeronaves estaban lo suficientemente cerca como para poder ver sus insignias: cruces de hierro sobre las aletas de la cola. Sus fuselajes brillaban a la luz del sol de la mañana.

—¡Señor Sharp! —llamó la doctora Barlow, asomando la cabeza por la escotilla del caminante—. ¿Hay algo que nosotros podamos hacer?

—Sí —gritó Deryn—: ¡Tensad la cadena!

La doctora Barlow desapareció de la vista y unos instantes más tarde los motores del Caminante de Asalto rugieron con fuerza. Dio un pesado paso hacia adelante y la cadena se tensó con un chasquido. El trineo se movió un poco junto a Deryn mientras recogía más nieve.

Su siguiente golpe impactó con fuerza en el rígido metal, enviando un desagradable impacto por sus brazos hasta los hombros. Se arrodilló para observar la cadena más de cerca: el golpe había dejado una muesca en uno de los eslabones y otra en el hacha. Pero la cadena no se había partido.

—¡Demonios!

—¿Hemos conseguido algo? —preguntó la doctora Barlow.

Deryn no contestó y volvió a golpear la cadena tan fuerte como pudo. El hacha salió disparada de sus manos y ella saltó hacia atrás. La herramienta dio vueltas en el aire, para aterrizar luego a pocos metros.

—¡Tenga cuidado, señor Sharp! —le advirtió la científica.

Deryn no hizo caso y observó más de cerca la cadena. Uno de los eslabones mostraba una pequeña fractura, demasiado pequeña como para hacer pasar por ella otro eslabón.

Pero si ejercían suficiente fuerza, el metal cedería.

—Dígale a Alek que tire, ¡todo lo que pueda! —dijo gritando en dirección al Caminante de Asalto.

La doctora Barlow asintió y un segundo después el caminante empezó a rugir otra vez. La máquina cambiaba el peso de un pie al otro, enterrándose cada vez más en la nieve. Saltaron chispas cuando los pies de metal rascaron las piedras que había debajo. El trineo se arrastró un poco hacia adelante y golpeó levemente en la rodilla de Deryn, como si fuera una enorme bestia boba que tratara de llamar su atención.

El eslabón roto estaba cediendo y la fisura se hacía más grande con cada rugido de los motores del caminante. Deryn dio un paso atrás con cautela. La cadena restallaría como un látigo de metal gigante cuando finalmente se rompiera.

Escudriñó el horizonte. Las dos aeronaves se habían separado para lanzarse sobre su presa desde direcciones opuestas. El cielo se llenó de formas cuando las bestias del *Leviathan* alzaron el vuelo. Pero la ballena permanecía inmóvil en el suelo, indefensa ante el ataque clánker.

—¡Maldita sea!

Deryn caminó con dificultad hasta donde había caído el hacha y la recogió de la nieve. Un buen golpe propinado en cualquier parte de aquella cadena partiría aquel condenado eslabón.

Cogió una correa suelta del cargamento para afianzarse y dedicó unos momentos a escuchar los rugidos del motor del Caminante de Asalto. Cuando hubo memorizado su cadencia, Deryn levantó el hacha con una mano y la llevó hacia abajo justo cuando el motor rugió con más fuerza.

La cadena se partió y salió disparada con rapidez. A medida que el caminante, ya liberado, se movía tambaleándose hacia adelante, los eslabones de la cadena iban pasando por la anilla que llevaba en la cintura con un repiqueteo parecido al de una ametralladora *Maxim*. El extremo suelto se agitó bruscamente durante unos segundos, y después golpeó violentamente cerca de la cabeza

«ROMPIENDO LA CADENA».

del caminante, lo que hizo que la científica volviera a meterse dentro sobresaltada.

Sin embargo, la cadena estaba todavía unida al lado izquierdo del trineo y cuando el extremo suelto pasó a través de la anilla de acero sujeta al caminante, todo el largo de la cadena se precipitó hacia atrás sobre Deryn.

Esta se zambulló en la nieve y oyó cómo el metal pasaba como un látigo sobre su cabeza. Golpeó con fuerza el cargamento del trineo y rajó uno de los sacos de harina. Una ráfaga de polvo blanco llenó el aire.

La cadena perdió finalmente energía, cayó en la nieve y se alejó deslizándose, siguiendo dócilmente al tambaleante caminante.

Deryn se puso en pie tosiendo a causa del sabor seco de la harina inhalada. Sintió que algo le estaba golpeando en la rodilla...

El trineo la empujaba con insistencia, ganando velocidad. Pero ¿qué era lo que tiraba de él?

Entonces cayó en la cuenta de lo que había ocurrido. El último tirón de la cadena había hecho que el trineo empezara a deslizarse pendiente abajo.

—Oh, ¡genial! —dijo Deryn, saltando rápidamente sobre el trineo. Mientras escupía más harina, escuchó que el sonido de los patines al deslizarse sobre la nieve se hacía más fuerte.

Delante, el Caminante de Asalto se había detenido y le daba la espalda. Alek estaba esperando a que subiera de nuevo por la escalera.

El trineo se dirigía directamente hacia las patas del caminante.

Deryn se puso de pie, vacilante, sobre un saco de albaricoques secos. Ahuecó las manos y gritó:

—¡Doctora Barlow!

No hubo respuesta, ni se asomó nadie por la escotilla. ¿Qué estaban haciendo allí dentro, jugar al parchís?

El trineo seguía ganando velocidad.

—¡Doctora Barlow! —gritó de nuevo.

Finalmente, un bombín negro emergió de la escotilla. Deryn agitó las manos, intentando señalar el trineo, el movimiento y la noción general de destrucción. Los ojos de la científica se abrieron como platos al ver que el recientemente desatado cargamento se les echaba encima.

Desapareció otra vez en el interior.

—¡Ya era hora! —exclamó Deryn, cruzándose de brazos.

Menos mal que había saltado encima, puesto que el trineo ganaba velocidad por momentos y ya se deslizaba más rápido de lo que Deryn hubiera podido correr por aquella nieve. Cogió la correa suelta otra vez; no quería caerse y acabar como una mancha viscosa en los patines del trineo.

El caminante se movía de nuevo, dando un paso lento y pesado hacia delante. La máquina se tambaleó un poco, como una bestia tonta que se preguntara si huir o no de un depredador.

Deryn frunció el ceño; tenía la esperanza de que no se irían corriendo a la batalla sin ella. No obstante, Alek no parecía ser de los que dejan atrás a su tripulación.

La doctora Barlow apareció nuevamente y los motores del caminante volvieron a la vida con un rugido. Estaba gritando en dirección a la cabina, guiando a Alek en alguna estrategia científica de las suyas.

Pero el trineo seguía ganando terreno y adquiría velocidad sobre la nieve endurecida más deprisa que el Caminante de Asalto.

Deryn observó el cargamento, que se alzaba como una torre sobre ella. Si los dos gigantescos objetos colisionaban, ella estaría justo en medio.

—¡Daos prisa! —gritó mientras subía más alto sobre el montón de sacos.

El caminante se acercaba cada vez más y Deryn pensó que la doctora Barlow se había vuelto loca de remate. Ni siquiera procuraba quitarse de en medio. El caminante mantenía un paso constante, algo más lento que el trineo.

La muchacha hizo mímica para manifestar su confusión a la doctora Barlow, que le indicó por gestos que escalara.

Deryn frunció el ceño. Entonces vio la escalera colgando de la escotilla que había en el vientre del caminante. Se agitaba en el aire con el caminar de la máquina, yéndole a la zaga como el hilo roto de la cometa de un niño.

—Oh, no pretenderéis que me agarre a eso —murmuró.

La escalera estaba hecha de cadenas y travesaños de metal; lo suficientemente pesada como para arrancarle un diente a uno.

Deryn se cruzó de brazos. ¿Y por qué no podía subirse al caminante una vez que el trineo se hubiera detenido? Claro que cuanto antes subiera a bordo, antes podrían ir en ayuda del *Leviathan.*

Las aeronaves clánker estaban dando su primera pasada por la extensión helada. Desde las barquillas se veía oscilar a sus ametralladoras con una nube de murciélagos *fléchette* arremolinándose a su alrededor. Ahora podía distinguir lo pequeños que eran los zepelines en realidad: apenas medían más de 180 metros de largo. Pero el *Leviathan* estaba casi indefenso bajo ellos, con sus bestias hambrientas y maltrechas tras la batalla de la noche anterior.

—Supongo que no tengo otra maldita alternativa —murmuró.

El Caminante de Asalto estaba más cerca, tanto que la nieve que levantaban sus gigantescas patas le daba en la cara.

Pero la escalera se agitaba fuera de su alcance. Deryn se acercó con cuidado al borde de la parte delantera del trineo, guardando el equilibrio sobre un barril de azúcar. Aun así no podía alcanzarla. Iba a tener que saltar.

Deryn se preparó, flexionando las manos e intentando encontrar alguna pauta en el balanceo errático de la escalera.

Finalmente saltó...

Sus dedos se cerraron en un travesaño de metal y se encontró balanceándose hacia delante entre las patas del caminante. El sonido del motor era ensordecedor. Engranajes y pistones rechinaban a su alrededor, y un par de tubos de escape le echaron un humo negro y caliente a la cara. Cada paso del caminante sacudía su sujeción y sus pies se balanceaban con fuerza. La escalera se retorció en el aire, haciendo rodar a Deryn como un huso caído.

Arrastró los pies hasta que con una de las botas alcanzó un peldaño inferior. El mundo dejó de girar.

«TREPANDO ENTRE LOS ENGRANAJES».

Al mirar hacia arriba vio a Bauer y a Hoffman asomarse por la oscura escotilla del abdomen. Bauer le tendía la mano. Lo único que tenía que hacer era ascender unos metros.

Como si aquello fuera fácil.

Deryn alargó el brazo para coger el siguiente travesaño. El metal era dentado y se adhería a sus guantes. Se impulsó hacia arriba con esfuerzo, intentando evitar las púas que había dispuestas alrededor de la escotilla.

Al fin estaba lo suficientemente cerca como para alcanzar la mano de Bauer. Hoffman la asió con firmeza y los dos hombres la alzaron hacia dentro con rapidez.

—*Willkommen an Bord* —dijo Bauer con una sonrisa.

Aquello significaba «Bienvenido a bordo», por supuesto.

Caramba, el idioma clánker era fácil.

· TREINTA Y DOS ·

—¡Estás blanco como un fantasma! —dijo la doctora
Barlow.

—Tan solo es harina.

Deryn recorrió el trecho que quedaba hasta la cabina del piloto
con mucho esfuerzo y gimiendo. Le dolían las manos de subir por
la escalera y tenía los músculos de los brazos doloridos. El corazón aún le iba a cien por hora.

—¿Harina? ¡Qué extraño! —dijo la doctora Barlow.

—¡Bien hecho, Dylan! —Alek retorcía los controles—. Nunca
había visto a nadie subir a bordo de un caminante de ese modo.

—No se lo recomendaría a nadie.

Se desplomó jadeando sobre el tambaleante suelo de la cabina.
Tazza se le acercó despacio para acariciarle la mano con el hocico
y estornudó por la harina.

Al cabo de poco, Deryn se sentía mareada por el movimiento
del caminante. El viaje hacia el castillo ya había sido bastante ma-

lo: el chirrido del metal chocando contra metal, el olor a aceite y a gases de combustión, además del interminable y criminal ruido de los motores. Pero viajar en el caminante a su máxima velocidad era como si a uno lo agitaran en el interior de una lata de conservas. Ahora entendía por qué los clánkers llevaban aquellos yelmos estúpidos; Deryn pensó que era lo único que podrían hacer para evitar golpearse la cabeza contra la pared.

Klopp, que estaba vigilando por el visor con unos prismáticos, dijo algo en alemán a Alek.

—Creía que no quería ayudar —murmuró Deryn.

—Eso era mientras todavía podíamos ocultarnos —dijo la doctora Barlow—. Ahora que es casi seguro que los alemanes nos han visto, ha cambiado de idea. Si no derribamos a esos dos zepelines, informarán sobre nuestra ubicación a nuestros amigos austriacos.

—Bueno, pues podría haber cambiado de parecer un poco antes —Deryn se miró las manos doloridas—. Me hubiera venido muy bien un poco de ayuda para romper aquella cadena.

La doctora Barlow le dio una palmadita en el hombro.

—Ha hecho un buen trabajo, señor Sharp.

Deryn hizo caso omiso al cumplido y se puso en pie. Se había hartado de ir dando tumbos. Asió con fuerza dos correas que colgaban del techo y se impulsó hacia la escotilla que había arriba.

Cuando la abrió, el frío le golpeó de lleno en la cara. Era como estar en el lomo de la aeronave en medio de una tormenta, con el horizonte tambaleándose a su alrededor a cada paso.

Deryn entrecerró los ojos para poder ver entre el gélido viento.

Los zepelines volaban bajo y arrastraban cuerdas por el suelo. Por ellas se deslizaron hombres que aterrizaron en la nieve llevando a la espalda armas y equipamiento.

Pero ¿por qué tomarse tantas molestias? Si querían destruir al *Leviathan*, podían quedarse en lo alto y usar bombas de fósforo.

Volvió a entrar en el caminante.

—Están desembarcando hombres.

—Esos son *Kondor* Z-50 —dijo Alek—. Transportan soldados en lugar de armamento pesado.

—Al parecer su objetivo es capturar nuestra nave —dijo la doctora Barlow.

—¡Maldita sea! —exclamó Deryn—. Un respirador de hidrógeno vivo en manos de los clánkers sería una catástrofe puesto que podrían estudiar todos los puntos débiles de la gran aeronave.

—¿Por qué no nos temen?

—Llevarán baterías anticaminantes —dijo Alek con un tono de voz grave—. No pueden dispararlas desde el aire. Pero desde el suelo sí podrán presentar batalla.

Deryn tragó saliva. Ya era horrible tener que viajar en aquel armatoste, pero la idea de morir asada viva por proyectiles capaces de perforar el blindaje la ponía enferma.

—Necesitamos tu ayuda de nuevo, Dylan.

La muchacha se quedó mirando a Alek.

—No querrás que conduzca este condenado cacharro, ¿verdad?

—No —dijo Alek—. Pero, dime, ¿sabes cómo disparar una ametralladora *Spandau?*

Deryn no tenía ni idea de cómo se hacía eso, aunque había disparado armas aéreas muchas veces.

Sin embargo, aquello era muy diferente. Como cualquier cosa construida por los clánkers, era diez veces más ruidosa, inestable e irritante de lo que parecía. Cuando apretó el gatillo para probarlo, este repiqueteó como un pistón en sus manos. Por uno de sus lados escupió casquillos a toda velocidad, que rebotaron por la pared de la cabina en una lluvia de metal.

—¡Maldición! —soltó un juramento—. ¿Cómo aciertas a algo con esto?

—Tan solo apunta hacia la dirección en general —dijo la doctora Barlow—. Lo que a los clánkers les falta en precisión, les sobra para destrozar un blanco.

Deryn se inclinó hacia delante para observar por la mirilla. Lo único que podía ver era el cielo y la nieve tambaleándose. Se sintió claustrofóbica y medio ciega. Era lo opuesto a observar desde la espina del *Leviathan*, con la batalla dispuesta debajo de ella como los peones sobre un tablero de ajedrez.

Observó a Klopp, que manejaba la otra ametralladora. En lugar de mirar hacia afuera, esperaba a que Alek le dijera cuándo debía disparar.

—Aguantad. Vuelvo en un momento —dijo Deryn, impulsándose de nuevo a través de la escotilla superior.

Los dos *Kondor* ya habían desplegado a sus soldados. Un grupo se dirigía rápidamente hacia el *Leviathan* y su zepelín les daba fuego de cobertura con las ametralladoras. El otro grupo estaba

«LOS SOLDADOS DISPARANDO».

montando una especie de pieza de artillería: un arma de campo de gran calibre apuntaba directamente al Caminante de Asalto.

—¡Demonios! —exclamó Deryn.

Los clánkers trabajaron con diligencia y, momentos más tarde, la boca del arma escupió fuego. El caminante se movió con fuerza bajo ella y la lanzó contra el lateral de la escotilla. Estuvo a punto de caer dentro. Los pies le quedaron colgando.

Por un momento, Deryn pensó que les habían dado. Pero entonces sintió el zumbido del proyectil pasando por su lado con tanta fuerza que le restallaron los oídos. El Caminante de Asalto dio un largo giro tambaleándose y finalmente recuperó la estabilidad sobre la nieve.

O bien Alek era rematadamente genial a los mandos o bien es que estaba completamente loco. Iban directos hacia el arma anticaminante, que se movía hacia atrás y hacia delante en su campo de visión mientras la tripulación la recargaba desesperadamente.

Deryn volvió a meterse dentro y se puso a los mandos de su ametralladora, apuntando bajo. Pensó que llegarían donde estaban los soldados alemanes en unos cinco segundos, si es que antes no volaban en pedazos.

—¡Preparados! —gritó Alek.

Deryn no esperó y apretó el gatillo. El arma saltó y vibró en sus manos, escupiendo muerte en todas direcciones. Unas cuantas formas oscuras pasaron por delante de su mirilla, pero no tenía ni idea de si eran rocas o el arma anticaminante.

Un sonido metálico sacudió la cabina y de pronto todo se ladeó a babor. Deryn salió despedida del arma y resbaló al pisar los casquillos que rodaban por el suelo. Aterrizó sobre algo blando, que resultó ser la doctora Barlow y Tazza, que estaban acurrucados en una esquina.

—Disculpe, señora —gritó.

—No te preocupes —dijo la científica—. En realidad no pesas casi nada.

—Creo que le hemos dado —dijo Alek, todavía manipulando los controles.

Deryn se puso rápidamente de pie y volvió a asomarse por la escotilla superior. Detrás de ellos, el arma anticaminante estaba rota, volcada y con el cañón doblado, sobre una de sus huellas gigantes. Los soldados se habían dispersado y algunos de ellos estaban inertes en el suelo, con la nieve a su alrededor salpicada de rojo.

—¡La has aplastado, Alek! —gritó ella con voz ronca.

Se giró para mirar hacia delante. El Caminante de Asalto se dirigía ahora hacia otro grupo de soldados. Estaban resguardándose en la nieve, con una bandada de halcones bombarderos pasándoles por encima con sus talones cuchilla brillando al sol.

Algunos soldados se volvieron y vieron al caminante aproximándose. Deryn se preguntó si no debería volver a bajar para disparar su letal arma. Pero entonces el aparato dio una fuerte sacudida bajo ella. Salió una potente nube de humo de su vientre, envolviendo a Deryn y llenándole la boca con un sabor acre.

Le escocían los ojos, pero se obligó a abrirlos cuando el proyectil impactó. Explotó entre los soldados, lanzando hombres en todas las direcciones.

—¡Arañas chaladas! —murmuró.

Cuando el humo y las ráfagas de nieve se desvanecieron, nada se movió excepto unos pocos halcones bombarderos que volaban de vuelta al *Leviathan*. Deryn miró atrás en dirección al arma de campo. La tripulación que quedaba estaba huyendo, y un *Kondor* volaba raso para sacarlos del hielo.

¡Los clánkers se batían en retirada! Pero ¿dónde estaba el otro zepelín?

Escudriñó el horizonte: nada. Entonces una sombra vaciló en la nieve, al oeste. Deryn miró hacia arriba. La aeronave estaba justo sobre sus cabezas, con su compartimento para bombas abriéndose. Una nube de murciélagos *fléchette* se arremolinó a su alrededor y vio cómo un proyectil de impacto salía disparado desde el *Leviathan*. La explosión que le seguiría no lo dañaría, aunque les daría un buen susto.

Cogió el tirador de la escotilla y saltó al interior, cerrándola tras de sí.

—¡Bombas! ¡Y también *fléchette!* —gritó.

—Visión a un cuarto —dijo serenamente Alek, y Klopp empezó a mover una manivela en su lado de la cabina.

Deryn vio otra igual detrás de ella, y se preguntó en qué dirección se suponía que debía moverla.

Cuando iba a alargar la mano hacia ella, todo lo que había a su alrededor explotó...

Un destello cegador iluminó la cabina, seguido del sonido atronador que hizo que Deryn saliera despedida de nuevo. El suelo se inclinaba y todo se deslizó hacia estribor. El ruido producido por los engranajes y por Tazza aullando se filtró por sus oídos casi ensordecidos. Su hombro golpeó contra el metal cuando toda la cabina se tambaleó violentamente una sola vez pero definitiva.

Entonces una avalancha de nieve entró por el visor y una ráfaga de frío y silencio la sepultó...

• TREINTA Y TRES •

Alek trató de moverse, pero tenía los brazos enterrados, atrapados en un gélido abrazo de nieve. Forcejeó unos instantes y entonces cayó en la cuenta de que aún estaba atrapado en el asiento del piloto. Después de desabrocharse el cinturón y deslizarse fuera del asiento, el mundo pareció volver a su sitio.

El visor estaba ladeado y recordaba al ojo de un gato.

Ahora que se fijaba, toda la cabina estaba ladeada. La pared de estribor era el suelo y las correas de mano colgaban desordenadamente. Alek parpadeó, incrédulo. Había estrellado el caminante.

La cabina estaba oscura puesto que las luces habían fallado y estaba extrañamente silenciosa. Los motores debían de haberse apagado automáticamente durante la caída. Alek oyó una respiración tras de sí.

—Klopp, ¿está bien? —preguntó.

—Creo que sí, pero hay algo...

El hombre levantó un brazo. Tazza subió arrastrándose con un gemido quejumbroso y se sacudió, esparciendo nieve por toda la cabina.

—Deja de hacer eso, Tazza.

La voz de la doctora Barlow provenía de la oscuridad.

—¿Se encuentra bien, señora? —preguntó Alek.

—Yo sí, pero parece que el señor Sharp está herido.

Alek se acercó arrastrándose. Deryn yacía postrada con la cabeza sobre el regazo de la doctora Barlow. Tenía los ojos cerrados y un corte sobre la frente. La sangre le llegaba al ojo que tenía oscuro por el accidente. Sus finos rasgos estaban pálidos tras el hematoma. Alek tragó saliva. Había sido culpa suya, era él quien estaba a los mandos.

—Klopp, ayúdeme a encontrar vendas.

Tras mover la nieve a un lado con una pala, consiguieron abrir la pequeña taquilla. Klopp sacó dos botiquines de primeros auxilios y le dio uno a Alek.

—Yo me encargaré del señor Sharp —dijo la doctora Barlow, cogiéndole el botiquín—. No soy la torpe enfermera que finjo ser.

Alek asintió y se volvió para ayudar a Klopp a abrir la escotilla del abdomen del caminante, que ahora se encontraba en la pared de la volcada cabina.

El mecanismo se resistió un poco y acabó por abrirse con un fuerte chirrido metálico.

Hoffman, que estaba sujeto por ambos lados a la silla del artillero, gritó que él y Bauer estaban magullados y llenos de cardenales, pero enteros. Alek suspiró aliviado. Al menos no había matado a nadie.

Se volvió hacia Klopp.

—Siento haber volcado.

El hombre dejó escapar un bufido.

—Pues ha tardado bastante, joven señor. Ahora sí que podemos decir que es un auténtico piloto.

—¿Qué?

—¿Cree que yo nunca he estrellado un caminante? —dijo Klopp riéndose—. Forma parte del aprendizaje, joven señor.

Alek parpadeó, sin saber si el hombre estaba bromeando.

Se escuchó un tintineo metálico por toda la cabina. Klopp miró hacia arriba cuando volvió a oírse otra vez, y luego otra de forma más continuada, como si estuviera empezando a llover.

—Son *fléchette* —dijo la doctora Barlow.

—Esperemos que alcancen a esos zepelines. De lo contrario, el conde Volger no estará demasiado contento de nosotros —dijo Klopp en voz baja.

—Echaré un vistazo afuera. Quizás podamos ponernos de pie y volver al combate —sugirió Alek.

Klopp negó con la cabeza.

—No se lo aconsejo, joven señor. Quédese aquí hasta que acabe la batalla.

—Sabio consejo —dijo la doctora Barlow en alemán.

No obstante, la lluvia de *fléchette* estaba disminuyendo y Alek escuchaba el sonido de los motores de una aeronave acercándose.

«FIRME ANTE EL ATAQUE».

—Tengo que ver lo que sucede, ¡Todavía nos funciona una ametralladora! —dijo.

Klopp trató de discutir con él, pero Alek no le hizo caso, apartó un poco más de nieve con la pala y se escurrió por el visor.

La luz del sol sobre la nieve era cegadora, excepto por el cráter negro que había dejado la bomba aérea arrojada por el zepelín. Había sido un impacto casi directo. Las huellas del Caminante de Asalto iban directamente al socavón ennegrecido y zigzagueaban hasta el lugar donde la máquina yacía hecha un montón de chatarra.

Alek flexionó las manos recordando los esfuerzos que había hecho por mantener el caminante estable. Casi lo había logrado. Pero «casi» no significaba nada ahora. La cubierta del motor se había roto y el aceite salía a chorros, derramándose sobre la nieve. Una de las gigantescas patas de metal estaba torcida. Era imposible que la máquina pudiera volver a ponerse en pie.

Apartó la vista y se puso a escudriñar el cielo. El *Kondor* que los había bombardeado se encontraba a unos escasos cien metros. Sobrevolaba la nieve, con la bolsa de gas revoloteando, llena de agujeros ocasionados por el ataque *fléchette*.

Se oían gritos provenientes de su parte superior. Dos aviadores lo habían visto y estaban haciendo girar una ametralladora.

Entonces Alek cayó en la cuenta de dónde se encontraba: justo delante de la placa delantera del caminante, en la que un escudo de los Hausburgo proclamaba a gritos qué y quién era él: un completo idiota.

Antes de que pudiera moverse, la ametralladora del *Kondor* empezó a disparar. Las balas resonaron sobre el casco del caminante y levantaron nieve alrededor de sus pies. Alek se quedó inmóvil, esperando a que el metal perforara su carne.

Pero entonces el aire se empezó a distorsionar alrededor del zepelín. El cegador fogonazo de la ametralladora se esparció y prendió fuego a los flancos de la aeronave. Los alemanes comprendieron demasiado tarde lo que estaba ocurriendo. El arma dejó de disparar, pero las llamas ya se habían propagado, alimentadas por el hidrógeno que salía por la piel agujereada del zepelín.

El *Kondor* se desplomó y su barquilla se estrelló contra la nieve con un ruido sordo. La bolsa de gas lo cubrió, haciendo que saliera aún más hidrógeno por los agujeros y, a continuación, estallaron un centenar de géiseres de fuego.

Alek se tambaleó y se cubrió el rostro. El interior de la nave resplandeció mientras se alzaba de nuevo hacia el cielo, impulsada por su propio calor. El esqueleto de aluminio que había en su interior se estaba fundiendo. El *Kondor* se retorció y se partió por la mitad soltando una bola de fuego enorme en forma de seta.

Y entonces, las dos mitades cayeron de nuevo en espiral hacia el suelo.

En apariencia, se posaron suavemente sobre el suelo, pero la nieve siseó a medida que el metal fundido y el hidrógeno ardiendo la iban convirtiendo en vapor. Unas blancas nubes se arremolinaron alrededor de las dos mitades de la nave estrellada, y Alek escuchó unos gritos horribles por encima del rugir de las llamas.

—De hecho, clánkers, deberíais usar armas de aire comprimido.

«EL *KONDOR* SE QUEMA».

Alek se giró.

—¡Dylan! ¿Estás bien?

—Sí, ya me conoces —dijo la muchacha. Tenía la frente vendada y sus ojos brillaban mientras contemplaban aquel infierno—. Un poco de sales aromáticas y ya me tienes en pie.

Sonrió y se tambaleó un poco.

Alek pasó un brazo sobre los hombros del chico para tranquilizarlo, pero sus ojos se veían arrastrados de nuevo hacia la agonizante aeronave.

—Es horrible, ¿verdad? —dijo Alek con un susurro.

—Se parece demasiado a mis pesadillas. Mira, el otro está huyendo —dijo Deryn mirando a su alrededor.

Alek se dio la vuelta. El segundo zepelín estaba lejos, perdiéndose en la distancia. Algunos de los halcones más grandes del *Leviathan* lo perseguían, hostigando a la tripulación por la parte trasera. Pero al poco ya se había deslizado sobre las montañas, en dirección a los hangares flotantes del lago Constance.

—Los hemos derrotado —dijo Deryn con una sonrisa fatigada.

—Puede. Pero ahora saben dónde estamos.

Alek miró otra vez al *Cíklope* roto y silencioso, excepto por el siseo del aceite caliente que se derramaba sobre la nieve. Si Klopp no podía repararlo, los alemanes tendrían dos trofeos esperándoles cuando regresaran: el herido *Leviathan* y el desaparecido príncipe de Hohenberg.

—Cuando vuelvan traerán algo más que un par de *Kondors* —dijo.

—Sí, tal vez —Deryn le dio una palmada en el hombro—. Pero no te preocupes, Alek, cuando lleguen estaremos preparados.

—Quizás los darwinistas puedan ayudarnos —dijo Klopp.

Alek miró hacia arriba desde la escotilla del motor, donde estaba pasando herramientas a Hoffman. La transmisión no estaba tan mal como había pensado. Aunque se había derramado hasta la última gota de aceite, ninguno de los engranajes se había roto.

El verdadero problema era poner al caminante en pie de nuevo. Una de sus rodillas estaba torcida. Quizás tuviera la fuerza suficiente para poder caminar, pero incorporarse sobre sus patas era otra cosa.

Alek sacudió la cabeza.

—Dudo que tengan alguna criatura lo bastante fuerte como para izar a un caminante.

—Sí que tienen una —dijo Klopp, fijando la vista en la inmensa mole de la aeronave—. Cuando esa bestia olvidada de la mano de Dios despegue, podemos engancharle el caminante. Como si alzáramos una marioneta con cuerdas.

—¿Una marioneta de treinta y cinco toneladas? —a Alek le habría gustado que la doctora Barlow estuviese todavía allí.

Seguro que ella sabría la capacidad de elevación del *Leviathan*. Pero ella y Dylan se habían marchado para comprobar cómo estaban sus preciados huevos.

—¿Por qué no? —dijo Klopp, mirando atrás en dirección al castillo—. Tienen toda la comida que necesitaban.

Al otro lado del glaciar había pájaros arremolinados en torno a la carga abandonada del Caminante de Asalto. Los darwinistas habían enviado una patrulla de trabajo para abrir cajas y barriles, y las hambrientas bandadas no tardaron en descender.

Las criaturas del *Leviathan* parecían saber que no había tiempo que perder.

—Joven señor —dijo Hoffman en voz baja—. Se acercan problemas.

Alek alzó la mirada y vio una figura vestida con un abrigo de piel que se acercaba por la nieve. Sintió que se le secaba la boca.

El conde Volger tenía una expresión fría en el rostro y su mano se cerraba con fuerza en el pomo de su espada.

—¿Sabes lo que nos has hecho? —dijo.

Alek abrió la boca pero no consiguió articular palabra.

—Ha sido mi... —empezó a decir Klopp.

—¡Silencio! —dijo Volger, alzando una mano—. Es cierto, tenía que haber golpeado en la cabeza a este joven idiota para mantenerlo escondido. Pero quiero escuchar *su* explicación, no la suya, Klopp.

—A decir verdad, fue a *mí* a quien golpearon en la cabeza —murmuró Klopp mientras marchaba a ayudar a Bauer.

Alek se puso en pie.

—Fue la decisión correcta, conde. Abatir aquellos dos zepelines era nuestra única posibilidad de seguir escondidos —señaló los restos calcinados del zepelín que estaban esparcidos sobre la nieve—. Conseguimos abatir a uno, después de todo.

—Sí, magnífico —dijo Volger en tono recriminatorio—. Ya presencié tu brillante estrategia de permanecer de pie ante sus armas.

Alek inspiró despacio para tomar aliento.

—Conde Volger, le agradecería que mantuviese un tono más cortés.

—¡Abandonas tu puesto, descuidas tu propia seguridad y ahora esto! —dijo Volger a la vez que señalaba el caminante averiado con gestos de ira e indignación—. ¿Y me pides que sea *cortés*? ¿No te das cuenta de que los alemanes volverán pronto y nos has dejado sin ninguna vía de escape?

—Era un riesgo que estaba dispuesto a correr.

Volger bajó el tono de su voz.

—Una cosa es que te arriesgues tú, Alek. Pero ¿qué ocurre con las vidas de tus hombres? ¿Qué crees que les ocurrirá cuando vengan los alemanes?

Alek miró fijamente el lugar donde poco antes se encontraba Klopp, ya que los otros tres hombres habían encontrado trabajo que hacer fuera de su vista.

—Klopp dice que podemos reparar el caminante.

—Puede que sea oficial de caballería, Alek, pero puedo ver que esta máquina no se tiene en pie.

—No, aunque los darwinistas pueden izarlo y ponerlo en pie cuando hayan vuelto a hinchar su aeronave.

—Olvida a tus nuevos amigos —dijo Volger con amargura—. Tras este último ataque, es imposible reparar su nave.

—Pero los zepelines apenas la alcanzaron.

—Solamente porque querían capturar la aerobestia con vida —dijo el conde Volger—. Así que concentraron su fuego en las partes mecánicas. Por lo que me ha parecido oír, los motores están hechos pedazos. Es imposible arreglarlos.

Alek echó un vistazo a la gigantesca silueta oscura extendida sobre la nieve. Las aves se arremolinaban encima de ella.

—Si están hinchando de nuevo la aeronave... deben de estar planeando algo.

—Por eso estoy aquí. Van a despegar sin motores, como un globo impulsado por aire caliente. El viento del este les llevará hasta Francia. Debería funcionar, siempre y cuando ese viento sople antes de que aparezcan los alemanes —dijo Volger.

Alek observó al caminante, desesperado. Aunque pudiesen enderezarlo, el *Leviathan* no tendría la suficiente estabilidad como para levantarlo y ponerlo sobre sus pies.

Volger se acercó un paso más y la ira fue desapareciendo de su rostro. De pronto parecía exhausto.

—Eres tú quien debe decidir si quieres rendirte, Alek.

—¿Rendirme? —dijo Alek—. Los alemanes me colgarían.

—No, me refería a los darwinistas. Diles quién y qué eres en realidad y estoy seguro de que te llevarán con ellos. Serás su prisionero, pero estarás a salvo. Tal vez ganen esta guerra. Y entonces, si has sido obediente, puede que te instalen en el trono austrohúngaro como un emperador amigo y títere que mantenga la paz.

Alek dio un paso atrás, en la nieve. No era posible que Volger estuviera diciendo aquello. Una cosa era permanecer escondido pues nadie esperaba que un muchacho de quince años fuera al frente a luchar. Pero rendirse al enemigo era otra cosa bien distinta.

Siempre sería recordado como un traidor.

—Tiene que haber otra alternativa.

—Por supuesto. Puedes quedarte aquí, luchar contra los alemanes cuando lleguen y morir junto a nosotros.

Alek movió negativamente la cabeza. No tenía ningún sentido que Volger hablara de ese modo. Aquel hombre *siempre* urdía una estratagema, algún plan para doblegar el mundo a su voluntad. No podía estar rindiéndose.

—No tienes por qué decidirte ahora, Alek. Tenemos un día, más o menos, antes de que lleguen los alemanes. Puede que tengas una larga vida ante ti si te rindes —dijo encogiéndose de nuevo de hombros—. Aunque yo ya no voy a aconsejarte más.

Dicho esto, el conde dio media vuelta y se alejó.

· TREINTA Y CUATRO ·

Alek respiró hondo y llamó a la puerta. Deryn abrió y frunció el ceño al ver a Alek.

—Tienes un aspecto horrible.

—He venido a ver a la doctora Barlow —dijo Alek.

Deryn abrió más la puerta de la sala de máquinas.

—Pronto volverá. Pero me temo que está de un humor de perros.

—Me he enterado de vuestro problema con los motores —dijo Alek.

Había decidido no ocultar el hecho de que el conde Volger les había estado espiando. Para que su plan surtiera efecto era necesario que entre los darwinistas y él hubiera confianza mutua.

Deryn señaló la caja que contenía los misteriosos huevos.

—Sí, y por si lo de los motores fuera poco, encima ese maldito idiota de Newkirk no mantuvo a estos huevos lo suficientemente calientes anoche. Y por lo que respecta a la lumbrera la culpa es toda *mía*, claro.

Alek observó la caja: solo quedaban tres huevos.

—¡Qué pena!

—De todas formas, la misión se ha ido al garete —Deryn extrajo un termómetro de la caja y lo comprobó—. Sin motores tendremos suerte si conseguimos llegar a Francia.

—Por eso venía. Nuestro caminante también está inservible.

—¿Estás seguro? —Deryn hizo un gesto hacia los cajones que abarrotaban la sala—. Podríamos darte cualquier pieza de repuesto que necesitaras. A nosotros no nos sirven.

—Lo siento, pero necesitamos algo más que piezas de repuesto. No podemos poner al caminante en pie de nuevo —dijo Alek.

—¡Malditas máquinas! ¿No te lo dije? Jamás he visto una bestia que no pudiera ponerse en pie por sí misma. Bueno, excepto a una tortuga. Y a uno de los gatos de mi tía.

Alek enarcó una ceja.

—Y seguro que el gato de tu tía habría sobrevivido a un bombardeo aéreo.

—Te sorprenderías. Está bastante gordo —los ojos de Deryn se iluminaron—. ¿Por qué no te vienes con nosotros?

—Ese es el problema —empezó Alek—. No creo que los demás quisieran venir, no al menos si ello significa rendirse a los franceses, pero si pudiéramos escabullirnos cuando aterrizarais, quizás...

Quizás podría convencer a sus hombres de que se salvaran. Y tal vez pudiera lograr que Volger volviera a respetarle un poco.

Deryn asintió.

—Seguramente haremos un aterrizaje forzoso en algún sitio al azar, por lo que dudo que al llegar esté allí la guardia de honor para recibirnos. Te advierto de que volar a la deriva en un globo de hidrógeno es algo arriesgado. Podría suceder cualquier cosa.

—¿Tenéis posibilidades?

—Algunas —dijo Deryn encogiéndose de hombros—. Una vez piloté un Huxley y crucé media Inglaterra. ¡Y lo hice yo solo!

—¿De veras? —dijo Alek.

Para tratarse solamente de un muchacho, Dylan parecía haber vivido las más extraordinarias aventuras. Por un momento, Alek deseó poder olvidar su linaje y ser un chico como él, un soldado común, sin tierra o títulos.

—Fue en mi primer día en las Fuerzas Armadas —empezó a explicar Deryn—. Se formó una tormenta de forma inesperada, una de las peores que jamás ha visto Londres. Arrancó edificios enteros del suelo, incluyendo...

La puerta se abrió de pronto y la doctora Barlow entró como una exhalación, llevando un estuche con mapas y luciendo una expresión furiosa en el semblante.

—El capitán es idiota. ¡Esta aeronave está llena de idiotas! —anunció.

Deryn saludó.

—Pero los huevos están calientes como una tostada, señora.

—Bueno, eso es tranquilizador, aunque irrelevante dadas las circunstancias. ¡Quiere regresar a Francia! —la doctora Barlow volteó el estuche de mapas en sus manos. Luego alzó la vista distraída—. Ah, Alek. Espero que tu máquina caminante esté en mejores condiciones que esta aeronave llena de ignorantes.

Alek hizo una reverencia.

—Me temo que no, doctora. El profesor Klopp no cree que podamos volver a ponerlo en pie.

—¿Tan mal está?

—Me temo que sí. De hecho, estoy aquí para preguntarle si podemos irnos con ustedes —dijo Alek, mirándose las botas—. Si pueden arreglárselas para soportar el peso extra de cinco hombres, estaremos en deuda con ustedes.

La doctora Barlow golpeó el estuche de mapas contra la palma de la mano.

—El peso no supondrá un problema. Estamos agotando nuestra comida y la vuestra, dándosela toda a los animales —miró por la ventana—. Y tenemos menos tripulantes.

Alek asintió. Había visto los cuerpos amortajados que había afuera y a los hombres afanándose para enterrarlos en el hielo, duro como el hierro, que había bajo la nieve.

—Pero Francia no es territorio neutral. Te harán prisionero —advirtió ella.

—Ese es el favor que he venido a pediros —Alek respiró hondo—. Dylan dice que aterrizaréis en algún sitio al azar. Podríamos escabullirnos en el momento en que tomaseis tierra.

—Y nadie tendría por qué enterarse —añadió Deryn.

La doctora Barlow asintió despacio.

—Podría funcionar. Y desde luego te debemos un favor, Alek. Pero me temo que no depende de mí.

—¿Quiere decir que el capitán no hará la vista gorda? —dijo Alek.

—El capitán es idiota —repitió ella con amargura—. Se niega a completar nuestra misión. ¡Ni siquiera va a intentarlo! Si es posible volar en globo hasta Francia, seguro que también lo es llegar al Imperio otomano. Tan solo es cuestión de coger la corriente de aire adecuada —movió el estuche de mapas—. Las corrientes de aire del Mediterráneo no son ningún misterio.

—Podría ser algo complicado, señora —dijo Deryn aclarándose la garganta—. Y, técnicamente, nuestro destino sigue siendo secreto militar.

La doctora Barlow contempló los huevos.

—Un secreto finalmente *sin sentido*, llegados a este punto.

Alek frunció el ceño, preguntándose por qué el *Leviathan* se dirigía hacia el Imperio otomano. Los otomanos eran devotamente antidarwinistas debido a su fe musulmana. Habían sido enemigos de Rusia durante siglos, y el sultán y el Káiser eran viejos amigos. Volger siempre decía que antes o después los otomanos unirían fuerzas con Alemania y el Imperio austrohúngaro.

—Aquel es territorio neutral, ¿verdad? —dijo con prudencia.

—Por el momento —dijo la doctora Barlow suspirando—. Claro que eso podría cambiar pronto, por lo que este retraso es un desastre. Años de trabajo desperdiciados.

Alek escuchaba a la malhumorada doctora, desconcertado ante

el giro que habían tomado los acontecimientos. El Imperio otomano era el lugar perfecto para desaparecer. Era un reino vasto y empobrecido, donde con unas pocas monedas de oro se podía hacer mucho. Había gran cantidad de agentes alemanes, pero al menos no le harían prisionero nada más llegar.

—Doctora Barlow, si no tiene inconveniente en decírmelo, ¿su misión era de paz o de guerra?

Ella le sostuvo la mirada un momento.

—No puedo contarte todos nuestros secretos, Alek. Pero debería ser obvio que soy una científica, no un soldado.

—¿Una diplomática, quizás?

La doctora Barlow sonrió.

—Todos cumplimos con nuestro deber.

Alek observó nuevamente la caja. La relación que podría haber entre los huevos y la diplomacia era algo que se le escapaba. Pero lo importante era que la doctora Barlow se arriesgaría a lo que fuese para llevarlos al Imperio otomano...

Lo que dio a Alek una gran idea.

—¿Y si pudiera darles unos motores, doctora Barlow?

Ella enarcó una ceja.

—¿Cómo dices?

—El Caminante de Asalto tiene dos potentes motores y ambos funcionan perfectamente —propuso Alek.

Se produjo un momento de silencio. La doctora Barlow se volvió hacia Deryn.

—¿Cree que algo así sería posible, señor Sharp?

Deryn parecía dubitativo.

—Estoy seguro de que son lo suficientemente potentes, señora. Pero ¡son rematadamente pesados! Además, esa maquinaria clánker es muy complicada. Podría llevarnos siglos hacerla funcionar y vamos cortos de tiempo.

Alek negó con la cabeza.

—Vuestra tripulación no tendría que hacer gran cosa. Klopp es el mejor profesor de *mekánica* de Austria, elegido con sumo cuidado por mi padre. Él y Hoffman han hecho funcionar ese Caminante de Asalto durante cinco semanas con solo un puñado de piezas de recambio. Por lo tanto creo que conseguirán hacer girar un par de hélices.

—Sí, puede. Aunque es algo más complejo que simplemente hacer girar un par de hélices —dijo Deryn.

—Entonces vuestros ingenieros pueden echarnos una mano —Alek se volvió hacia la doctora Barlow—. ¿Qué le parece, doctora? Su misión puede seguir adelante, y mis hombres y yo podremos huir a una potencia amiga.

—Pero hay un problema —dijo la mujer—. Dependeríamos de vosotros.

Alek parpadeó. No había pensado en eso. Controlar los motores significaba controlar la aeronave.

—Podríamos instruir a vuestros ingenieros por el camino. Por favor, créame, hago este trato de buena fe —aseguró Alek.

—Confío en ti, Alek —dijo ella—. Pero eres tan solo un muchacho. ¿Cómo puedo estar segura de que tus hombres mantendrán también tu palabra?

—Porque soy... —empezó Alek y respiró despacio—. Harán lo que yo diga. Me intercambiaron por un conde, ¿recuerda?

—Lo recuerdo —dijo ella—. Pero si voy a hacer tratos contigo, Alek, necesito saber quién eres en realidad.

—Yo... No puedo decírselo.

—Hagámoslo fácil entonces. ¿El mejor profesor de mecánica de Austria formaba parte de la casa de tu padre?

Alek asintió despacio.

—Y dices que has estado huyendo durante cinco semanas —continuó ella—. ¿Así que tu viaje empezó aproximadamente el veintiocho de junio?

Alek se quedó de piedra. La doctora Barlow había hecho referencia a la noche que Volger y Klopp habían venido a buscarle a su dormitorio, la noche que sus padres habían muerto. Debía de haberlo sospechado ya, después de todas las pistas que a él se le habían escapado. Y ahora acababa de entregarle las piezas que le faltaban para completar el puzle.

Intentó negarlo, pero de repente no podía hablar. Mantener su desconsuelo en secreto lo había hecho más fácil de controlar, en cambio ahora sentía cómo un sentimiento de vacío volvía a crecer en su interior.

La doctora Barlow le cogió la mano.

—Lo lamento, Alek. Tiene que haber sido horrible. ¿Así que los rumores son ciertos? ¿Fueron los alemanes?

Alek se volvió, incapaz de hacer frente a su piedad.

—Nos han estado persiguiendo desde esa noche.

—Entonces tendremos que sacaros de aquí —se levantó y se echó su abrigo sobre los hombros—. Se lo explicaré al capitán.

—Por favor, señora —dijo Alek, intentando que su voz no se quebrara—. No le diga a nadie más quién soy. Podría complicar las cosas.

La doctora Barlow pareció meditar la idea unos instantes y después dijo:

—Supongo que podría ser nuestro secreto, por ahora. El capitán estará más que contento con tu oferta de los motores.

Abrió la puerta y luego se volvió.

Alek deseó que se fuera de una vez, puesto que el sentimiento de vacío crecía ahora imparable y no quería llorar delante de una mujer.

Pero lo único que la doctora dijo fue:

—Cuide de él, señor Sharp. Volveré.

· TREINTA Y CINCO ·

Deryn tuvo que reconocer que la tristeza de Alek había sido evidente desde el principio.

La había visto cuando él la había despertado la noche del naufragio, con sus oscuros ojos verdes llenos de tristeza y de temor. Y el día antes, cuando él le contó que era huérfano, debía de haber comprendido por sus silencios lo intenso que era su dolor.

Pero ahora, toda aquella tristeza había quedado al descubierto, acompañada por las lágrimas que bajaban por sus mejillas y sus fuertes sollozos. De alguna manera, el hecho de revelar quién era había desatado el control que el muchacho tenía sobre su tristeza.

—Pobre chico —dijo Deryn en voz baja, arrodillándose junto a él.

Alek estaba acurrucado junto a la caja de cargamento, con el rostro sepultado entre sus manos.

—Lo siento —se sorbió la nariz, con aspecto avergonzado.

—No seas bobo —se sentó junto a él, con la cálida caja a su espalda—. Yo me volví medio loco cuando mi padre murió. No hablé durante un mes.

Alek intentó decir algo, pero no lo consiguió. Algo atenazaba su garganta, como si se la hubiesen cerrado con pegamento.

—Shhh —añadió Deryn, y le apartó un mechón de pelo del rostro. Las mejillas del muchacho estaban húmedas por las lágrimas—. Y no te preocupes, no se lo voy a contar a nadie.

Ni que había llorado, ni quién era en realidad; algo que ahora era obvio. Había sido una estúpida por no haberse dado cuenta antes. Alek tenía que ser el hijo de aquel duque que había empezado todo aquel lío. Deryn recordó que el día en que subió a bordo del *Leviathan* oyó que habían matado a un aristócrata y que aquello había irritado a los clánkers.

«Todo aquel embrollo por un maldito duque», había pensado tantas y tantas veces. Por supuesto, no debía de ser lo mismo para Alek. Enterarte de la muerte de tus padres es como si todo tu mundo estallase, igual que si se hubiese declarado una guerra.

Deryn recordó que tras el accidente de Pa, su madre y sus tías habían intentado convertirla en una verdadera señorita: faldas, ir a tomar el té y todo lo demás. Como si quisieran borrar a la antigua Deryn y todo lo que había sido. Había tenido que luchar como una fiera para seguir siendo ella.

Aquella era la respuesta, seguir luchando con fuerza, a toda costa.

—La científica pondrá al capitán de nuestra parte —dijo Deryn en voz baja—. Y entonces saldremos de aquí en un santiamén. Ya lo verás.

No es que estuviese completamente segura de que el plan de los motores de Alek funcionase, pero cualquier cosa era mejor que quedarse allí sentados esperando a que soplase por fin una corriente de aire propicia.

Alek tragó saliva de nuevo, intentando recuperar la voz.

—Les envenenaron —finalmente consiguió decir—. Primero intentaron acabar con ellos con bombas y pistolas, para que pareciera que habían sido anarquistas serbios. Pero al final lo consiguieron con veneno.

—¿Y solo para tener una excusa para empezar esta guerra?

Él asintió.

—Los alemanes opinaban que la guerra era necesaria. Era tan solo una cuestión de cuándo, y cuanto antes estallase mejor para ellos.

Deryn iba a decir que le parecía una soberana locura, y luego recordó que toda la tripulación, en un momento dado, se había mostrado entusiasmada por entrar en batalla. Suponía que siempre había algún imbécil dispuesto a luchar.

Pero, aun así, todo aquello seguía sin tener sentido.

—Tu familia es la que manda en Austria, ¿verdad?

—Durante los últimos quinientos años o más, sí.

—De modo que si los alemanes mataron a tu padre, ¿por qué Austria les está ayudando a ellos en lugar de darle una buena patada en el trasero al Káiser? ¿Es que tu familia no sabe lo que pasó de veras?

—Sí que lo saben, o por lo menos lo sospechan. Pero mi padre no era muy popular entre el resto de la familia.

—¿Y qué demonios hizo mal?

—Se casó con mi madre.

Deryn alzó una ceja. Ella había visto riñas familiares a causa de con quién se casaban sus hijos, pero normalmente no se lanzaban bombas.

—¿Es que tus parientes están completa y rematadamente locos?

—No, lo que sucede es que son gobernantes de un Imperio.

Deryn consideró que aquello en realidad daba igual, pero no lo dijo en voz alta. Hablar de ello servía para que Alek recuperase poco a poco el control, de modo que preguntó:

—¿Y qué tenía ella de malo?

—Mi madre no era miembro de ninguna casa gobernante. Aunque tampoco era exactamente *plebeya,* puesto que entre sus antepasados había una princesa. Pero para casarte con un Hausburgo debes pertenecer a la realeza.

—Bueno, claro —dijo Deryn.

Los aires de superioridad de Alek de pronto tuvieron mucho más sentido. La muchacha pensó que con la muerte de su padre el chico ya sería duque, o archiduque, lo que sonaba aún más noble.

—De modo que cuando se enamoraron, tuvieron que mantenerlo en secreto —dijo en voz baja.

—Bueno, es absolutamente romántico —exclamó Deryn. Cuando Alek la miró divertido, puso su voz un poco más grave y añadió—: Ya sabes, eso de esconderse.

Algo parecido a una sonrisa apareció en su rostro.

—Sí, supongo que lo fue, especialmente de la forma en que mi madre lo explicaba. Ella era una dama de compañía de la princesa Isabella de Croÿ. Cuando mi padre empezó a visitarla, Isabella pensó que estaba cortejando a una de sus hijas, pero nunca llegó a averiguar cuál de ellas le gustaba. Entonces, un día, él se olvidó el reloj en las pistas de tenis.

Deryn resopló.

—Vale, cuando estoy en casa siempre me olvido el reloj en las pistas de tenis.

Alek la miró poniendo los ojos en blanco, pero siguió hablando:

—De modo que Isabella abrió el reloj esperando encontrar el retrato de una de sus hijas dentro.

Deryn abrió mucho los ojos.

—¡Y en su lugar estaba el retrato de tu madre!

Alek asintió.

—Isabella se enfureció de veras y despidió a mi madre de su servicio.

—Eso es un poco grosero —intervino Deryn—. ¡Perder tu trabajo solo porque le gustas a un duque!

—Perder su trabajo fue lo de menos. Mi tío abuelo, el emperador, no quiso permitir la boda e incluso se negó a hablar con mi padre durante un año. Aquello sacudió el Imperio entero. El Káiser, el zar e incluso el Santo Padre intentaron arreglar las cosas.

Deryn alzó una ceja, preguntándose de nuevo si Alek estaba

loco o simplemente tenía la cabeza llena de tonterías. ¿Acababa de decir que el *Papa* se había entrometido en sus asuntos familiares?

—Sin embargo finalmente llegaron a un compromiso: a un matrimonio «con la mano izquierda».

—¿Y qué demonios significa eso? —preguntó.

Alek se limpió las lágrimas de la cara.

—Pues un matrimonio con la mano izquierda es que se podrían casar, cada uno conservaba su condición anterior, pero sus hijos no podrían heredar nada. O sea que por lo que respecta a mi tío abuelo yo no existo.

—¿De modo que no eres archiduque ni nada de eso?

—Solo soy príncipe.

—¿Solo príncipe? ¡Diablos, qué *ultraje!*

Alek se volvió hacia Deryn y entornó los ojos.

—No espero que lo comprendas.

—Lo siento —murmuró ella. En realidad no pretendía reírse de él. Al fin y al cabo, aquella división familiar había provocado que Alek perdiera a sus padres—. Es que todo esto en realidad parece un tanto extraño.

—Supongo que sí. ¿No se lo contarás a nadie, verdad?

—Por supuesto que no —extendió la mano—. Como te dije, tu familia no es asunto nuestro.

Alek sonrió tristemente cuando se estrecharon la mano.

—Ojalá fuera cierto, pero me temo que ya nos hemos convertido en asunto de todo el mundo.

Deryn tragó saliva, preguntándose cómo debía de ser que una

riña familiar se convirtiese en una guerra rematadamente masiva. No le extrañaba que aquel pobre chico pareciese tan angustiado todo el tiempo. Aunque nada de aquello fuese obra de Alek, las tragedias siempre sembraban semillas de culpabilidad a manos llenas.

Deryn aún revivía el accidente de Pa en su mente una docena de veces cada noche, imaginando qué habría podido hacer para salvarle, preguntándose si de alguna forma el incendio había sido culpa suya.

—¿Sabes que no tienes que echarte la culpa de nada, verdad? —dijo ella con tacto—. Me refiero a que se lo he oído explicar a la doctora Barlow, que es culpa de un montón de políticos que han complicado las cosas así de mal.

—Pero yo soy lo que dividió a mi familia —dijo Alek—. Yo desestabilicé todo y eso hizo que los alemanes diesen el primer paso.

—A mí me parece que eres mucho más que eso —Deryn cogió su mano—. Eres la persona que cruzó el hielo para salvar mi trasero de congelarse.

Alek la miró, se limpió los ojos y sonrió.

—Tal vez eso también.

—¿Alek? —la voz de la doctora Barlow les llegó desde ninguna parte, y el chico dio un respingo.

Deryn sonrió al ponerse de pie, señalando al lagarto mensajero que estaba pegado al techo.

—El capitán está de acuerdo con tu propuesta —prosiguió la

bestia—. Por favor reúnete conmigo en tu máquina andante. Necesitamos al menos dos traductores para coordinar a nuestros ingenieros con vuestros hombres.

Alek se quedó allí sentado mirando horrorizado al lagarto. Deryn sonrió y tiró de él.

—Tú, bobo, que está esperando una respuesta.

El muchacho tragó saliva y luego dijo con voz nerviosa:

—Estaré con usted enseguida, doctora Barlow. Debería pedirle ayuda también al conde Volger. Habla perfectamente inglés cuando quiere. Gracias.

—Fin del mensaje —añadió Deryn y la bestia se fue corriendo.

Alek sintió un escalofrío recorriéndole el cuerpo.

—Aún no estoy acostumbrado a animales parlantes, lo siento. Me parece un poco blasfemo hacerles parecidos a los seres humanos.

Deryn se echó a reír.

—¿Es que nunca has oído hablar de los loros?

—Bueno, eso es bastante diferente —dijo—. Se supone que fueron creados así. Bueno, quisiera darte las gracias, Dylan.

—¿Por qué?

Alek alzó sus manos vacías y por un momento Deryn pensó que iba a echarse a llorar otra vez, pero solo dijo:

—Por saber quién soy.

El muchacho la rodeó con sus brazos, un brusco abrazo que duró solo un momento. A continuación se dio la vuelta y corrió por la sala de máquinas, en dirección al Caminante de Asalto caído.

Cuando la puerta se cerró, Deryn se estremeció y un sentimiento extraño reptó por su interior. Sintió un extraño hormigueo en los hombros, allí donde los brazos de Alek la habían rodeado, como el crepitar que recorría la piel de la aeronave cuando un rayo distante iluminaba el cielo.

Deryn se rodeó con sus propios brazos pero no sintió lo mismo.

—¡Arañas chaladas! —murmuró suavemente y volvió a comprobar los huevos de nuevo.

· TREINTA Y SEIS ·

Durante la siguiente guardia de la tarde, Deryn y Newkirk estaban apostados en el lomo de la nave.

Por la noche, la aeronave se había hinchado gracias a que las tripas del *Leviathan* rugieron a toda marcha por la cantidad de bestias que había engullido durante el día. Abajo, las últimas provisiones de la nave estaban esparcidas por la nieve, con un montón de aves hacinadas encima dándose una comilona. Deryn sintió que su estómago roncaba también protestando, lleno solo con su almuerzo de galletas grasientas y café. A la tripulación solamente se le permitía tomar la comida que los animales no tocarían.

Pero algunas punzadas de hambre bien merecían la pena al sentir la elasticidad de la membrana bajo los pies de Deryn: tensa y saludable de nuevo. Los bultos que tenía la aerobestia en sus flancos se estaban alisando. Hacia el mediodía, el viento había empezado a arrastrar a la nave aligerada de peso por el glaciar, obligando a los aparejadores a llenar los tanques de lastre con nieve fundida.

No obstante, el doctor Busk había dicho que levantar el peso de los motores clánker junto con algunos hombres extra iba a ser algo casi imposible.

—Se está moviendo —dijo Newkirk—. Aún debe de estar viva.

Deryn alzó la vista para mirar al Huxley. El señor Rigby había insistido en que se debía hacer la guardia arriba, puesto que decía que no podía soportar que sus últimos dos cadetes se quedasen congelados por quedarse horas enteras bajo aquel cielo helado, aunque aquello significase salir furtivamente de la enfermería.

—Es mejor que tiremos de él hacia abajo pronto —dijo Deryn—. El doctor Busk nos despellejará si se congela aquí arriba.

—Sí —dijo Newkirk, soplándose las manos—. Pero si él baja, uno de *nosotros* tendrá que subir ahí arriba.

Deryn se encogió de hombros.

—Cuidar del huevo también cansa.

—Al menos en la tarea del huevo se está *caliente*.

—Bueno, aún podrá ocuparse de ello, señor Newkirk, si es que no ha matado a uno de estos malditos huevos de la lumbreras.

—¡No es culpa mía que nos atascásemos en aquel iceberg!

—¡Es un glaciar, idiota!

Newkirk refunfuñó algo desagradable y se fue corriendo pisando con fuerza las duras escamas del lomo de la aeronave. Él se había defendido diciendo que la culpa del desastre del huevo era de la doctora Barlow por no haberle explicado cómo funcionaban las temperaturas de los clánkers, pero Deryn pensaba que un número seguía siendo un número.

Ella casi le llamó otra vez para disculparse, pero solamente lanzó un juramento. Sería mejor que mirase cómo iba el trabajo en las nuevas cápsulas de los motores.

Deryn alzó sus prismáticos...

Los motores delanteros estaban parcialmente debajo de los flancos de la aeronave, impulsándole como un par de orejas. Habían quitado la parte superior de ambas cápsulas y un revoltijo de enorme maquinaria clánker sobresalía pegada allí en todas direcciones. Alek estaba trabajando en la parte de babor, junto a Hoffman y el señor Hirst, el ingeniero jefe de la aeronave. Todos ellos mantenían una animada conversación, agitando los brazos en el frío viento.

Todo aquel asunto parecía ir muy despacio. Hacia el mediodía el motor de estribor, donde Klopp y Bauer estaban trabajando, se había puesto en marcha durante unos pocos y ruidosos segundos y la membrana tembló bajo los pies de Deryn. Pero algo debía de haber fallado. El motor se había parado con un chirrido y los clánkers se habían pasado la siguiente hora lanzando trozos de metal quemado sobre la nieve.

Deryn se dio la vuelta para escanear el horizonte. Hacía más de un día que les había atacado el *Kondor*. Los alemanes no les darían mucho más tiempo. Algunos aeroplanos de reconocimiento ya habían asomado la nariz por las montañas, para asegurarse de que la aeronave herida no había ido a ninguna parte. Todo el mundo decía que los alemanes se estaban tomando su tiempo, reuniendo una poderosa fuerza. El asalto podría producirse en cualquier momento.

Y, después, los ojos de Deryn volvieron a posarse en Alek. Ahora estaba traduciendo para Hoffman, señalando hacia la parte delantera de las cápsulas de los motores. El muchacho hacía girar las manos de un lado a otro como si fuesen hélices, y Deryn sonrió, al imaginar su voz por un momento.

Bajó los prismáticos y soltó una maldición, vaciando su mente de tonterías. Ella era un *soldado,* y no una chica cualquiera mirándose el vestido en un baile de pueblo.

—¡Señor Sharp! —llegó hasta ella el grito de Newkirk—. ¡Rigby tiene problemas!

Deryn miró hacia arriba. Newkirk ya estaba en el cabrestante, haciéndolo girar frenéticamente. Un lazo amarillo de urgencia flotaba del Huxley y las banderas de señales del señor Rigby se estaban moviendo. Deryn alzó sus prismáticos.

Las letras pasaron como un látigo a doble velocidad y se perdió el principio, soñando en tonterías como estaba. Pero pronto entendió el sentido del mensaje:

«A-L-E-S-T-E-O-C-H-O-P-A-T-A-S-Y-
E-X-P-L-O-R-A-D-O-R-E-S».

Deryn frunció el ceño, preguntándose si acaso había leído mal las señales. Patas, significaba una máquina caminante, por supuesto, pero en el *Manual* no tenían registrados caminantes de ocho patas. Incluso los mayores acorazados clánker solo necesitaban seis patas para moverse.

Y además estaban en Suiza, un territorio aún neutral. ¿Se atreverían los alemanes a atacar por tierra?

Pero cuando Rigby repitió las señales, las palabras pasaron rápidamente tan claras como la luz del día. Junto con otro fragmento de noticias:

«E-S-T-I-M-A-D-O-D-I-E-Z-M-I-L-L-A-S-
A-C-E-R-C-Á-N-D-O-S-E-D-E-P-R-I-S-A».

Enseguida, el cerebro de Deryn funcionó completamente de nuevo como un soldado.

—¿Puede bajarle sin mí, Newkirk? —gritó.

—Claro, pero ¿qué pasa si resulta herido?

—No va a resultar herido. ¡Son esos malditos clánkers y vienen por tierra! ¡Tengo que dar la alerta!

Deryn sacó su silbato y silbó la señal que indicaba que se acercaba el enemigo. Un rastreador de hidrógeno alzó sus orejas y después empezó a aullar para dar la alerta.

Aquel aullido se extendió por toda la nave, de rastreador a rastreador, como una sirena viva contra un ataque aéreo. Al cabo de unos pocos momentos se desplegaron hombres desde todas partes. Deryn buscó al oficial de vigilancia, y allí estaba el señor Roland, corriendo hacia ella por el dorso de la nave.

—Informe, señor Sharp.

Señaló hacia arriba, al Huxley.

—Es el contramaestre, señor. ¡Acaba de ver que se acerca otro caminante!

—¿El señor Rigby? Y ¿qué demonios está haciendo *él* arriba?

—Insistió él, señor —dijo Deryn—. Dice que el caminante tiene ocho patas y he comprobado dos veces este detalle.

—¿*Ocho?* —el señor Roland se extrañó—. Por lo menos debe de ser un crucero.

—Sí, es grande, señor. Lo ha visto a diez millas de distancia.

—Bueno, tenemos suerte. Los grandes no son tan rápidos. Tenemos una hora antes de que llegue aquí —se dio la vuelta y habló bruscamente a un lagarto mensajero que pasaba a toda velocidad.

—Le ruego que me disculpe, señor —intervino Deryn—, pero el señor Rigby dice que se acerca rápidamente. Tal vez este sea ágil.

El jefe de los aparejadores frunció el ceño.

—Parece improbable, muchacho. No obstante lo consultaré con los clánkers. Veremos si ellos saben algo sobre este armatoste de ocho patas. Después se lo comunicaré al puente.

Deryn saludó, dio media vuelta y se encaminó abajo.

Los cabos de descenso colgaban por toda la espina dorsal, de modo que enlazó un mosquetón en uno y bajó haciendo *rappel,* rebotando por el flanco. La cuerda siseaba entre sus guantes y el mosquetón de metal se calentaba a medida que ella se deslizaba.

A Deryn le empezó a bullir la sangre y el nerviosismo provocado por la inminente batalla borró todo lo demás. La nave aún no tenía defensas, a menos que los clánkers consiguiesen poner en marcha sus motores.

Cuando sus botas chocaron ruidosamente contra los soportes de metal de la cápsula, el señor Hirst alzó la vista de aquel lío de engranajes. Estaba colgando del borde del motor, sin ningún cabo de seguridad a la vista.

«AVISANDO AL NUEVO EQUIPO DE INGENIEROS».

—¡Señor Sharp! ¿Qué son todos esos aullidos?

—Acaban de avistar otro caminante, señor —explicó, y luego se dirigió a Alek. Tenía la cara surcada de grasa, como tiras de pintura de guerra negra—. Aunque no estamos seguros del tipo. Pero tiene ocho patas, por lo que suponemos que es grande.

—Por lo que dice, parece ser un *Hérkules* —dijo—. Pasamos junto a él en la frontera suiza. Es una fragata de mil toneladas, nueva y experimental.

—Pero ¿es rápida?

Alek asintió con la cabeza.

—Es casi tan rápida como nuestro caminante. ¿Y dices que está aquí en Suiza? ¿Es que los alemanes se han vuelto *locos?*

—Lo suficientemente locos: está a diez millas al este y lleva escoltas con ella. ¿Cuánto tiempo crees que tenemos?

Alek habló con Hoffman un momento, traduciendo lo que acababa de decir al alemán y calculando. Los pies de Deryn se movían dando saltitos mientras esperaba y las manos envueltas fuertemente en la cuerda le dolían. Un solo salto y se deslizaría por el puente.

—¿Tal vez unos veinte minutos? —dijo finalmente Alek.

—¡Demonios! —maldijo—. Bajo inmediatamente a decírselo a los oficiales. ¿Hay algo más que ellos deban saber?

Hoffman extendió la mano y cogió el brazo de Alek, murmurando algo muy deprisa en clánker. Alek abrió mucho los ojos mientras escuchaba.

—Está bien —dijo el muchacho—. Estas máquinas exploradoras

que has mencionado, nosotros también las vimos. Están armadas con bengalas de señalización llenas de una especie de fósforo pegajoso.

Todos se quedaron en silencio un momento. Fósforo..., el material perfecto para asar a un respirador de hidrógeno.

Tal vez los alemanes en realidad no planeaban capturarlos, después de todo.

—Bueno, en marcha, chico — gritó a Deryn el señor Hirst—. Enviaré un lagarto al otro motor. Y vosotros dos, a ver si ponéis en marcha de una vez este trasto.

Deryn echó un último vistazo a Alek, salió del puntal y se dejó caer hacia el puente. La cuerda siseaba cada vez más caliente entre sus manos enguantadas.

•TREINTA Y SIETE•

—¡Pero si el motor aún no está lo suficientemente caliente! —exclamó Alek—. Con este frío podemos romper un pistón.

—Funcionará o no funcionará —le gritó Hirst—. ¡Pero de todas maneras la nave se elevará!

El jefe de ingenieros del *Leviathan* tenía parte de razón. Bajo ellos el lastre brillaba al sol mientras lo derramaban por los tanques delanteros. La cubierta de metal se alzó por debajo de los pies de Alek, como un barco alzado por el oleaje del océano. Los hombres corrían por la nieve de vuelta a la aeronave acompañados por los aullidos y silbidos de los animales impíos resonando como una jungla entera a su alrededor.

La aeronave se desvió de nuevo. El hielo de las cuerdas del suelo se partía a medida que estas se extendían y tensaban. El señor Hirst se movía rápidamente hacia la parte exterior de la cápsula del motor, cortando las cuerdas de la polea que habían usado para alzar las piezas del motor. En unos pocos momentos, todas las conexiones con el suelo estarían cortadas.

Sin embargo, el motor aún no estaba engrasado del todo. Todavía no habían probado ni la mitad de las bujías de incandescencia y Klopp les había prohibido que lo pusieran en marcha antes de que él hubiese inspeccionado personalmente los pistones.

—¿Funcionará? —preguntó Alek a Hoffman.

—Merece la pena intentarlo, señor. Probemos despacio.

Alek volvió a los controles. Le resultaba extraño ver las agujas y los manómetros del Caminante de Asalto fuera de su lugar habitual en la cabina del piloto y los engranajes y pistones que pertenecían al tronco del caminante expuestos al aire libre.

Cuando cebó las bujías, un montón de chispas volaron alrededor de su cabeza.

—Ahora despacio —dijo Hoffman, poniéndose las gafas.

Alek cogió la única palanca de control pues la otra estaba encima del motor de estribor con Klopp y la movió con suavidad hacia delante. Los engranajes se pusieron en marcha y rodaron, cada vez más rápido, hasta que el rugido de todo el motor hizo temblar la góndola entera. Echó un vistazo por encima del hombro y vio las tripas desvalijadas del Caminante de Asalto centrifugando ante sus ojos y un humo negro alzándose desde los tubos de escape.

—¡Esperen la orden! —gritó el señor Hirst por encima del fragor.

Señaló el parche de señales de la membrana de la aeronave. Estaba hecho de piel de sepia, les había explicado el jefe de ingenie-

ros, y estaba conectado con tejido nervioso fabricado a los recep-
tores abajo en el puente. Cuando los oficiales de la nave colocaban
papel de colores en los sensores, el parche de señales imitaba la
tonalidad exactamente como una criatura en libertad camuflada.
El rojo intenso significaba a toda velocidad, el púrpura significaba
media potencia y el azul significaba a cuarta velocidad con otras
tonalidades intermedias.

Pero con todos aquellos motores sin comprobar, Alek dudaba de
que su noción de «media velocidad» fuese la misma que la de Klopp.
Podrían tardar días en conseguir el equilibrio correcto y no obstante los alemanes estarían allí en cuestión de minutos.

Las cuerdas que les amarraban en tierra volaron cuando los
aparejadores las cortaron y Alek sintió otro tirón bajo sus pies. El
frío viento ahora tiraba de la nave y la gran bestia patinaba hacia
un lado por el glaciar.

—¡Un cuarto de velocidad! —gritó Hirst.

El parche de señales se había vuelto de color azul oscuro.

Alek presionó lentamente el pedal con el pie. El propulsor se
puso en marcha, este giró perezosamente unos momentos y luego
los mecanismos se engranaron, prendieron y las aspas desaparecieron difuminadas al rodar.

Enseguida, el propulsor ya estaba impulsando aire helado por la
cápsula descubierta. Agachó la cabeza aún más, arrebujándose en
su abrigo con fuerza. ¿Y cómo sería a «toda velocidad»?

—Baja una muesca —exclamó Hirst.

Alek miró el parche de señales, que ahora estaba más pálido.

Soltó un poco hacia atrás el mando con cuidado de no calar el motor.

—¿Ha oído eso? —preguntó Hoffman en el relativo silencio—. Es el motor de Klopp.

Alek escuchó con más atención y distinguió un rugido distante. Mientras su motor funcionaba al ralentí, el de Klopp se escuchaba con fuerza, impulsándolos hacia un giro gradual a la izquierda.

—¡Está funcionando! —exclamó, sorprendido de que los motores del Caminante de Asalto pudieran mover algo tan inmenso por el cielo.

—Pero ¿por qué estamos girando hacia el este? —preguntó Hoffman—. ¿Acaso la fragata no viene por aquella parte?

Alek tradujo la pregunta al señor Hirst.

—Es posible que el capitán quiera ganar velocidad valle abajo. Somos un poco pesados, por culpa de vuestros motores, y la tracción delantera hace que la nave se eleve —Hirst alzó un pulgar sobre su hombro—. O es posible que haya visto a esos tipos de ahí atrás...

Alek se dio la vuelta intentando ver entre el borrón de las hélices de propulsión. Tras ellos una flota de aeronaves se elevaba sobre las montañas: *Kondor*, interceptores *Predator* y una nave de asalto gigante *Albatross* con planeadores en su barquilla. Era un ataque aéreo a gran escala, calculado para descender justo cuando el *Hérkules* y sus exploradores llegasen de Austria.

El jefe de ingenieros se inclinó hacia delante en los puntales, descansando tranquilamente un pie en la junta principal. Se puso sus gafas y dijo:

—Espero que estos ruidosos cacharros estén a punto.

—Eso espero yo también —Alek se ajustó sus gafas y volvió a los controles.

La nariz del *Leviathan* se balanceó lentamente hacia el este hasta que finalmente la aeronave estuvo encarada hacia la extensión del valle.

El parche de señales se volvió de color rojo intenso.

Alek no esperó la orden de Hirst. Empujó la palanca hacia delante con fuerza. Por un momento, un chisporroteo estalló entre la maraña de engranajes y pistones. Después el motor rugió de nuevo y volvió a la vida, con el propulsor dando vueltas entre un destello de luz del sol.

—¡Comprueben el rumbo! —gritó por encima del ruido.

Alek vio a lo que se refería aquel hombre: la aeronave estaba virando a estribor puesto que su motor impulsaba más fuerte que el de Klopp. Los blancos dientes de la montaña se cernían ante ellos.

Tiró un poco hacia atrás de las palancas aunque un momento después la nave se balanceó demasiado hacia el otro lado. Klopp debía de haber visto también el giro y seguramente había impulsado su propio motor para compensar.

Alek soltó un gruñido de frustración. Era como si dos hombres quisieran pilotar un caminante a la vez y cada uno tuviese el control de una pierna.

El señor Hirst se echó a reír y gritó:

—No te preocupes, muchacho. Ahora la aerobestia ya ha captado la idea.

«A TODA MÁQUINA».

Alek intentó ver algo entre el helado viento de proa. Extendiéndose a su lado, el flanco de la criatura había vuelto a la vida. Un oleaje recorría toda su longitud, como un campo de trigo ondeándose bajo un fuerte viento.

—¿Qué está pasando?

—Eso se llaman cilios. Son como remos minúsculos que agitan el aire. Ahora la bestia nos mantendrá estabilizados aunque los motores clánker no lo hagan.

Alek tragó saliva, incapaz de apartar la mirada de aquella superficie ondulante de la aerobestia. Cuando trabajaba en los motores, intentaba pensar en la aerobestia como en una máquina inmensa y ahora se había convertido otra vez en una criatura viva.

Fuera como fuese, los minúsculos cilios los estaban guiando valle abajo. Era como montar a caballo, suponía Alek. Podías decirle adónde ir, pero él elegía dónde poner sus pezuñas.

Hoffman le dio un ligero empujón en el hombro.

—Decid adiós a nuestro feliz hogar, joven señor.

Alek miró a su izquierda. Pasaban a toda velocidad junto al castillo. Allí había provisiones para diez años y había estado un total de dos noches en él...

Sin embargo, volaban demasiado cerca: los muros del castillo casi estaban al mismo nivel que el motor. Por debajo de Alek, las cuerdas que colgaban en vertical aún se arrastraban por la nieve y se dirigían directamente hacia la fragata y sus exploradores.

—¡No nos estamos elevando!

—Parece como si estuviésemos transportando media tonelada de más o algo así —gritó Hirst—. ¡Los científicos no pueden haberse equivocado tanto! ¿Está seguro de que estos motores no son más pesados de lo que nos habéis dicho?

—¡Imposible! El profesor Klopp sabe exactamente el peso de cada pieza del Caminante de Asalto.

—Bueno, pues *algo* nos está sujetando hacia abajo —gritó Hirst.

Alek vio unos parpadeos de luz ante ellos: estaban soltando más lastre de los tanques delanteros. Entonces algo sólido cayó hacia el suelo como un remolino.

—¡Por los clavos de Cristo! —soltó Hoffman—. ¡Es una silla!

—¡Qué está pasando! —gritó Alek a Hirst.

El jefe de ingenieros vio cómo otra silla pasaba volando hacia el suelo.

—Habrán hecho sonar una alerta de lastre. Van a lanzar por la borda todo lo que no sea necesario —señaló hacia delante—. ¡Y ahí delante tenemos el porqué!

Alek entornó los ojos para poder ver a través del viento helado. Una bruma blanca se estaba alzando en la distancia. Unas extremidades de metal destellaban bajo la luz del sol, levantando una arremolinada nube de nieve.

El *Hérkules* se abalanzaba valle arriba hacia ellos. Si seguían con aquella altitud, el puente del *Leviathan* chocaría contra la cubierta de batería de la máquina.

El instinto de Alek le indicaba que tirase hacia atrás de las palancas de control. Pero la bandera de señales aún estaba en rojo. Perder velocidad significaba perder elevación, lo que solo empeoraría las cosas. Y si daban la vuelta, entonces deberían enfrentarse a las armas de los zepelines que los perseguían.

Hoffman se agarró a su brazo, acercándose y murmurando a toda velocidad en alemán:

—Esto será culpa del conde.

—¿A qué te refieres? —preguntó Alek.

Apenas se había visto con Volger desde que discutieron el día anterior. El conde había estado de acuerdo agriamente con el plan, pero no había ayudado en absoluto con los motores. Se había pasado todo el día yendo de un lado a otro desde el Caminante de Asalto destrozado, transfiriendo los equipos de radio y las partes de recambio a sus nuevos camarotes en el *Leviathan.*

—Estuvimos trasladando cosas a su camarote, señor. Me hizo envolver un par de veces lingotes de oro con vuestras ropas. Y eran muy pesados.

Alek cerró los ojos. ¿En qué estaría *pensando* el conde Volger? Cada lingote de oro pesaba treinta quilos. ¡Una docena de lingotes ocultos significaba el equivalente a tener tres polizones a bordo!

—¡Sujeta los controles! —exclamó.

• TREINTA Y OCHO •

Los puntales que conducían a la aeronave vibraban como cuerdas de piano, latiendo al unísono con el motor. El metal temblaba entre sus manos y Alek se agarró con fuerza empujado por los vientos helados, escalando rápidamente junto al sorprendido jefe de ingenieros.

—¿Adónde vas? —gritó el hombre.

Alek no respondió y siguió con la mirada fija en el resbaladizo suelo que estaba pisando. No entendía cómo Dylan podía encaramarse por aquellas cuerdas con tanta facilidad. Los arneses de seguridad de piel que usaban los darwinistas apenas parecían lo suficientemente gruesos como para soportar el peso de un hombre. Por supuesto, lo más probable es que fuesen de piel *fabricada*, pero aquello lo hacía más inquietante.

Los cilios se ondulaban rápidamente por los flancos de la criatura, como un océano de hierba reluciente, con los flechastes revoloteando al viento. Por lo menos no tendría que atreverse a subir por las cuerdas. Los puntales conducían directamente a una escotilla de acceso que estaba dispuesta entre dos nervaduras que sostenían el peso del motor. Alek entró arrastrándose por ella y bajó.

Después de soportar el viento helado del exterior, la calidez de los interiores de la criatura era de agradecer, a pesar de aquellos olores extraños y acres. Las nervaduras tenían un conjunto de traviesas entre ellas, de modo que Alek imaginó que sería sencillamente como bajar por una escalera en lugar de arrastrarse entre la piel de una bestia enorme.

Había sido un tonto al no pensar en que Volger intentaría meter a escondidas todo lo que pudiera a bordo de la aeronave. Aquel hombre nunca cejaba de maquinar, nunca dejaba el próximo paso sin planificar. Los preparativos de Volger para aquella guerra le habían ocupado quince años, después de todo. No iba a dejar un cuarto de tonelada de oro atrás sin siquiera intentar luchar.

Alek llegó al fondo de las escaleras y luego se dejó caer por otra escotilla que daba a la barquilla principal. A continuación hizo una pausa, mirando de arriba abajo los cimbreantes pasadizos de la nave...

¿Dónde estaba el camarote de Volger? Al haber trabajado toda la noche en los motores, Alek no había ni siquiera dormido en su camarote. Además, no le era de gran ayuda a su sentido de la orientación el hecho de estar rodeado de tripulación que corría de un lado a otro, transportando muebles y uniformes de recambio para lanzarlos por la borda.

Entonces se dio cuenta de que el suelo de la barquilla se inclinaba ligeramente a la izquierda. Por supuesto. Todos los camarotes que les habían dado estaban en la parte de babor. ¡Y hacia la proa, de manera que el oro estaba arrastrando hacia abajo la nariz de la aeronave!

Corrió hacia la parte delantera hasta que vio un pasadizo que le era familiar. Abrió de golpe la puerta del camarote de Volger. Estaba vacío, a excepción de una cama, un armario y el receptor de radio del Caminante de Asalto sobre el escritorio.

Por supuesto, Volger no dejaría el oro completamente a la vista. Alek miró en los cajones del escritorio, pero no encontró nada. El armario solamente guardaba ropas y armas de los almacenes del castillo.

Bajó la mirada al suelo y vio una bolsa de mapas debajo de la cama. Alek extendió el brazo y pasó la mano debajo de la cama para sacarla arrastrándola, pero no se movió: era tan pesada como un bloque de hierro macizo. Apuntaló los pies en la cama y tiró de la bolsa con ambas manos, pero ni aun así se movía.

Entonces Alek reparó en que la cama tenía que ser muchísimo más ligera que el oro y la apartó a un lado. Pero los candados de la bolsa de mapas estaban cerrados. Tendría que tirarlo todo de una vez. Alek se incorporó y abrió la ventana, a continuación intentó levantar la bolsa.

No se movió ni un centímetro del suelo. Era demasiado pesada para él.

—¡Por los clavos de Cristo! —maldijo, dando un puntapié al candado.

—¿Estás buscando esto?

Alek alzó la vista. El conde Volger estaba en el umbral de la puerta, con una llave en la mano.

—¡Déme eso o moriremos todos!

—Bueno, obviamente. ¿Por qué crees que estoy aquí? —Volger cerró la puerta y atravesó la habitación—. Ha sido algo brutal, tener que bajar por aquellas cápsulas del motor.

—Pero ¿por qué?

Volger se arrodilló junto al estuche.

—Porque Klopp necesitaba traducción.

—¡No! —se quejó Alek—. ¿Me refiero a por qué ha hecho *esto*?

—¿Traer una gran fortuna en oro? Creo que es del todo evidente —Volger hizo girar la llave y abrió el cerrojo.

Los lingotes brillaban tenuemente. Había una docena de ellos, más de doscientos kilos. Volger levantó un lingote con ambas manos, gruñendo mientras lo llevaba para lanzarlo por la ventana. Ambos se inclinaron hacia delante, mirando como destellaba bajo la luz del sol al caer.

—Bien, ahí van setenta mil *kroners* —dijo Volger.

Alek se inclinó y levantó otro. Los músculos de sus manos le dolieron al elevarlo y sacarlo de la bolsa.

—¡Casi consigue que nos maten a todos! ¿Está usted loco?

—¿Loco? —gruñó Volger, levantando otro lingote—. ¿Por intentar salvar lo poco de tu herencia que aún no has tirado?

—Esto es un dirigible, Volger. ¡Cada gramo significa una gran diferencia! —Alek sacó otro lingote de la bolsa—. ¿Y usted trae lingotes de oro a bordo?

—No pensaba que los darwinistas fueran tan justos —Volger gruñó de nuevo, al lanzar otro lingote de oro por la borda—. E imagina lo complacido que te habrías mostrado si yo hubiese tenido *razón*.

Alek dejó escapar un bufido. Al trabajar junto a la tripulación del *Leviathan*, se le había contagiado la manía de los aviadores sobre el peso. Pero Volger seguía pensando en términos de cañones pesados y caminantes blindados.

Alek lanzó otro lingote por la ventana: solo quedaban seis.

—Será mejor que terminemos el trabajo —dijo Volger—. ¡Tíralo todo por la borda, como el caminante y el castillo y todas las provisiones de diez años!

—Bueno, y ¿a qué viene todo esto? —preguntó Alek, levantando otro lingote—. ¿Eso de que he tirado por la borda todo su duro trabajo? ¿Es que no se da usted cuenta de que hemos conseguido algo más importante?

—¿Qué puede ser más importante que vuestro patrimonio?

—Aliados —Alek empujó el lingote por la ventana.

Cuando este cayó, pensó que notaba cómo la cubierta se elevaba bajo él. Tal vez aquello estaba funcionando.

—¿Aliados? —se burló Volger y después alzó otra barra y la lanzó—. ¿Así que vuestros nuevos amigos merecen que tiréis todo lo que vuestro padre os dejó?

—No todo —dijo Alek—. Durante toda mi vida, usted y mi padre me prepararon para esta guerra. Gracias a ello, no tengo que esconderme de ella. Vamos, solo nos quedan cuatro. Entre los dos podemos alzarlo a la vez.

—Aún pesa demasiado —dijo Volger sacudiendo la cabeza—. Vuestro padre era un idealista y un romántico y esto le costó muy caro. Siempre esperé que vos heredarais un poco del pragmatismo de vuestra madre.

Alek bajó la vista a la bolsa.

Solo quedaban cuatro lingotes... Se preguntó qué diría un chico como Dylan ante aquella fortuna. Tal vez no era del todo una locura, lo que Volger había hecho.

—Bueno —dijo él—, tal vez podríamos conservar uno.

Volger sonrió mientras se arrodillaba. Sacó uno de los lingotes y lo deslizó otra vez bajo la cama—. Tal vez aún quede algo de esperanza para vos, Alek.

—¿De veras?

Alek se arrodilló delante de él y juntos alzaron la bolsa. El rostro de Volger se puso rojo por el esfuerzo. Alek sintió que los músculos de sus brazos le latían tensándose.

Finalmente, la bolsa descansó en el alféizar. Alek dio un paso atrás y entonces se lanzó contra la bolsa para empujarla lo más fuerte que pudo.

Los últimos tres lingotes cayeron esparciéndose al caer hacia la nieve, rodando a toda velocidad y brillando bajo el sol. Alek sintió la mano de Volger sujetándole por el hombro, como si el hombre pensase que él también iba a caer dando tumbos tras los lingotes. La aeronave se inclinó hacia arriba bajo los pies de Alek, rodando hacia estribor cuando el peso del oro de su padre abandonó la nave.

—Pero en realidad no pensé que importase, no en una nave de esta

«ARROJANDO LOS ÚLTIMOS LINGOTES».

envergadura —dijo Volger en voz baja—. Nunca pretendí poneros en peligro.

—Lo sé —suspiró Alek—. Sé que todo lo que ha hecho ha sido para protegerme. Lo que sucede es que ahora he elegido un destino distinto, uno menos seguro. O bien lo acepta o nuestros caminos deberán separarse cuando esta nave aterrice.

El conde Volger suspiró lentamente y entonces se inclinó.

—Permaneceré a vuestro servicio, Su Serena Majestad.

Alek puso los ojos en blanco e iba a decir algo más. Pero en aquel preciso momento una luz parpadeó en el exterior y ambos se asomaron a la ventana de nuevo.

Estaban lanzando bengalas de señales desde el suelo. El *Leviathan* había llegado a donde estaban los escoltas alemanes. Estaban disparando sus morteros, enviando al aire sus brillantes cenizas. Alek respiró aquel intenso olor a fósforo que ya le era familiar y el rugido del cercano cañón alcanzó sus oídos.

—Solo espero que no hayamos llegado demasiado tarde.

· TREINTA Y NUEVE ·

—¡Moved el trasero, bichos! —gritó Deryn mientras enviaba al aire otra bandada de murciélagos.

El señor Rigby había enviado a los cadetes hacia la parte delantera para que aligerasen la proa. Algo muy pesado mantenía el morro de la aeronave inclinado hacia abajo. O bien era aquello o que las células de hidrógeno delanteras tenían fugas. No obstante los respiradores no habían sufrido ningún daño.

Desde arriba, Deryn podía ver todo el valle, y la vista era rematadamente horrible. La máquina caminante clánker se había detenido a unas pocas millas y sus exploradores ya formaban una línea sobre el glaciar, esperando a que la aeronave se pusiera a tiro.

De pronto, la membrana se alzó bajo los pies de Deryn. El morro se había levantado un poco.

—¿Has notado eso? —gritó Newkirk desde el otro lado de la proa.

—Sí, algo empieza a ir bien —respondió ella—. ¡Sigue azuzando a las bestias!

Deryn desató el cabo de seguridad y corrió hacia otra bandada de murciélagos gritando y agitando los brazos. Se la quedaron mirando escépticamente antes de salir volando, puesto que no se les había alimentado con *fléchette* todavía, ni iba a haber oportunidad para alimentarlos en algún tiempo.

Cuando sonó la alarma del lastre, el señor Rigby ya había lanzado dos bolsas de púas por el costado. Si los zepelines los alcanzaban, el *Leviathan* estaría indefenso. Sus bandadas estaban bien alimentadas pero sin armar y dispersas al viento.

Al menos, y por el momento, los motores clánker prestados funcionaban. Eran ruidosos, malolientes y lanzaban chispas que hacían que Deryn sintiera escalofríos de terror; pero, ¡demonios!, vaya si impulsaban la nave.

Los viejos motores de impulsión tan solo habían elevado la nave en la dirección correcta, como un labrador que condujera un mulo tirando de sus orejas. Pero ahora eso había cambiado: los cilios actuaban como un timón, marcando el rumbo a la vez que los motores clánker propulsaban la nave.

Deryn no había imaginado que la ballena pudiera ser tan lista y adaptarse con tanta rapidez a los nuevos motores. Y nunca había visto a una aeronave moverse tan rápido. Los zepelines que los perseguían, entre ellos los pequeños y veloces interceptadores, se estaban quedando atrás.

Aunque las máquinas terrestres alemanas aún los esperaban justo delante.

La nave dio otra sacudida y Deryn perdió el equilibrio, deslizándose por la pendiente. Su pie quedó trabado en una de las jarcias, deteniendo su caída con un molesto tirón.

—¡La seguridad es lo primero, señor Sharp! —dijo Newkirk, atándose las correas de su arnés a modo de tirantes.

—Será engreído ese caraculo —murmuró Deryn, abrochando su mosquetón de nuevo al cabo de seguridad.

Gritó otra vez a los murciélagos a pleno pulmón, pero la aeronave no parecía necesitarlo. El morro de la aerobestia estaba subiendo a trompicones, dando sacudidas a intervalos de unos diez segundos.

Parecía que estuvieran tirando oficiales por la ventana del puente de mando, pero al menos la nave se estaba nivelando.

Deryn se inclinó ligeramente hacia delante hasta que logró ver bien a los alemanes.

Las pequeñas naves de reconocimiento, máquinas que se movían rápidamente dando brincos como zancudos, estaban disparando sus morteros. Afortunadamente, la descarga era solo de bengalas, que no estaban diseñadas para elevarse demasiado. Subían unos pocos centenares de pies describiendo un arco y se consumían inútilmente, silbando bajo el vientre de la barquilla.

Entonces las armas de los caminantes empezaron a elevarse, siguiendo a la aeronave aunque sin abrir fuego. A la velocidad que se movía el *Leviathan*, únicamente tendrían oportunidad de disparar una vez antes de que los sobrevolara.

Un silbato de mando empezó a sonar con una nota larga y con

un tono tan agudo que resultaba casi imposible de oír. ¡Era la señal que ordenaba a todos trasladarse a popa!

Deryn se volvió y echó a correr. A cada lado, los rastreadores correteaban por la membrana, dirigiéndose a la cola. El lomo estaba atestado de hombres y bestias que corrían en la misma dirección; los artilleros aéreos levantaban sus armas para poder llevarlas consigo.

Era un último y desesperado intento de desplazar todo el peso hacia la parte trasera de la aeronave. Al hacerlo de golpe, haría bascular el morro de la nave hacia arriba, elevándola aún más en el aire.

A mitad de camino, Deryn vio destellos que provenían de la nieve bajo ellos y echó un vistazo por encima del hombro. Las armas de los caminantes centelleaban y formaban nubes de humo.

Antes de que siquiera el ruido alcanzase a sus oídos, la aeronave dio otra sacudida, más fuerte esta vez, como si alguien hubiera arrojado un piano de cola por la borda. El morro se inclinó hacia arriba, ocultando al caminante alemán de la vista de Deryn. El puente se balanceó con fuerza hacia estribor. Fuera lo que fuese lo que hubieran tirado, lo habían hecho desde proa.

Entonces oyó el tardío estruendo de los cañones; los proyectiles empezaron a describir arcos a su alrededor. Eran enormes bombas incendiarias que iluminaban el cielo como si fueran gotas de rayos congelados.

Una pasó tan cerca que Deryn pudo sentir el calor que despedía en las mejillas y en la frente. El aire se secó instantáneamente y Deryn sintió cómo se le entrecerraban los ojos por la furia del proyectil. La luz de los llameantes proyectiles arrojaba sombras de hombres y bestias sobre la membrana, donde se veían ensanchadas y deformadas por las curvas de la aeronave.

Pero toda la descarga volaba demasiado lejos, hacia babor.

La pérdida súbita de peso, de lo que quiera que fuese, había apartado la aeronave de su trayectoria justo a tiempo. Y los arreglos que habían hecho los aparejadores durante las últimas semanas habían aguantado: no había la más mínima pérdida de hidrógeno.

Pero Deryn, al igual que el resto de la tripulación, siguió corriendo en dirección a la cola de la nave. No exclusivamente para que la aeronave se levantara más aún, sino también para poder ver lo que sucedía detrás de ellos.

Allí estaba de nuevo el caminante de ocho patas, que ahora se deslizaba a lo lejos por la parte de proa. Sus armas estaban girando para intentar disparar una vez más. Pero los nuevos motores clánker del *Leviathan* lo impulsaban demasiado deprisa.

Cuando dispararon los cañones de nuevo, los proyectiles incendiarios fallaron el blanco por unos cientos de metros, cayeron en la nieve y allí descargaron su furia. Las máquinas caminantes quedaron atrás, ocultas por un velo de vapor.

Deryn se unió a los vítores que se alzaron por toda la espina. Los rastreadores de hidrógeno aullaron junto a ellos, medio enloquecidos por todo aquel jaleo.

Newkirk apareció, resoplando y cubierto de sudor, y le dio una palmadita en el hombro.

—¡Un combate condenadamente bueno! ¿Verdad, señor Sharp?

«EL *HÉRKULES* DISPARA SUS PROYECTILES».

—Sí, lo ha sido. Aunque espero que se haya acabado.

Miró por los prismáticos para echar un vistazo a los zepelines, que se perfilaban contra el sol del ocaso. Se habían quedado aún más atrás, superados irremisiblemente por los motores del Caminante de Asalto.

—Ya no podrán alcanzarnos jamás, y menos ahora cuando está a punto de anochecer —dijo ella.

—¡Creía que esos *Predators* eran rápidos!

—Sí, lo son. Pero nosotros lo somos más, ahora que tenemos esos motores.

—Pero ¿acaso no tienen ellos motores clánker también? —preguntó Newkirk.

Deryn frunció el ceño y miró hacia abajo, a los costados del *Leviathan*. Los cilios se agitaban enloquecidos, entretejiendo el flujo de aire alrededor de la nave, sumando las corrientes de aire a la fuerza bruta de los motores.

—Ahora somos un poco diferentes. Una mezcla entre nosotros y ellos —dijo.

Newkirk meditó aquello un momento, hizo un ruido con la boca mientras lo pensaba y le dio otra palmadita en el hombro.

—Francamente, señor Sharp, no me importa si es el mismísimo Káiser quien nos impulsa, si ello nos saca de este iceberg.

—Glaciar —corrigió Deryn—. Pero tiene razón: es genial estar en el aire de nuevo.

Cerró los ojos y respiró profundamente el aire gélido. Sentía bajo sus pies el nuevo y extraño zumbido de la membrana.

Su sentido de la navegación aérea le indicaba que la bestia ya estaba virando en dirección sur y rumbo al Mediterráneo. Los zepelines que se habían quedado atrás eran algo que pertenecía ya al pasado; el Imperio otomano los esperaba.

A pesar de los complicados obstáculos que los clánkers habían interpuesto en su camino, el *Leviathan* había sobrevivido.

· CUARENTA ·

Los pistones eran las piezas más difíciles de dibujar. Había algo en la lógica clánker para hacerlos encajar que hacía que Deryn se devanara los sesos.

Se había pasado toda la tarde haciendo bosquejos de los nuevos motores, imaginando los dibujos en una futura edición del *Manual de Aeronáutica*. Pero incluso si nadie llegaba a verlos, el cálido día era una excusa perfecta para estar descansando allí. La aeronave volaba a tan solo noventa metros sobre el agua. El sol de la tarde se mecía sobre las olas y su reflejo hacía que todo brillara. Después de pasar tres noches sobre un glaciar tras el naufragio, parecía la tarde perfecta para tenderse sobre los flechastes, tomar el sol y dibujar.

Pero incluso con el Mediterráneo extendiéndose en todas direcciones, parecía que los clánkers nunca se tomaban un respiro. Alek y Klopp habían estado ocupados en las góndolas desde el mediodía diseñando un parabrisas para proteger a los pilotos del motor. Así era como se llamaban a sí mismos: *pilotos*, y no ingenieros o algún otro término de las Fuerzas Aéreas que fuera más adecuado. Habían olvidado que los auténticos pilotos estaban en el puente.

Nuevamente, había escuchado rumores sobre que la aeronave ya no necesitaba pilotos, ni darwinistas ni clánker. La ballena había desarrollado una vena independiente, una tendencia a elegir su propio camino entre las corrientes de aire caliente y las ascendentes. Entre la tripulación había quien pensaba que tal vez con el naufragio la bestia había perdido la chaveta. Pero Deryn opinaba que era a causa de los nuevos motores. ¿Quién no se sentiría lleno de energía con toda aquella potencia?

Apartó de un manotazo una abeja que estaba correteando por su cuaderno de dibujo. Las colmenas estaban hambrientas tras tres días de hibernación y se atiborraban con el néctar de las flores sil-

vestres de Italia mientras el *Leviathan* se dirigía hacia el sur. Los halcones bombarderos estaban satisfechos y felices tras hartarse de liebres salvajes y lechones robados.

—¿Señor Sharp? —se oyó decir con la voz del timonel jefe.

Deryn estuvo a punto de cuadrarse de un salto, y entonces vio al lagarto mensajero observándola con sus ojillos brillantes.

—Por favor, persónese en el camarote del capitán —continuó el lagarto—. Sin demora.

—A la orden, señor. ¡Enseguida! —Deryn se estremeció cuando oyó cómo su voz soltaba un chillido propio de una chica. Bajó el tono y dijo—: Fin del mensaje.

Recogió el cuaderno y los lápices mientras la bestia se alejaba correteando. Se preguntó qué habría hecho. Nada tan malo que mereciera una visita al capitán, al menos por lo que ella recordaba. El señor Rigby la había incluso encomiado por haber retenido como rehén a Alek durante el ataque del Caminante de Asalto.

Pero, aun así, no podía evitar sentirse nerviosa.

El camarote del capitán se encontraba en la parte superior, cerca de la proa y al lado de la sala de navegación. La puerta estaba entreabierta y el capitán Hobbes sentado tras su escritorio. Las cartas de navegación colgadas de la pared se agitaban con la brisa que entraba a través de la ventana.

Deryn saludó correctamente.

—Se presenta el cadete Sharp, señor.

—Descanse, señor Sharp —dijo el capitán, lo que no hizo sino ponerla más nerviosa—. Entre, por favor. Y cierre la puerta.

—Sí, señor —dijo ella.

La puerta del camarote del capitán era de madera natural, no de balsa fabricada, y se cerró con un fuerte golpe.

—¿Podría preguntarle, señor Sharp, cuál es su opinión sobre nuestros invitados?

—¿Los clánkers, señor? —dijo Deryn haciendo un gesto extrañado—. Son muy inteligentes. Y están muy decididos a mantener esos motores funcionando. Diría que son buenos aliados.

—¿De veras? Entonces es una suerte que no sean oficialmente nuestros enemigos —el capitán dio unos golpecitos con su lápiz a la jaula que había sobre su mesa. La gaviota mensajera que había dentro aleteó y sacó la lengua para palpar el aire—. Acabo de saber que Inglaterra no está en guerra con el Imperio austrohúngaro, al menos por ahora. Por el momento solo debemos preocuparnos por los alemanes.

—Bien, es útil saberlo, señor.

—Ciertamente —el capitán se reclinó en su asiento y sonrió—. Usted es amigo del joven Alek, ¿no es cierto?

—Sí, señor. Es un buen muchacho.

—Eso parece. Un joven como él necesita amigos, sobre todo tras haber tenido que huir de su casa y de su país —el capitán levantó una ceja—. Triste, ¿no es cierto?

Deryn asintió.

—Supongo que sí —repuso Deryn con cautela.

—Y, sin embargo, todo resulta bastante misterioso. Aquí es-

«EL CAMAROTE DEL CAPITÁN».

tamos, a su merced mecánicamente hablando, y sin embargo no sabemos mucho acerca de Alek y de sus amigos. ¿Quiénes son en realidad?

—Son un tanto cautos, señor —dijo Deryn, lo que no era mentira.

—Sí, bastante —el capitán Hobbes cogió el papel que tenía ante él—. El propio Primer Lord del Almirantazgo ha manifestado su curiosidad por ellos, y solicita que le mantengamos informado. Así que nos sería útil, Dylan, que tuviera los oídos abiertos.

Deryn dejó escapar lentamente un suspiro.

Aquel era el momento, sin duda, en el que su deber le exigía explicar al capitán todo lo que sabía: que Alek era el hijo del archiduque Ferdinand y que los alemanes estaban detrás del asesinato de su padre. El mismo Alek lo había dicho: no se trataba solo de asuntos familiares. Los asesinatos habían hecho estallar esta maldita guerra, después de todo.

¡Y ahora el propio Lord Churchill estaba haciendo preguntas sobre todo aquello!

Pero le había prometido a Alek que no diría nada. Deryn había contraído una gran deuda con él después de echarle encima a los rastreadores la primera vez que se encontraron.

En realidad, toda la condenada aeronave estaba en deuda con él. Alek había revelado la posición de su escondite para ayudarles a combatir contra los zepelines y había renunciado a su Caminante de Asalto y a un castillo lleno de provisiones. Además, lo único que había pedido a cambio era permanecer en el anonimato. Le parecía incluso descortés que el capitán hiciese aquellas preguntas.

No podía romper su promesa, no de aquella forma, sin siquiera hablar primero con Alek.

Deryn saludó con corrección.

—Me alegrará poder hacer cuanto esté en mi mano, señor —dijo, y se marchó sin contarle nada al capitán.

❖ ❖ ❖

Aquella tarde fue en busca de Alek, que estaba ocupándose de los huevos. Cuando llegó, la puerta de la sala de máquinas estaba cerrada con llave. Deryn golpeó con fuerza la puerta un par de veces. Alek la abrió y sonrió, pero no se hizo a un lado.

—¡Dylan! Me alegra verte —bajó el tono de voz—, pero no puedo dejarte entrar.

—¿Por qué no?

—Uno de los huevos se estaba poniendo pálido, así que hemos tenido que cambiar los calentadores de sitio. Es algo muy complicado. La doctora Barlow dijo que una persona más en la habitación podría alterar la temperatura.

Deryn puso los ojos en blanco. Según se acercaban a Constantinopla, la científica se había vuelto cada vez más protectora con los huevos. Habían sobrevivido a un accidente aéreo, a tres días en un glaciar y a un ataque de zepelines, y sin embargo aún parecía pensar que se romperían si alguien los miraba de reojo.

—Eso son un montón de tonterías, Alek. Déjame entrar.

—¿Estás seguro?

—¡Sí! Los estamos manteniendo bastante cerca de la temperatura corporal. Otra persona no les hará ningún daño.

Alek dudó.

—Bueno, también dijo que no habían sacado de paseo a Tazza en todo el día y que tiraría abajo las paredes de su camarote si no vas a verlo.

Deryn suspiró. Era impresionante lo agotadora que podía llegar a ser la científica sin siquiera estar presente *en la habitación*.

—Debo decirte algo importante, Alek. Hazte a un lado y déjame pasar.

El chico frunció el ceño pero cedió, permitiendo que ella se colara en la sofocante sala de máquinas.

—Caramba, ¿no hace demasiado calor aquí dentro?

Alek se encogió de hombros.

—Son órdenes de la doctora Barlow. Dijo que teníamos que mantener caliente el huevo enfermo.

Deryn echó un vistazo a la caja donde estaban cargados. Dos de los huevos que habían sobrevivido estaban acurrucados en un extremo; el otro estaba en el medio, solo y rodeado por un montón de calentadores. Quizás demasiados.

Avanzó un paso para comprobar el termómetro y frunció el ceño. Eran los condenados huevos de la doctora Barlow. Pero si lo que pretendía era cocinarlos, por ella fantástico. Deryn tenía cosas más importantes de qué preocuparse.

Se volvió a Alek.

—Hoy el capitán me ha mandado llamar. Ha preguntado por ti.

Alek mostró un semblante preocupado.

—Oh.

—No te preocupes, no le he dicho nada. Es decir, nunca rompería mi promesa —dijo ella.

—Gracias, Dylan.

—Aunque él... —Deryn carraspeó, intentando parecer tranquila—. Me pidió que te vigilara y que le informara de cualquier cosa que averiguase.

Alek asintió despacio.

—Te dio una orden directa, ¿verdad?

Deryn abrió la boca para contestar, aunque no consiguió articular palabra; algo estaba cambiando en su interior. De camino a la sala, había abrigado la esperanza de que Alek le diera permiso para contárselo todo al capitán, resolviendo así el dilema. Pero ahora se le ocurrió que estaba albergando un deseo completamente distinto. Deryn cayó en la cuenta de que lo que en realidad quería era que Alek supiese que ella había mentido por él y que seguiría haciéndolo.

De pronto, sintió de nuevo aquella sensación, la misma que había sentido cuando Alek le había contado la historia de sus padres: un chasquido en el aire sobrecalentado. Sentía un cosquilleo en la piel justo donde él la había abrazado.

Aquello *no* estaba yendo nada bien.

—Sí. Supongo que sí.

Alek suspiró.

—Una orden directa. Así que si averiguan que has ocultado mi verdadera identidad, te acusarán de traición y te colgarán.

—¿Colgarme?

—Sí, por confraternizar con el enemigo.

Deryn torció el gesto. No había considerado aquello de antemano antes de sopesar dónde recaían sus promesas y lealtades.

—Bueno..., no es que seas el enemigo. El capitán dice que no estamos en guerra con Austria.

—Por el momento. Pero por lo que Volger oyó en la radio, solo será cuestión de una semana, más o menos —sonrió con tristeza—. Es gracioso imaginarse a todos esos políticos intentando decidir si somos enemigos o no.

—Sí, claro, rematadamente gracioso —murmuró Deryn. Era ella la que estaba allí, y no un simple político. Era su decisión—. Te hice una promesa, Alek.

—Sí, pero también hiciste un juramento a las Fuerzas Aéreas y al rey Jorge —le recordó él—. No voy a hacer que rompas ese juramento. Eres demasiado buen soldado para eso, Dylan.

Ella tragó saliva, moviéndose inquieta.

—Entonces, ¿a ti qué te harán?

—Me encerrarán y tirarán la llave —dijo Alek—. Soy demasiado valioso como para dejarme escapar en territorio del Imperio otomano. Y cuando lleguemos a Inglaterra, me meterán en algún lugar seguro hasta que se haya terminado la guerra.

—¡Maldita sea! —se quejó ella—. ¡Pero tú nos has *salvado*!

El muchacho se encogió de hombros. La tristeza aún se apreciaba en sus ojos. No hasta el punto de ceder de nuevo a las lágrimas, pero más profundamente de lo que ella había visto hasta ahora.

La muchacha le estaba arrebatando su último resquicio de esperanza.

—No diré nada —prometió Deryn de nuevo.

—Pues entonces tendré que entregarme —planteó Alek con tristeza—. La verdad ha de saberse, tarde o temprano. No tiene sentido que te arriesgues a que te cuelguen.

Deryn quería rebatir aquello, pero Alek no se lo estaba poniendo fácil. Tenía razón en lo de desobedecer órdenes en tiempo de guerra: era traición y los traidores eran ejecutados.

—Todo esto es culpa de la doctora Barlow. Yo no habría descubierto quién eres si ella no fuera tan entrometida. Ella no dirá nada tampoco, pero por supuesto nunca cuelgan a los sabiondos como ella —protestó Deryn.

—No, supongo que no —Alek se encogió de hombros otra vez—. Al fin y al cabo no es un soldado y, además, es una mujer.

Deryn se quedó con la boca abierta. Casi lo había olvidado: las Fuerzas Aéreas no colgarían a una *mujer*, ¿verdad? Ni siquiera a una soldado raso. La echarían, por supuesto, le quitarían todo lo que siempre había querido; su hogar en la aeronave y el mismo cielo. Pero nunca ejecutarían a una chica de quince años. Sería rematadamente *vergonzoso*.

Una sonrisa cruzó su rostro.

—No te preocupes por mí, Alek. Tengo un as en la manga.

—No seas estúpido, Dylan. Esto no es otra de tus disparatadas aventuras. ¡Esto es muy serio!

—¡*Todas* mis aventuras son rematadamente serias!

—Pero no puedo dejar que corras ese riesgo. Ya ha muerto suficiente gente por mi culpa. Iré a ver al capitán ahora y se lo contaré todo —suplicó él.

—No tienes por qué hacerlo —rebatió Deryn, aunque sabía que Alek no la escucharía.

No creería que ella no corría peligro de que la colgaran a menos que le contara la verdad. Lo más extraño de todo era que casi prefería contárselo, intercambiar su secreto por el de él.

Se acercó un poco más.

—No me colgarán, Alek. Yo no soy el soldado que tú crees que soy.

Alek frunció el ceño.

—¿Qué quieres decir?

Deryn inspiró.

—En realidad no soy un…

Se oyó un ruido proveniente de la puerta: el tintineo de unas llaves. La puerta se abrió y la doctora Barlow entró en la sala. Su semblante se enfureció cuando vio a Deryn.

—Señor Sharp. ¿Qué está haciendo aquí?

· CUARENTA Y UNO ·

Alek nunca había visto una mirada tan fría en el rostro de la doctora Barlow. Sus ojos se movían rápidamente de Deryn a los huevos, como si pensase que había entrado para robar uno.

—Lo siento, señora —balbuceó Deryn, tragándose lo que fuese que estuviese a punto de decir—. Solo había venido a ver a Tazza.

Alek le contuvo sujetándole por el brazo.

—Espera. No te vayas —se dio la vuelta hacia la doctora Barlow—. Tenemos que decirle al capitán quién soy en realidad.

—¿Y por qué deberíamos hacerlo?

—Ha ordenado a Dylan que no me quite ojo de encima y que le cuente todo lo que averigüe. Todo —Alek se irguió, intentando asumir la voz autoritaria de su padre—. No podemos pedirle a Dylan que desobedezca una orden directa.

—No te preocupes por el capitán —la doctora Barlow hizo un gesto con la mano—. Esa es *mi* misión, no la suya.

—Sí, señora, pero no se trata solamente del capitán —dijo Deryn—. ¡El Almirantazgo sabe que tenemos clánkers a bordo y el Primer Lord ha estado haciendo preguntas!

El rostro de la doctora Barlow se enfureció de nuevo y su voz pasó a ser un gruñido.

—¡*Ese* hombre! Debería de haberlo sabido. ¡Toda esta crisis es por su culpa y aún se atreve a interferir en mi misión!

Deryn intentó responder algo, sin conseguirlo.

Alek frunció el ceño.

—¿Quién es «ese» tipo?

—Está hablando de Lord Churchill —consiguió decir Deryn—. Es el Primer Lord del Almirantazgo. ¡Dirige toda la maldita Marina!

—Sí, y se podría pensar que esto ya debería ser suficiente para Winston. Pero ahora está traspasando sus funciones —dijo la doctora Barlow. Se sentó junto a los huevos, apartando algunos calentadores del que estaba enfermo—. Sentaos, los dos. Es mejor que sepáis toda la historia, puesto que los otomanos seguramente lo averiguarán pronto.

Alek y Deryn se miraron y se sentaron en el suelo.

—El año pasado —empezó ella—, el Imperio otomano se ofreció a comprar un barco de guerra construido en Gran Bretaña. Un navío de los más avanzados del mundo, con una criatura acompañante lo suficientemente fuerte para cambiar el equilibrio de poderes de las potencias en el mar. Y está preparado para zarpar.

Hizo una pausa, echó un vistazo al termómetro y luego movió algunos calentadores más por la paja.

—Pero el día antes de que usted y yo nos encontrásemos en Regent's Park, señor Sharp, Lord Churchill decidió quedarse el barco para Gran Bretaña, aunque ya estuviese completamente pagado —hizo un gesto negativo con la cabeza—. El motivo es que sospechaba que los otomanos podrían cambiar de bando en esta guerra y no quería que el *Osman* estuviese en manos enemigas.

Alek frunció el ceño.

—¡Bueno, esto es simple y llanamente robar!

—Supongo —la doctora Barlow apartó una brizna de paja—. Pero lo más importante es que este asunto conmocionó a la diplomacia. Lo que ha conseguido este hombre enervante es que los otomanos casi seguramente se unan a los clánkers. Nuestra misión es evitar que esto suceda.

Dio unos golpecitos al huevo enfermo.

—Pero ¿qué tiene que ver todo esto con mi secreto? —preguntó Alek.

La doctora Barlow suspiró.

—Winston y yo hemos estado enfrentados respecto a los otomanos durante algún tiempo. No aprecia que estoy intentando arreglar sus errores y le encanta interponerse en mi camino —miró a Alek—. Si averigua que tenemos al hijo del archiduque Ferdinand a bordo como nuestro prisionero, le proporcionaría una excusa excelente para ordenar que la nave dé la vuelta.

Alek apretó los dientes.

—¿Prisionero? ¡Nuestros países ni siquiera están en guerra! Y no hace falta que le recuerde quién impulsa los motores de esta nave.

—Eso es precisamente a lo que me refiero —dijo la doctora Barlow—. ¿Ahora veis por qué no quiero que tú y Dylan vayáis con rumores al capitán? Provocaría grandes problemas y enfrentamientos entre todos nosotros. ¡Y hasta ahora nos estamos llevando espléndidamente!

—Sí, claro, tiene razón —dijo Deryn.

La chica parecía aliviada.

La doctora Barlow se dio la vuelta y volvió a ajustar bien el huevo.

—Podéis dejarme a Lord Churchill a mí.

—Pero no es solamente su problema, señora —dijo Deryn—. También es de Alek. Usted dice que lo protegerá, pero ¿cómo puede usted prometer...? —frunció el ceño—. ¿Quién es *usted* exactamente, señora, para poder tener a raya a este Lord Churchill?

La mujer se levantó y se irguió cuan alta era, ajustándose su bombín.

—Soy exactamente lo que ven: Nora Darwin Barlow, cuidadora jefe del zoo de Londres.

Alek parpadeó. ¿Ha dicho Nora *Darwin* Barlow? Otra vez empezó a notar que le entraba un cosquilleo nervioso en el estómago.

—Se refiere a... —tartamudeó Dylan—, su abuelo... ¿el condenado *apicultor*?

—Yo nunca dije que fuese apicultor —se echó a reír—. Solo que las abejas le inspiraron. Sus teorías jamás habrían alcanzado tanta elegancia sin su ejemplo tan instructivo. Así que deje de preocuparse por Lord Winston, señor Sharp. Él no significa nada que yo no pueda manejar.

Dylan asintió, con el rostro lívido.

—Entonces voy a ver a Tazza, señora.

—Una idea excelente —la mujer le abrió la puerta para que saliera—. Y que no vuelva a pillarle aquí dentro sin permiso.

Deryn hizo el gesto de atravesar la puerta aunque antes miró a Alek por última vez. Por un momento sus ojos se encontraron. Entonces Deryn hizo un gesto con la cabeza y desapareció.

Probablemente estaba tan sorprendida como Alek. La doctora Barlow no es que fuese darwinista, sino que era una *Darwin,* la nieta del hombre que había penetrado en las mismísimas cadenas de la vida.

Alek sintió como si el suelo se moviese bajo sus pies; dudó de que fuese la aeronave dando la vuelta. Estaba delante de la encarnación de todo lo que le habían enseñado a temer. Y se había confiado a ella por completo.

La doctora Barlow volvió a los huevos. Estaba recolocando los calentadores, amontonándolos cerca del huevo enfermo otra vez.

Alek apretó los puños para que no se le notase el temblor en su voz.

—¿Y qué sucederá cuando lleguemos a Constantinopla? —preguntó—. Cuando usted y su carga estén a salvo allí, ¿me encerrará?

—Por favor, Alek. Yo no tengo intención de encerrar a nadie —alargó la mano y le mesó el pelo, lo que hizo estremecer a Alek.

—Tengo otros planes para ti.

Sonrió mientras se iba hacia la puerta.

—Confía en mí, Alek. Y, por favor, cuida con suma atención esos huevos esta noche.

Cuando la puerta se cerró tras ella, Alek se giró para mirar la caja de cargamento que brillaba tenuemente, preguntándose qué habría en aquellos huevos que era tan importante. ¿Qué clase de criatura fabricada podía sustituir a un poderoso buque de guerra? ¿Cómo era posible que una bestia no mayor que una chistera evitase que todo un Imperio entrase en esta guerra?

—¿Qué guardáis ahí dentro? —dijo Alek en voz baja.

Pero los huevos siguieron allí inmóviles, sin darle ninguna respuesta.

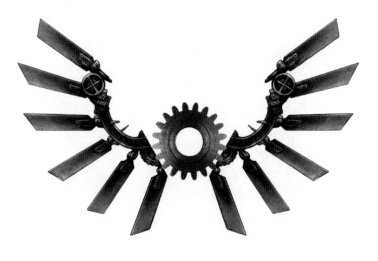

Epílogo

Leviathan es una novela de historia alternativa, por lo tanto, muchos de sus personajes, criaturas y mecanismos son de mi invención. No obstante, la época en la que se desarrolla el libro está basada en el verano real de 1914 cuando Europa se encontró abocada hacia el desastre de una guerra. Por lo que, a continuación, hacemos un breve repaso de lo que es verdad y de lo que es ficción en esta historia hasta el momento.

El 28 de junio, el archiduque Francisco Fernando, heredero del trono austrohúngaro, y su esposa, Sofía Chotek, fueron asesinados por jóvenes revolucionarios serbios. En mi mundo, ambos sobrevivieron a un par de ataques, pero fueron envenenados poco más tarde aquella misma noche. Sin embargo, en el mundo real fueron asesinados por la tarde. (Yo quería que mi libro empezase por la noche). Igual que en *Leviathan*, los asesinatos condujeron a la guerra entre Austria y Serbia, que se extendió a Alemania, Rusia y después a más países. La primera semana de agosto, todo el mundo ya estaba implicado en la Gran Guerra, que después se denominó Primera Guerra Mundial.

Aquellas dos trágicas muertes, y la funesta diplomacia llevada a cabo entre las grandes potencias de Europa, dieron como resultado millones de muertes.

En aquella época, surgieron rumores de que el gobierno austriaco, o tal vez el alemán, había organizado secretamente aquellos asesinatos, o bien para tener una excusa para declarar la guerra o porque Francisco Fernando era demasiado pacificador. Pocos historiadores actualmente creen en esta teoría de la conspiración, pero se tardaron décadas en descartarla. Lo cierto era que el estamento militar alemán estaba determinado a iniciar una guerra y utilizó los asesinatos para hacer exactamente eso.

No obstante, Francisco Fernando y Sofía no tuvieron ningún hijo llamado Aleksandar. Sus hijos se llamaron Sofía, Maximiliano y Ernesto. Pero igual que en mi historia, a los tres no se les permitió heredar tierras o títulos de Francisco puesto que su madre no era completamente de sangre real. E igual que en *Leviathan,* sus padres habían implorado tanto al emperador austrohúngaro como al Papa para que cambiase esta situación. Aunque en el mundo real, Francisco y Sofía no lo consiguieron.

La romántica historia que cuenta Alek sobre el partido de tenis y el reloj de bolsillo es totalmente cierta.

Charles Darwin existió de verdad, por supuesto, y a mediados de la década de 1800 hizo descubrimientos que han pasado a ser el núcleo de la biología moderna. En el mundo del *Leviathan* también consigue descubrir el ADN y logra entrar en estas «cadenas de vida» para crear nuevas especies. En nuestro mundo, el papel que desempeña el ADN en la evolución no se comprendió en su totalidad hasta la década de 1950. Solo ahora estamos empezando a fabricar nuevas formas de vida, y ninguna tan inmensa como la gran aeronave donde está Deryn Sharp.

Nora Darwin Barlow también fue una persona real, una científica por méritos propios. La «flor columbina» Nora Barlow, como ella se hacía llamar, publicó muchas ediciones sobre la obra de su abuelo. Aunque no fue ni cuidadora del zoo ni diplomática.

El tigre de Tasmania es un animal totalmente real. En el zoo de Londres se podía ver un tilacino en 1914, pero ahora ya no. A pesar de haber sido el mayor depredador del continente australiano tan solo hace unos doscientos años, la especie fue cazada por los humanos y la llevaron a la extinción a principios del siglo XX. El último tigre de Tasmania conocido murió en cautividad en 1936.

Por lo que respecta a las invenciones clánker, están bastante avanzadas a su época. Las primeras máquinas de guerra acorazadas no entraron en batalla hasta 1916. No podían andar pero usaban cadenas de tractor, como los tanques hacen hoy en día. Los militares de nuestro mundo solo ahora están empezando a desarrollar vehículos útiles con patas en lugar de cadenas de tracción o ruedas. Los animales aún son mucho mejores que las máquinas por lo que se refiere a caminar por terrenos escarpados.

Por lo tanto, *Leviathan* en gran medida trata sobre posibles futuros más que de un pasado alternativo. Aún resulta muy lejano un mundo donde las máquinas parezcan criaturas vivas y las criaturas vivas se puedan fabricar como máquinas. Y aun así, el escenario también nos recuerda a unas épocas pasadas en las que el mundo estaba dividido entre aristócratas y plebeyos, y las mujeres, en muchos países, no podían unirse a las fuerzas armadas o ni siquiera votar. Esta es la naturaleza del género *steampunk,* una mezcla de pasado y futuro. El conflicto entre Winston Churchill y los otomanos acerca de un poderoso buque de guerra de gran tamaño está basado en hechos reales. Pero será mejor que lo dejemos para el segundo libro, que sigue al *Leviathan* hasta la antigua ciudad de Constantinopla, capital del Imperio otomano.